科学はひとつ

宇宙物理学者による知的挑戦の記録

戎崎俊一

学而図書

はじめに

私がこの12年間書き溜めてきた手記を記事としてまとめ、本書『科学はひとつ』として上梓します。

２０１１年３月11日、東日本大震災において発生した地震、および津波災害に起因する福島第一原子炉事故によって、私は「細分化された科学」の無力を悟りました。

当時、原子炉の破損状況を誰もが心配していましたが、テレビや新聞では漠然とした情報が繰り返し伝えられるのみであり、科学者たちは誰一人として、その憂慮すべき状況を直視した発言を行いませんでした。

現在、科学の各分野において専門化・細分化が進んだ結果、科学者が自分の専門分野に閉じこもり、自身の専門以外の事柄に関しては、その専門家の意見を鵜呑みにする、という弊害が顕在化しています。3・11の際に人々が目の当たりにした科学者たちの緘黙（かんもく）も、「正常な原子炉」の専門家が、己の領域の外の問題に対して口をつぐんだために生じたものだと言えるでしょう。科学の細分化、誤解を恐れずに言うならば、科学の分断の問題は、いまや非常に重篤な状況にあります。本来、科学は一つであるべきです。

そこで私は、自分の博士論文のテーマであった天体物理学を超えて、すべての科学分野を自分の研究テーマとし、人類的な課題に挑戦していくことを決意しました。そして、科学の再統合を目指した努力の結果、私はこの12年間で、天体物理、プラズマ物理、化学、生物学、地球科学、惑星科学といった多面にわたる分野において成果を上げ、研究者として大変生産的な時間を過ごすことになりました。図A－1には、この12年間で私が使った、概念のネットワークをまとめました。眺めてみると、生物の起源や、太陽系・地球の起源、種の起源と生物進化、宇宙線の起源といった科学の根本問題に関するものが多く含まれています。我ながら、よくもまあ野放図に手を広げたものです。

一方で、広い範囲にまたがるそれぞれの概念は、ネットワークをなして繋がっており、もし探索の手をここまで広げなければ、私は個別のどの一つの問題に対してもうまく答えを見出せなかったかもしれません。その中でも、「電離放射線」にはつながりを示す線が特に集中しており、一連の仕事の鍵を握る概念だったことが分かります。思えば、私はX線天文学から研究のキャリアを始めており、電離放射線の物理に長く親しんでいたことが功を奏したとも考えられるでしょう。

さて、本書に収録された記事の多くは、自分の覚えのために書き留めていた研究ノートであり、私のブログ「戎崎の科学は一つ Ebisu's United Fields of Science」[1]に掲載されたものです。記事の初出が異なるものは、別途その旨を本文中に記しました。それらをテーマごとに九つに分類し、その中では、ほぼ執筆順に記事を掲載しています。また、記事を羅列しただけでは研究の流れが掴みにくいので、各章ごとに解説を付け加えました。本書の内容を辿ることで、ある一人の科学者が新しいテーマに挑戦し、理解を深めてゆく過程を、読者に追体験していただけるのではないかと期待しています。紙幅の関係で

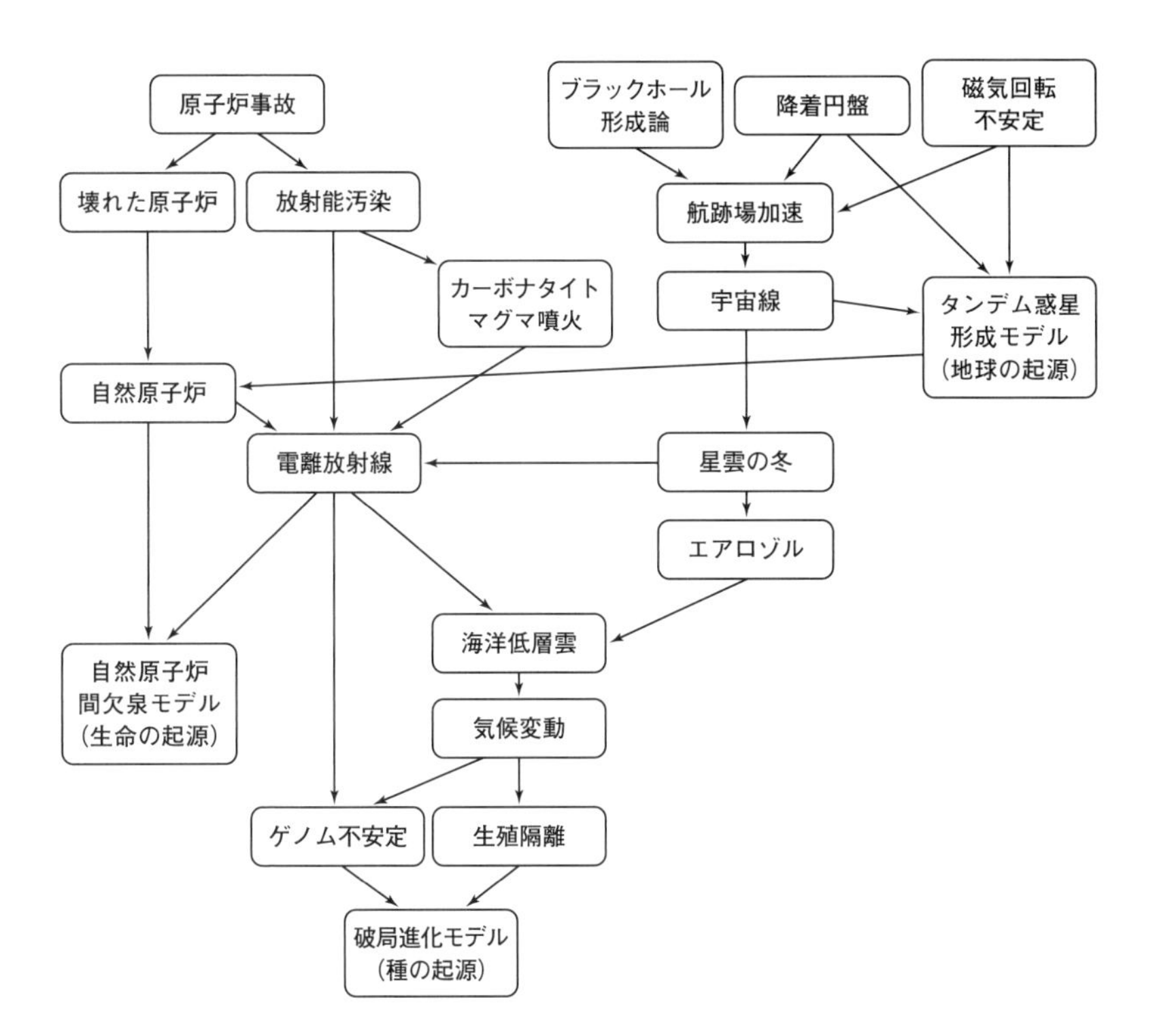

図 A-1　本書で議論する概念のネットワーク

本書への掲載を見送った多数の記事や図表は、引き続きブログで公開していますから、本書とあわせてご覧ください。

科学哲学者であるカール・ポパー（Popper, Karl R.）の反証可能性の理論によれば、科学は作業仮説を立ててその反証を試み、棄却を重ねることで科学的理解を漸近的に深める手法をとります。本書で私が提案したものは、上記の意味での「作業仮説」です。本書の出版時点においては、それらに致命的な棄却要因は見られませんが、今後の新しい観測事実や理論に基づいて、反証による検証を繰り返す必要があることは言うまでもありません。

個々の記事は研究論文の要約とも言える内容になっていますから、読者は必ずしもそのすべてを理解する必要はありません。あくまで、これらの研究の大きな流れを追えれば十分です。ぜひ、挑戦の過程をともにお楽しみください。

注

(1) https://science.gakuji-tosho.jp

科学はひとつ

目次

第6章　種の起源と生物進化

第 1 章

福島第一原子力発電所事故

解説　第1章 福島第一原子力発電所事故

2011年3月11日、東北日本一帯を強い地震が襲いました。福島第一原子力発電所で運転中であった1－3号炉は、当時、地震の被害を受けながらも自動停止しました。しかし、地震の約50分後に到来した遡上高14－15ｍの津波によって、地下に設置されていた非常用ディーゼル電源が損傷し、同発電所は全電源喪失に陥ります。その結果、1－3号炉ではどれも6時間以上、空焚き状態が続きました。さらに、翌12日から16日にかけて、1－4号炉で次々と水素爆発が発生し、被害を拡大させることになります。この間、これらの原子炉の破損状況を誰もが心配し、テレビのニュースや新聞でも盛んに議論が行われていましたが、誰一人として、その憂慮すべき状況を直視した発言をする者はいませんでした。

私が、International Access Corporation の佐藤暁氏と出会ったのは、そんなときです。佐藤氏は原子炉の専門家で、彼は「6時間以上にわたる空焚き状態には、どんな原子炉も絶対に耐えられない。1－3号炉は、メルトスルー状態にあり、圧力容器の水密性は完全に失われている。疑問の余地はない」と断定しました。

その一方で、マスコミでは漠然とした情報のみが繰り返し垂れ流され、学会等では「炉心溶融などの『扇情的』な情報を、良識ある研究者は発信してはならない」というような議論（今から見れば、全く的外れであることは明らかです）が見受けられました。震災時の破局的状況において、「正常な原子炉」という狭い分野の専門家は、事態の急速な進展に追随できなかったのです。私は当時、専門家であるはずの人々全員が機能不全に陥ったと理解しました。こうして、細分化された科学の無力さを痛感した私は、大事だと思ったことは専門家に任せることなく、納得がいくまで自分自身で調べて考えることにしました。

まず気になったのは、メルトスルーした原子炉がどのようになってしまうのか、という点です。水密性が失われた状態では、いくらそこに注水しても、水はダダ漏れとなります。その流れ出す水に溶け込んで、大量の放射性物質が、壊れた原子炉から外部環境に漏れ出しているはずです。そのような状況で、大量の注水をすることに問題はないのでしょうか。また、燃料棒が地下で集合し、再臨界に達しないかも心配でした。

制御不能になった、壊れた原子炉は一体どうなるのか。そういう具体的な情報が、佐藤暁氏以外の専門家からは、全く発信されませんでした。これでは、かえって心配が募るばかりです。そこで、自分なりに論文を読み進めていくと、色々なことが分かってきました。

まず、メルトスルーに至った原子炉では、強く発熱している燃料棒の集合体がコンクリート基盤を溶かし、コンクリートマグマのプールを形成することが判明しました。そして、燃料棒内の燃料はマグマの中に分散するため、再臨界の可能性はほとんどないことも分かりました。

また、マグマプールがいつ、どれくらいの大きさになるのかを数値シミュレーションした結果を報告した論文（記事1－2）によれば、すべての燃料棒がメルトスルーするという最悪の場合に、半年から1年後にマグマプールが最大になり、そのときの半径は約12mに達します。原子炉のコンクリート基盤の厚さは14mありますから、最悪の場合でも、マグマプールはコンクリート基盤の中に留まりそうであることに私は安堵しました。

やがて、燃料棒の発熱が減るにつれて、マグマプールは小さくなる一方、その底面を溶かしながら沈んでいきます。そのことが分かってからの私は、事故後の1年ほど、福島方面で地震がある度に、肝を冷やす思いをしました。コンクリート基盤の中で、半径10mにまでマグマプールが成長していた場合、その上部構造が耐えられるかどうかが心配だったのです。

また、約20億年前に活動していた自然原子炉の化石が、アフリカのガボン共和国オクロに存在していることを知り、その動作原理と周辺の環境に関する論文を私は読み漁りました（記事1－4）。20億年前には、核分裂連鎖反応を起こすウラン235の割合が自然界に多かったために、ウラン濃縮なしでも自然の原子炉が動作可能だったのです。

こうした自然原子炉では、水を減速材とし、約3時間の周期で活動する一種の間欠泉（自然原子炉間欠泉）が形成されていました。そこで私が気になったのは、自然の原子炉が放出する高濃度の放射性物質が、周りの生態系にどのような影響を与えているのかということです。

調べてみると、アクチノイドであるウランやトリウムは、有機物やリン酸と強く結合して安定化されるために、生態系への影響は限定的でした。そうだとすれば、壊れた原子炉を注水なしで安定化させるためには、有機物やリン酸化合物を投入し、水に溶けない鉱物を作らせるのが有効であるということになります。

その後、私が得たこれらの知識は、生物の起源における化学進化段階において、「生物なしで有機物を大量に作るためには、原子炉が必要である」という生物起源の自然原子炉間欠泉モデルへと発展していきました（第５章参照）。

さて、佐藤暁氏の明快な論理に感銘を受け、いわゆる「専門家」の体たらくに危機感を覚えた私は、勇気を振り絞り、同年３月28日に行われたＪＡＨＯＵ（日本ハンズオンユニバース）集会に、佐藤暁氏を招聘し講演を行ってもらいました。その発表資料は自身のブログで公開することにし（２０１１年５月21日付記事[1]）、現在でも閲覧することができるようになっています。

また、メルトスルー状態にある原子炉をどう無害化するかについても佐藤氏と議論し、チェルノブイリ原子炉のような「その場石棺化」が最も低コストで安全である、という彼の結論に合意しました。石棺化が有効であることは、オクロの自然原子炉化石の環境報告からも明らかです。この方策の提案書は、佐藤暁氏の名前で私のブログに公開されています（２０１１年６月29日付記事[2]）。

これらのブログが核になって生まれたのが、ウェブサイト「戎崎の科学は一つ　Ebisu's United Fields of Science」です。私が震災を機に肝に銘じたのは、「科学者は、自分の専門分野のみに閉じこもってはならない」ということでした。たとえ自分の知らない分野に関することであっても、重要なことは自分で新たに調べ、必要ならば自ら研究し、その結果を勇気をもって発表するべきです。そこで、その発表の場として、このウェブサイトを設けたのです。

いま振り返ってみると、佐藤暁氏の意見は完全に正しかったことが分かります。ところが、震災から数年が経つと、メルトスルー状態であることが学会の常識であったかのように公然と話され、その対策が議論され始めました。私は現在でも、こうした学会の姿勢に対して強い違和感を覚えています。

さて、2011年5月、私は「戎崎の科学は一つ」上で、アマランサス、キクイモ、ヒマワリなどのヒユ科とキク科の植物がセシウムを強く濃集する性質を用いて、環境にばらまかれたセシウムの吸収を図る論文を紹介しました（記事1-1）。この論文は、あらかじめ土中のカリウム濃度を少なくすること、刈り入れ前にアンモニアを与え、1週間ほどしてから収穫すると濃集効率がよいことなどを懇切に説明しています。

生物による放射性物質除去は、一時期熱心に試みられましたが、あまり効果がなかったという残念な結果に終わっているようです[3]。ただ、その検証実験は、土中にカリウムが十分ある環境で行っており、上記の「あらかじめ土中のカリウム濃度を少なくする」という条件を満たしていないので、当然の結果です。上記の条件を満たした注意深い実験が行われなかったことを、私は残念に思います。

また私は、水中のセシウムやストロンチウムが藻類の体内に取り込まれる性質を利用して放射性物質を吸収する研究プロジェクトの提案者の一人になりました[4]。このプロジェクトを通して、水中に含まれる放射性物質は、速やかに藻類をはじめとする微生物の体内に取り込まれることが分かっています。いわゆる「生物濃縮」です。

さらに、風評被害を根絶する検出器の開発にも参加しました。原子炉事故から数年が経過し、実際は許容量以下の放射性物質しか含んでいなくても、福島県の農産物は風評被害で全く売れない状況が続いていました。この問題を根絶するために考案したのが、買い手の目の前で放射能を実測する、という方法です。その実現のために、農産物を包み込むような形のシンチレーターを持った検出器を開発しました（記事１－５）。この検出器は、当時、実際に福島のスーパーで使用してもらったりもしています。

こうした活動の中で私が邂逅（かいこう）したのが、株式会社ＪＭＣマグネット事業部の佐藤雅人氏です。佐藤氏には、田んぼからの放射性セシウム除去に納豆菌資材を使うことを提案しました。実際に一回の試行で田んぼの放射能が半分になるなどの成果を得ています（記事１－３）。ただし、繰り返し実験を行うと、同じ処理をした場合でも放射能レベルがあまり下がらない例も出てきており、生物浄化の難しさも明らかになりました。

ところで、震災から12年以上経った今でもまだ謎となっているのは、冷却を目的として大量に注水したために、原子炉からダダ漏れになった放射性物質の行方です。おそらく、注水した水とともに原子炉地下に漏れ出した放射性物質は、大量の地下水と混ざりあって、海底地下に流れ出し、沖合で海底から噴出していたと思われます。真水は海水より軽いからです。ただし、微生物が速やかにそれを体内に取り込んで、その死体が海底に沈降し、海底堆積物として固定されたと思われます(4)。さらに、その上に新しい堆積物が次々降り積もり、生態系から隔離されました。

何のことはありません、福島沖合の豊かな生態系が勝手に働いて、放射性物質の地層処分をしてくれたことになります。漏れ出した放射性物質が、生態系が処理できる量にとどまっていたことは不幸中の幸いでした。

メルトスルーとなり壊れた原子炉への大量の注水は、空中への放射性物質の飛散を防ぎ、マグマプールの拡大を防止して、原子炉建屋の全面的崩壊を防ぐ効果があったと思われます。その代償として、原子炉地下から大量の放射性物質が海底に漏れ出ましたが、幸いにして生態系が処理してくれました。おそらくそれらは今、地層中に静かに眠っていると思われます。

注

(1) https://science.gakuji-tosho.jp/data/upfile/4-1.pdf
(2) https://science.gakuji-tosho.jp/data/upfile/11-1.pdf
(3) 農研機構：ヒマワリ栽培による土壌中の放射性セシウム吸収，２０１１，https://www.naro.affrc.go.jp/org/tarc/seika/jyouhou/H23/hatasaku/H23hatasaku005.html（最終閲覧日 ２０２３年７月15日）
(4) 岩本浩二，白岩善博：藻類による放射性元素の生物濃縮と除染の可能性，生物工学会誌，92巻６号，271－275，２０１４．

1-1　植物による放射性セシウム汚染土壌の浄化について

関東各地で牧草などから高濃度の放射線が検出されている。これは、土壌に吸収された放射性のヨウ素とセシウムが、植物体に濃集した結果と考えられる。これらの元素を濃集する植物の性質を使ってできるだけ速やかに土壌の浄化を試みるべきである。特に、半減期が30年のセシウム137の除去が必要である。

チェルノブイリ近辺の汚染土壌を使った実験の報告[1]を読むと、植物による浄化の効果は、早ければ早いほど高いことが分かる。特にセシウムは、土壌に強く吸着されてしまうと、植物に吸収されなくなる。それまで（最初の2年間）に、できるだけ土壌中のセシウムを減らす努力が肝要と思われる。特にこの夏期の活動が今後の成否を分けると思われる。

まずは、放射性物質が土壌表面にとどまっている間に、表面の数センチを剥ぐのが効果が高いとされている。その後に、セシウムの吸収能力が高い植物を植える。チェルノブイリ近辺の土壌を使った実験では、アマランサス、キクイモ、ヒマワリなどが有効であることが報告されている（1作あたり1,000−3,000 Bq／㎡の除去の実績がある、Dushenkov *et al.* 1999）。実を結ぶ前に、刈って除去することを繰り返せば、土壌はかなり浄化されると期待される。汚染がひどくない場所では、牧草を、繰り返し刈って除去するだけでも、効果を期待できる。

二次的な汚染を防ぐために、放射線を含んだ植物体は、雨が当たらないように保存する。省力化のために、ロールベールラップのシステムを利用できるかもしれない。また、焼却する場合は放射能除去フィルターを持った特別な焼却炉で行う。

セシウムはカリウムとよく似た性質を持っている。セシウムの吸収を促進させるためには、土壌中のカリウム濃度を少なめ（0.3 mM以下）にする必要がある(Zhu and Smolders 2000)。また、刈り入れの前にアンモニアイオンを含む肥料を与え、雨を待って一週間してから刈るようにすると、植物によるセシウム吸収を高める効果があるとされている。アンモニアイオンがセシウムイオンを置換するからである。

（２０１１年５月20日）

参考文献・注

(1) Dushenkov, S. and Mikaeev, A., Prokhnevsky, M., Ruchko, M. and Sorochinsky, B.: Phytoremediation of radiocesium-contaminated soil in the vicinity of Chernobyl, Ukraine, *Environ. Sci. Technol.*, **33**, 469–475, 1999.

(2) Zhu, Y-G. and Smolders, E.: Plant uptake of radiocaesium: a review of mechanisms, regulation and application, *Journal of Experimental Botany*, **51**, 1635–1645, 2000.

1-2 原子力発電所メルトスルー事故後のコンクリートマグマプールの拡大について

福島第一原子力発電所においては、冷却能力の喪失により炉心が破壊され、燃料棒集合体の一部は崩落して格納容器まで落下したと考えられている。さらにその一部もしくは全部が、格納容器を貫通して基盤コンクリートまで落下している可能性が否定できない。落下した燃料棒は、発熱を続け基盤のコンクリートを破壊する。コンクリートは水和エネルギーで固体となっており、約２MJ／kgの熱を受け取ると溶融する。コンクリートと燃料棒が混ざった溶融物をここでコンクリートマグマと呼ぶ。

落下した燃料棒の周りには、コンクリートマグマのプールができる。やがてこのプールはお互いに合体して大きなマグマプールを形成する。

Alsmeyer（１９８９）は、このマグマプールの拡大を1.3GWの電気出力（対応する熱出力はその３倍弱）で燃料棒が100％落下した場合について数値シミュレーションを実行した。福島第一原子力発電所の２－４号機の電気出力は０・７８４GWなので、このシミュレーションは保守的な見積もりになっていると考えられる（約２倍のマージン）。

その結果、マグマプールは約１年後に半径12ｍに達して水平方向の拡大をほぼ止める。その後ゆっくりと１年に１ｍ程度の割合でゆっくり落下する。福島第一原子力発電所の場合、基盤のコンクリートの厚さは14ｍである。この深さに到達するのは、200日後程度（つまり約７か月後、３月から数えると10月頃）である。燃料棒の一部しか落下しなかった場合はそれに応じて発熱量が減り、マグマプールの半径はその1/3乗に比例して小さくなると思われる。10％のメルトスルーで5.6ｍ、１％のメルトスルーで2.6ｍ程度になることになる。

このように、メルトスルーから半年から1年後に半径10ｍ程度のマグマプールが基盤コンクリート構造の中にできる事態を想定しなければならない。まず、原子炉の上部構造がこれに耐えられるか、特に、震度５－７の地震への耐震性が心配される。また、遅かれ早かれ数年後には、マグマプールの底が基盤コンクリートを突き抜ける心配がある。そこには砂岩を中心とした透水層が広がっており（地下70ｍまで）、地下水による汚染が心配される。したがって、

１）メルトスルー量の把握

２）地震波・電磁波解析によるマグマプールの存在確認

３）地下20ｍに達するコンクリートの地下ダムによる地下水流入の遮断

４）原子炉上部構造の建設による雨水の遮断

を急ぐべきである。

（２０１１年９月12日）

参考文献

Alsmeyer, H.: Containment loadings from melt—concrete interaction, *Nuclear Engineering and Design*, 117, 45–50, 1989.

1-3 微生物による放射性セシウム除去

私は、昨年福島に行った際に、株式会社ＪＭＣマグネット事業部（http://www.jmc-japan.com/mag/index.html）の佐藤さんに邂逅した。彼の会社はセシウムを吸着する技術を持っている。それは、磁性化ゼオライトを田んぼに播いて、後で磁石で回収するというものだ（株式会社マグネテックジャパン、愛媛大学との共同プロジェクト）。この方法では、水中に出てきたセシウムは効率よく回収するのだが、田の粘土に吸着したセシウムがどうしても除去できないということで悩んでおられた。

そこで私は、微生物を利用する提案をした。納豆菌は貪欲にカリウムとそのアナログであるセシウムを体内に吸収して可溶化するはずだ。それを含んだ微生物資材を田に施用した後、彼の除去技術を適用すればうまくいくはずだということを示唆させてもらった。それまではセシウムの可溶化にはシュウ酸などの強い酸を用いるしかなく、田んぼの土壌環境を荒らしてしまう可能性が高かったので農家が躊躇（ちゅうちょ）してしまうというのが問題だった。納豆ならば、要するに食品なので、田んぼへの影響は軽微もしくはその土壌環境はよりよくなる可能性もあるとのことで農家が歓迎するかもしれないとのことだった。

実行力抜群の佐藤さんは、ふくしまの農業団体である「ＮＰＯ法人　がんばろう福島、農業者等の会」と連携し、田植え前の田んぼに愛媛ＡＩという肥料として市販されている微生物資材（納豆菌、乳酸菌、酵母の混合物とされている）を播いた上で、従来通りの除染作業を行ったところ、一気に田んぼの放射能が半分になり一定の成功を収めたとのことだ。ただし、効果が安定せず、うまくいく場合とそうでない場合があるようだ。ただし、この方法は、田んぼの土壌環境を荒らさないので、農家が土壌改良のついでに、除染作業を気軽にはさむことができるという意味で実践的な方法と言えるかもしれない。

セシウムの可溶化の成功・不成功には田んぼの中の微生物生態系の動態が重要であるようだ。佐藤さんに協力している横山氏（農研機構中央農業総合研究センター）によると、田んぼの中の生物多様性が重要らしい。農林省は、セシウム対策に大量のカリウムを肥料として投与することを農家に勧めている。横田氏はカリウムが田んぼに蓄積しすぎると、田んぼの微生物システムが破壊される傾向にあることを心配している。カリウムがだぶついてミネラルバランスが崩れてしまった田畑の土壌環境の回復にも、微生物資材の投入と磁性化ゼオライトによる吸着作業は有効かもしれない。

この秋に、除染作業に成功した二本松農園の田んぼからとれた新米が白米の形で２kg理研に届いた。念のため理研の仁科加速器研究センターのＲＩ応用チームの羽場さんに頼んで計測してもらったところ、以下のような結果だった。

Cs-137: < 0.43 Bq/kg（2013/11/13）
Cs-134: < 0.097 Bq/kg（2013/11/13）

基準を大幅に下回る数値である。もちろん、糠や籾殻はそういうわけにはいかないだろうが、素晴らしい数値だと思う。この数値の達成に、ほんのちょっとだけでも自分が貢献できたとするなら、大変うれしいことだ。

福島では、このような試みがさまざまな形で推進されていると聞く。それらが相互に競争しつつ、情報を交換して前に進んでいるだろう。勤勉できめ細かい日本人の特性が発揮され、農地の除染技術が一新するのではないだろうかと私は期待している。件の、二本松農園では、この手法を確立するための募金を募集しているそうだ。

さて、先週のＪＥＭ－ＥＵＳＯ会合の際に収穫祭と称してパーティを私の研究室で行った。その折に、このいただいた白米を炊いてつくったおにぎりを出した。私自作の紫イモを蒸かしたのと混ぜると、とてもいい色合いになった。会合には60人を超える外国人たちも参加し、きれいに平らげてくれた。「何がおいしかった？」と聞くと、「おにぎり」との答えが多かったことを報告しておきたい。実際、新米はおいしかった。

（２０１３年12月15日）

1-4 オクロ・オケロボンド地域の自然原子炉の動作周期

20億年前のオクロの自然原子炉から抽出された元素の同位体比から調べると、^{235}U と ^{239}Pu 核分裂と中性子捕獲反応の証拠が得られた。有効中性子フラックス（10^{21} n/cm^{2} 以下）、消費されたウラン量（5 t 以上）、放出されたエネルギー（15 GW/yr）などが推定されている。また、半減期が2万4千年の ^{239}Pu を使って、核分裂反応の実効継続時間が約15万年であることが導かれる。平均出力は100 kW程度と見積もられる。したがって、この原子炉は爆発することなく長期にわたって安定に動作していたことになる。つまり、何らかの自己調節機構を持っていなければならない。

Meshik *et al.*（2004）は、アルミニウムヒドロキシ燐酸の中の希ガスの同位体比を調べた。核分裂由来の Xe と Kr の濃度が高いことが分かった。その特異なキセノンの同位体比を説明するには、原子炉が、2.5時間の休止期間と30分のパルス的な活動期間からなる周期で間歇（かんけつ）的に動作していたと考える必要があることが分かった。このような間歇的活動は、中性子を減速する水が高温になって蒸発するため、核分裂の連鎖反応が水が戻ってくるまで停止するという自己制御機構で説明できる。

（2014年5月23日）

参考文献

Meshik, A. P. *et al.*: Record of cycling operation of the natural nuclear reactor in the Oklo/Okelobondo area in Gabon, *Physical Review Letters*, 93, 182302-1-4, 2004.

1-5 検出器で風評被害を根絶する

東日本大震災から4年がたちますが、震災の影響は色々なところに残っています。福島県の農民は原子力発電所の事故で放出された放射性セシウムの風評被害に悩まされています。作った野菜や果物、お米に放射性セシウムが含まれているのではないか、という不安から売れなかったり、安い値段でしか買ってもらえないということが起きています。私たちはこの状況を変えるには、すべての農産物の放射線量を測定し、販売できればよいと考えました。ところが、これまでの検出器は感度を持つ部分（シンチレーター）が底面にしかなかったので、野菜のような形のあるものを測定すると、感度部分への平均距離が変わるため、放射線量が正確に測れませんでした。そのため、食品を小さく破砕してから測定していますが、破砕作業は大変な手間がかかります。また、測定後の破砕された試料は捨ててしまわなければなりませんでした。

試料を包み込むようにシンチレーターを配置すれば、どんな形をしていてもシンチレーターまでの平均距離があまり変わらないので、破砕しなくても正確な測定ができますが、現在使われているシンチレーターを用いるととても高額になります。そこで、原子力発電所事故由来の放射性セシウムと天然由来の放射性カリウムの割合も分かるような工夫を施した、低コストで加工が容易なシンチレーターによる測定システムを開発しました。魔法瓶サイズの円筒形にシンチレーターを成形し、その中に果物や野菜、魚をそのまま投入し、その中の放射線量が測れる検出器を開発しました。
この原理を使った検出器が共同研究先である株式会社ジーテックにおいて製品化され、福島県内の農協や道の駅、幼稚園などで利用が始まっています。目の前で測定し、実際に放射能がないことを確認してそのまま売買したり、園児たちの給食に供したりできるので、農民やお客さん、給食担当者の反応も上々です。福島の農産物の多くが測定値付きで店頭に並ぶようになりつつあります。もちろん、ほとんどの作物が基準を大きく下回って安全なことを示しています。今後は、装置を大型化してトロ箱に入れた魚介類や野菜をそのまま測定できる装置などに展開したいと考えています。

最後に、これが実現できたのは、シンチレーターのさまざまなところで発生する光子をあまさず丁寧に拾い集める一連の技術とノウハウがあったからであることを強調したいと思います。これは、宇宙からくる微弱な放射線を測るために、長い年月をかけて私たちが培ったものでした。宇宙の過酷な環境で安定に動作し、微弱な信号をもれなく集める検出器の応用先が、実は福島の農民のそばにもあったのです。私が所属する理化学研究所は、「基礎から応用まで」を合言葉に1917年に創立されました。創立100年まであと2年です。諸先輩に倣い、宇宙物理学という基礎科学分野で培われた技術を、風評被害で悩む農民のために応用してその緩和に少しでも貢献できたことを、私たちは誇りに思います。

（2015年3月12日）

初出

戎崎俊一：高論卓説，フジサンケイビジネスアイ（FujiSankei Business i），2015年3月12日．

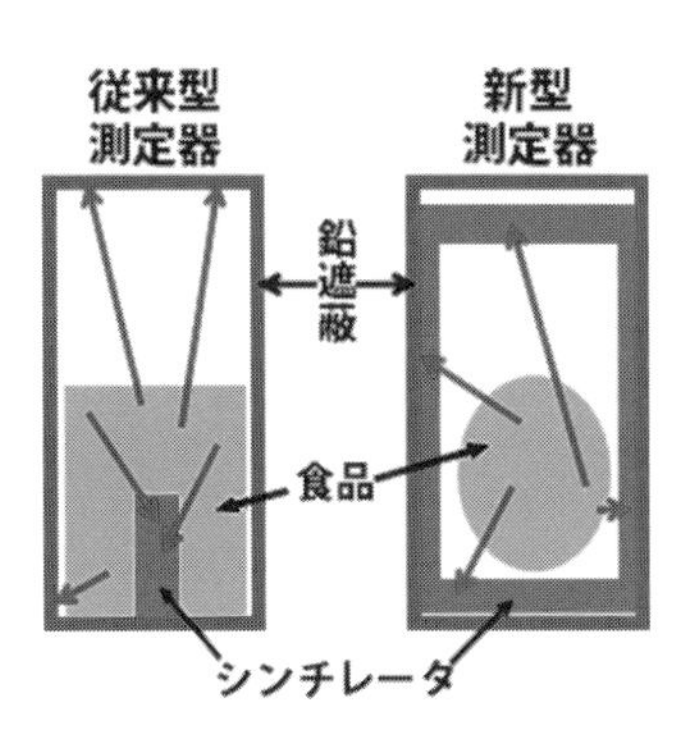

図1-1　測定器の構造

図1-2　実際の測定器

第2章

地震と津波防災

解説　第2章　地震と津波防災

２０１１年3月11日に発生した東日本大震災では、巨大津波が1.5万人を超える人命を奪い、東北地方太平洋沿岸に未曽有の災害をもたらしました。

この地震災害の特徴は、地震そのものよりも、それに付随した津波による被害が大きかったことです。地震に比べて津波が大きい地震は、「津波地震」と呼ばれています。[1,2,3] この津波地震は、海溝で起きる地震に多いと言われ、津波を励起しやすい「ゆっくりとした地殻変動」を伴うものとされてきました。では、この「ゆっくりとした地殻変動」とは、一体何なのでしょうか?

その謎は、地質学者である丸山茂徳先生が、あっさり解きました。[4] 当時、丸山先生は「日本列島の太平洋岸には、タービダイトという地滑りで作られた特徴的な堆積岩の露頭が一般的にみられる。その特に大規模なものはオリストストロームと呼ばれ、その厚さが100ｍを超える。これらは、地震の際に発生した大規模で同時多発的な海底地滑りの化石であると地質学では考えられてきた。その海底地滑りは強くて広範囲にわたる津波を励起するはずだ。３・11地震は貞観地震以来約１，０００年に一度のオリストストローム形成イベントである」と述べたと私は記憶しています。つまり、上記の「ゆっくりとした地殻変動」の正体は、「海底地滑り」なのかもしれない、ということです（記事２－６）。

丸山先生と私は、さらに議論を進めました。津波の原因が、海底で起こる地滑りであるなら、それは制御可能なものかもしれません。海溝陸側斜面に分厚く堆積している重力不安定場を少しずつ爆破することにより、その不安定場を除去するのです。さらには、この爆破で起こる微小津波を日本各地で測定することにより、津波予測の精度をこれまでになく高めることができます。

丸山先生と私は、その後さまざまな運動をおこし、最終的には2017年11月に「国際津波防災学会」の設立に漕ぎつけました。驚くべきことに、日本には、津波を専門に議論する学会がそれまで存在しなかったのです[4]。これまで、日本の津波の議論は、主に地震関係の学会において行われていました。しかし、地質学者(丸山先生)と天文学者(私)が協力して開始したのは、これまで地震の付随現象としてしかとらえられてこなかった津波を、海底地滑りという新しい観点からとらえ直そう、という試みです。

記事2-2および記事2-6では、3・11で発生した津波は海底地滑りと関係がある、という考え方を紹介しています。また私は、大正の関東大震災において、相模湾岸各地、特に熱海が10mを超える津波で壊滅的被害を受けたことを知りました(記事2-3)。

その相模湾の各点における水深が、1923年9月1日の地震直後から翌年1月にかけて測定され、その結果は、当時の海軍水路部によって水路要報にまとめられています。場所によっては100m以上の大きな差が報告されており、これは当時、物理学者として著名な寺田寅彦から「信じられないほど大きい」と評されました。一方、湯川秀樹の実父である小川琢治は、この現象について、「海底斜面堆積物の滑り落ちや乱泥流による谷の洗浄作用によるものではないか」という卓見を披露しています(記事2-4)。

２０１８年９月には、インドネシア・スラウェシ島でマグニチュード7.5の地震が発生し、それに伴って、島中部に位置する中スラウェシ州の州都パルの町を、波高６－10ｍの津波が襲いました（記事２－５）。この津波は、南北に延びるパル湾内における海底地滑りが励起したものと考えられています。[5,6] パルと東京の地質学的な類似性を考えると、この災害は他人事ではありません。実際に、１９２３年の関東地震では、相模湾内で大きな津波災害が起きています（記事２－３）。

最後に、ロシアが開発中の核魚雷ポセイドン（約５Mt）の水中核爆発が起こす津波の高さを評価しました（記事２－７）。この記事では、爆発直上の水面には約200ｍの水柱が立ちますが、それが円環上に広がるにつれて津波の高さは減少し、１㎞の距離では10ｍ以下になることを明らかにしています。核爆発は恐ろしいものですが、核魚雷の水中爆発をことさら恐れる必要はありません。

注

（1） Kanamori, H.: Mechanism of tsunami earthquakes. *Physics of the Earth and Planetary Interiors*, **6**, 346–359, 1972.

（2） Kanamori, H. and Anderson, D. L.: Theoretical basis of some empirical relations in seismology. *Bulletin of the Seismological Society of America*, **65**, 1073–1095, 1975.

（3） Tanioka, Y. and Seno, T.: Sediment effect on tsunami generation of the 1896 Sanriku tsunami earthquake. *Geophysical Research Letters*, **28**, 3389–3392, 1996.

（4） 丸山茂徳：国際津波防災学会誕生までのいきさつと2年間の歩み，ＴＥＮ，１巻，２０２０．

(5) Muhari, A., Imamura, F., Arikawa, T., Hakim, A. R. and Afriyanto, B.: Solving the puzzle of the September 2018 Palu, Indonesia, tsunami mystery: clues from the tsunami waveform and the initial field survey data, *Journal of Disaster Research*, **13**, sc20181108, 2018.

(6) Heidarazadeh, M., Muhari, A. and Wijanarto, A. B.: Insights on the source of the 28 September 2018 Sulawesi tsunami, Indonesia based on spectral analyses and numerical simulations, *Pure Appl. Geophys.*, **176**, 25–43, 2019.

2-1　東海地震について

Ando（1975）によれば、白鳳時代から現代まで南海トラフで起こったM7以上の巨大地震の記録が残っている。地震で動いた領域を土佐湾沖（A）、紀伊水道沖（B）、熊野灘沖（C）、遠州灘・駿河湾（D）に分けて議論すると、両者が同時に起こる場合と、東南海部分（CとD）が先に動き、南海部分（AとB）の地震が数年後に起こる二つのパターンがあることが分かる。

Ando（1975）は、1944年の東南海地震のさい東海地方（D領域）が動かなかったと結論し、エネルギーが蓄積しており、今すぐにでもこの部分で地震が起こるかもしれないと主張している。これがいまだに東海沖地震の根拠として扱われている。

表2-1　Ando (1975) より作成

発生年	場所	規模	注
684	AB	8.4	白鳳
887	ABCD	8.6	仁和
1096	CD	8.6	永長
1099	AB	8.4	康和
1360	C?	7.0	正平
1361	AB	8.4	
1498	CD	8.6	明応
1605	AB	7.9	慶長
1707	ABCD	8.4	宝永
1854	CD	8.4	安政
1854	AB	8.4	
1944	C	8.19	昭和
1945	AB	8.19	

ところが、Ando（1975）論文には、1944年の地震でC領域が動いた証拠はたくさんあって説得力があるが、D領域が動かなかった証拠が不明確である。1944年は太平洋戦争末期で戦意高揚のために、地震被害が隠ぺいされていた可能性があるという。信濃でも震度6が記録されたのに握りつぶされたというような報道があった。もしそれが本当だったとすれば、東東海、甲斐、信濃方面の震度の記録が低すぎる結果、東海方面の断層活動が過小評価されている可能性がある。実際、相模湾領域東半分の単独破壊を示すような地震は、現在のところ過去1、000年の地震資料からは確認されない（石橋、佐竹1998）。

普通の地震の代わりに、東海地方でスロー地震が2000年から2003年にかけて観測された。その積算マグニチュードは7を超えた（Kawasaki 2004）。D領域のエネルギーは、スロー地震で解放されていて単独破壊は基本的には起こらないが、C領域トリガー時には、エネルギー蓄積に応じて動いたり動かなかったりしているのかもしれない。

表2-1を見ると、1360年の地震ではD領域の動きが不確定であるとされている。これが前例と考えられなくもないが、その1年後、引き続いて起こった1361年の正平大地震のほかには、100年後の宝永地震まで東海地域（D領域）で大地震が起こった形跡はない。また、南海トラフでは、前の大地震が起こってから次の大地震が起こるまでに少なくとも90年経過している。

東海地方の地震としては、1944年の昭和東南海地震から90年が経過した2034年以降の発生を心配すべきかもしれない。あと23年しかなく、それまでに原子力発電所を含めた十分な対策がとられることを期待する。

（2011年12月22日）

参考文献

(1) Ando, M.: Source mechanisms and tectonic significance of historical earthquakes along the Nankai trough, Japan, *Tectonophysics*, **27**, 119–140, 1975.

(2) 石橋克彦，佐竹健治：総合報告：古地震研究によるプレート境界巨大地震の長期予測の問題点―日本付近のプレート沈み込み帯を中心として―、地震、50巻（別冊）、1–21，1998.

(3) Kawasaki, I.: Silent earthquakes occurring in a stable-unstable transition zone and implications for earthquake prediction, *Earth Planets Space*, **56**, 813–821, 2004.

2-2 海底地滑りによる津波災害拡大

2011年3月11日の東日本大震災では、巨大津波が1.5万人を超える人命を奪い、東北地方太平洋沿岸に未曽有の災害をもたらした。このときの津波データを見ると、震源に近い仙台市周辺よりもかなり北に偏った岩手県陸前高田市から同宮古市にかけての三陸沿岸に並はずれて高い40mの津波が襲来したことが分かる。このような現象は、リアス式海岸の地形効果のみで説明できるのだろうか。

東京大学のゲラー教授ら国際チームは、津波の波形データを詳細に調べた（Tappin *et al.* 2014）。その結果、津波の観測データを説明するためには、震央に近い波源の他に、もう一つ別の波源も必要であることを見いだした。この波源は、震源の北北東約150kmの三陸海岸沖の日本海溝陸側斜面に位置する。その付近の海底水深を地震前後で詳細に比較したところ、数十mにおよぶ海底面の変動が約40×20kmの面積でみられた。

それは大規模な海底地滑りが地震の直後にここで起こったことを示している。この場所は、海溝陸側の最も急峻な（勾配角度が20度を超える）斜面である。陸側から河川によって運ばれて堆積した土砂が地震によって崩落を始め、大規模な海底地滑りに至ったと考えられる。ゲラー教授らの解析によるとこの海底地滑りによる第2波源は、地震発生後25-35分のちに、鋭い波高（8m）のピークを作りだした。これが地形効果でさらに増幅され、最終的に40mを超える津波が三陸沿岸を襲うこととなった。この余分な波源さえなければ、三陸海岸における津波波高は、地形効果による増幅を考慮しても10m程度にとどまった可能性がある。

海底では土砂が未固結のまま堆積するので、緩斜面でも重力不安定となって地滑りが起こる。また一度発生すると数十㎞から数百㎞もの距離を延々と走ることが知られている。米国ハワイ州オアフ島北東沖に広がる地滑り跡は、総面積は2万3、000㎢に達し、四国のそれ（1万8、300㎢）を超えている（Moore *et al.* 1994）。このときの津波は、はるか太平洋を越えて北米西海岸に達し、その波高は10mを超えたと考えられている。同様の大規模な地滑り跡が、ノルウェー沖や北米東海岸のノーフォーク沖、インドネシアのジャワ島南方の海溝、大西洋カナリー諸島周辺に発見されている。

同様の災害は日本でも江戸時代の1792年に起こった。「島原大変肥後迷惑」である。前年から続いた普賢岳の噴火で、眉山の南側部分が地滑りをはじめ大量の土砂が有明海になだれ込んだ。その結果、島原側で6－9m、対岸の肥後側で4－5mの津波が襲い、甚大な災害を引き起こした。これは、陸上で起こった地滑りが海中まで続いた例であるが、その津波発生メカニズムについては同じと考えてよい。

熊野灘沖は、西南日本太平洋沿岸において、近い将来発生する可能性が最も高い東南海地震の震源域である。濃尾三川（木曽川・揖斐川・長良川）起源の伊勢湾からの土砂と日本一の雨量を誇る紀伊山脈からの土砂が、熊野灘海盆に堆積して東南縁の急斜面付近（南海トラフ陸側斜面）で重力不安定場を形成し、海底地滑りがいつ起こってもおかしくない状況にある。実際、海底調査において、大規模な地滑り跡が発見されている。この地滑りがいつ起きたのかは不明だが、三重、濃尾、東海地方に大きな津波災害をもたらした1944年の昭和東南海地震の津波にも寄与した可能性もある。

このような新しい知見を生かせば津波災害を減らすことが可能かもしれない。地震で誘発されて、同時多発的に大規模な地滑りが起これば大災害となるが、海底地滑りの原因となる重力不安定堆積物を計画的に多数回に分けて除去すれば津波災害を軽減できる。根絶とまではいかないまでも、例えば最大波高を半分にできれば、格段に被害は減る。深度2－4㎞の深海底での作業は容易ではないし、見込み違いも起こるだろうが、津波となれば甚大な被害となる。津波被害の予防的軽減に向けて、科学技術の力で今こそ真剣に取り組むべきだと考える。

（2016年9月7日）

初出

戎崎俊一：高論卓説，フジサンケイビジネスアイ(FujiSankei Business i)，2016年9月7日．

参考文献

(1) Moore, J. G. and Normark, W. R.: Giant Hawaiian landslides, *Annu. Rev. Earth Planet Sci.*, **22**, 119–144. 1994.
(2) Tappin, D. R. *et al.*: Did a submarine landslide contribute to the 2011 Tohoku tsunami?, *Marine Geology*, **357**, 344–361, 2014.

2-3 大正関東地震（１９２３）における相模湾内海底地滑りと津波の発生について

大正関東地震（１９２３年）においては、伊豆半島東岸から房総半島西岸までの相模湾沿岸各地において、地震発生直後に津波が襲来し大きな被害をもたらした。その発生原因について考察する。

１．津波襲来状況と相模湾の海底地形変化調査

津波襲来状況は、神奈川県水産試験場によって調査され調査報告書以下のようにまとめられている（吉田ら ２０１２）。

西部真鶴付近にあっては激震後5－6分にして、東部三浦郡沿岸においては三崎付近に早く4－5分の後、長井鎌倉等北上するに従って遅れて江ノ島付近にては約10分後であった。各地とも一様に初め強烈なる退潮が生じて沿岸の海底が露出した後、前後2回若しくは3回津波が襲来した。その高さは各地とも2回目が最大で、真鶴方面では6ｍに達した。熱海伊東間最も烈しく激震後5－6分にして多少の退潮があった後、3回津波が来襲して、その高さは6ｍから10.5ｍに達した。川奈崎以南は次第にその大きさが減少して、下田では、激震後約20分に高さ1.8ｍ－2.1ｍのものが押し寄せた。

一方、大正関東地震（１９２３年）の際の海底地形の変化が、１９２３年9月1日の地震直後から翌年1月にかけて調査された。その結果が、水

路部によって水路要報にまとめられている（水路部１９２４、図２－１）。水路要報では図が付されているだけで説明は一切ない（吉田ら２０１２）が、震災調査報告では次のように記述されている。

相模灘で起こった地変のうち最も顕著だったのは海底の陥没である。湾内より大島付近各所でそれが認められるが、もっとも大きかったのは真鶴岬の沖合から相模灘の中央を南東の方向へ向かって大島の東方に至る延長約30マイル、最大幅約16マイルの広大な海域で、平均72－80ｍ、場所によっては180ｍ余りの陥没があった。この区域の北端は真鶴岬南東沖４マイルに達し、東端は房総半島洲崎の西方沖合約４マイルに近づき、西南部は大島に接近してその南端は波浮の東方沖８マイル余りの地点に至る。

この変動は「信じがたいほど大きい」とされ、寺田寅彦（１９２４）が注意し、その検討を行っている。その報告の後尾に、付記として、相模湾の水深の大きな変化は、海底斜面堆積物の滑り落ちや乱泥流による谷の洗浄作用によるものではないかという小川琢治（湯川秀樹の実父）の議論が言及されている（吉田ら２０１２）。寺田は「必ずしも一般的に浅いところが深くなり深いところが埋もれたという明白な結果は見られないと指摘した上で、この論を一概に否定することはなく（後略）」というどちらかというと否定的な評価を下している。

戎崎は、最新の海底地形図と照合した結果、海底地形と明らかな対応が見られることを見出した。地震後に起こった相模湾の水深変は、３つの独立な海底堆積物の移動（地滑り）で概ね説明できる。

まず、水深変化の中で最も著しいのは「真鶴岬の沖合から相模灘の中央を南東の方向へ向かって大島の東方に至る延長約30マイル、最大幅約16マイルの広大な海域で、平均72－80m、場所によっては180m余りの陥没」である。これがほぼぴたりと相模舟状海盆（相模トラフ）と一致している。この海盆は相模トラフの西北端に位置している。その東南は次第に海底河谷を形成し、三浦半島沖で東京湾海底谷、房総半島沖で房総海底谷と合流し、さらに伊豆小笠原海溝の海溝三重点（坂東深海盆）に向かって下っている。したがって、この「陥没」が、相模湾舟状海盆に長年堆積していた軟弱な堆積地層が、地震の衝撃で乱泥流（海底地滑り）を形成し一気に海溝三重点に向かって流下した結果と考えられる（図2－2）。この幅約25㎞、流下長さ約50㎞、厚さ約100mの海底地滑りの結果、相模湾内で津波が発生したと考えられる。駿河湾口に敷設してあった海底電線が切断されたこと、ほぼ同じ海域で深海魚の死体が多数発見された（水路部 1924）ことも海底地滑りの発生を示唆している。

次に顕著なのは、相模湾トラフの「陥没」地帯の南東の三浦半島西側沖の領域である（図2－3）。この領域は、北西から相模海丘、三浦海底谷、三浦海丘、城ケ島海底谷、三崎海丘。東京海底谷、沖ノ山と続く複雑な地形を示す。ここは、「隆起（水深が浅くなる）」と「陥没」が共存しているが、どちらかといえば前者が卓越している。概ね高所（海丘）が「陥没」し、低所（海底谷）が「隆起」する傾向がみられるので、「海丘が崩れて海底谷を埋める」ような堆積物の移動が起こったと考えれば説明できそうだ（図2－3）。また、地震の地殻変動で、三浦半島西岸は2mほど隆起し、多数の土砂崩れが発生したとの記録が残っている。この

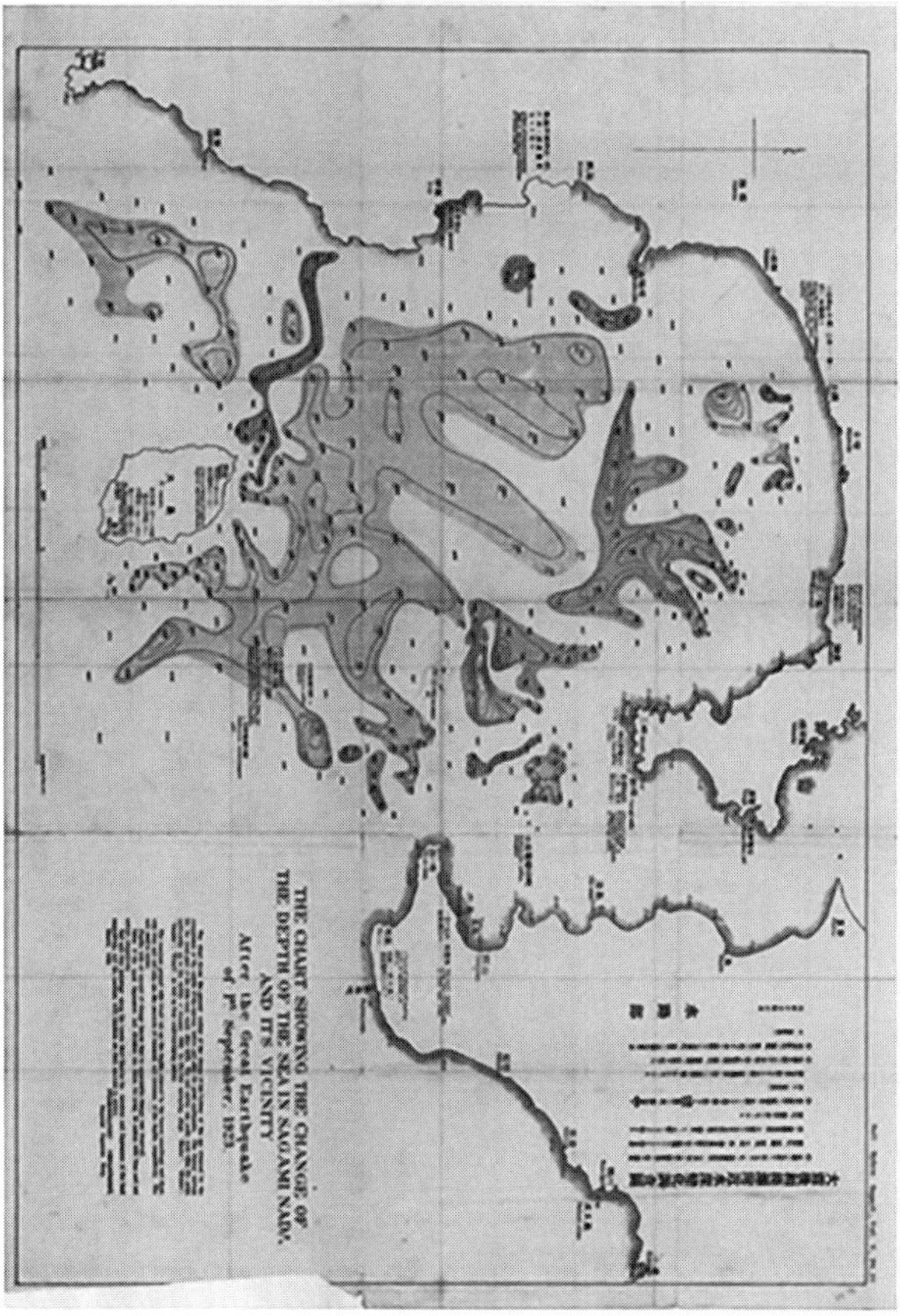

図2-1　水路部（1924）による海底地形変化調査の結果

土砂は最終的には、海に流入しただろうから、隆起傾向が卓越したのは理解できる。この移動が、地震直後に起こったのかもう少しゆっくり数か月かけて起こったのかは、分からない。測量は9月1日から翌年1月までの5か月をかけて行われている。ただし、上記の相模トラフ沿いの乱泥流の後に起こったらしい。というのは、相模トラフの中で、三浦半島（北東）方面からの海底谷（三浦海底谷、城ケ島海底谷、東京海底谷）の出口付近の「陥没」が小さくなっている領域が存在するからである。これは、乱泥流の通過後、三浦半島西岸および東京湾・沖ノ山方面からの土砂が再堆積した結果ではないかと推察される。実際、現在の詳細な海底地形図を見ると、この領域に海底三角州のような構造が観察される。これらの陥没・隆起地域に近い鎌倉への津波の到着が地震の13分後と遅かったのは、この移動が少なくとも津波の主因ではなかったことを意味している。

最後に伊豆大島と伊豆半島（伊東付近）の間の海底も、100mを超える水深変化を示している（図2－3）。この領域は海丘（たぶん海底火山）と海底河谷が入り組んだ複雑な地形を持っており、概ね高所が陥没し、低所が隆起している。したがって、海丘が崩落して、海底谷を埋める土砂崩れの発生で説明できる。下田への津波の到着は地震発生後20分と遅いので、少なくともこの土砂崩れが、津波の主因でないことが分かる。

地滑りは地震直後におそらく真鶴海丘周辺の急崖の崩壊から始まり、相模トラフに堆積した軟弱な堆積物を巻き込みつつ、約1，000秒（約20分）かけて伊豆大島北方に達し、東京湾方面からの流れと合流しつつ東南東方向に海溝三重点に向かって流下していったと考えられる。

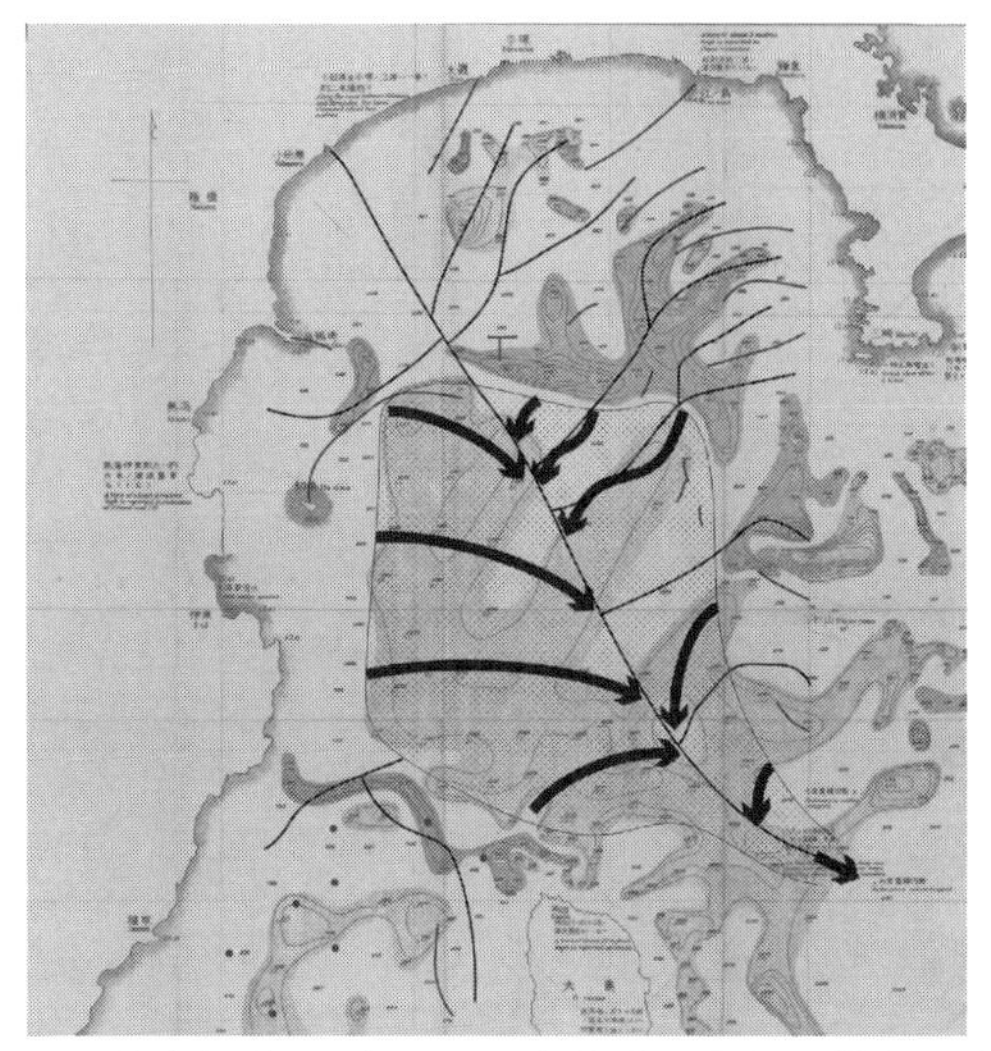

図2-2　水路部（1924）による海底地形変化に著者が追記

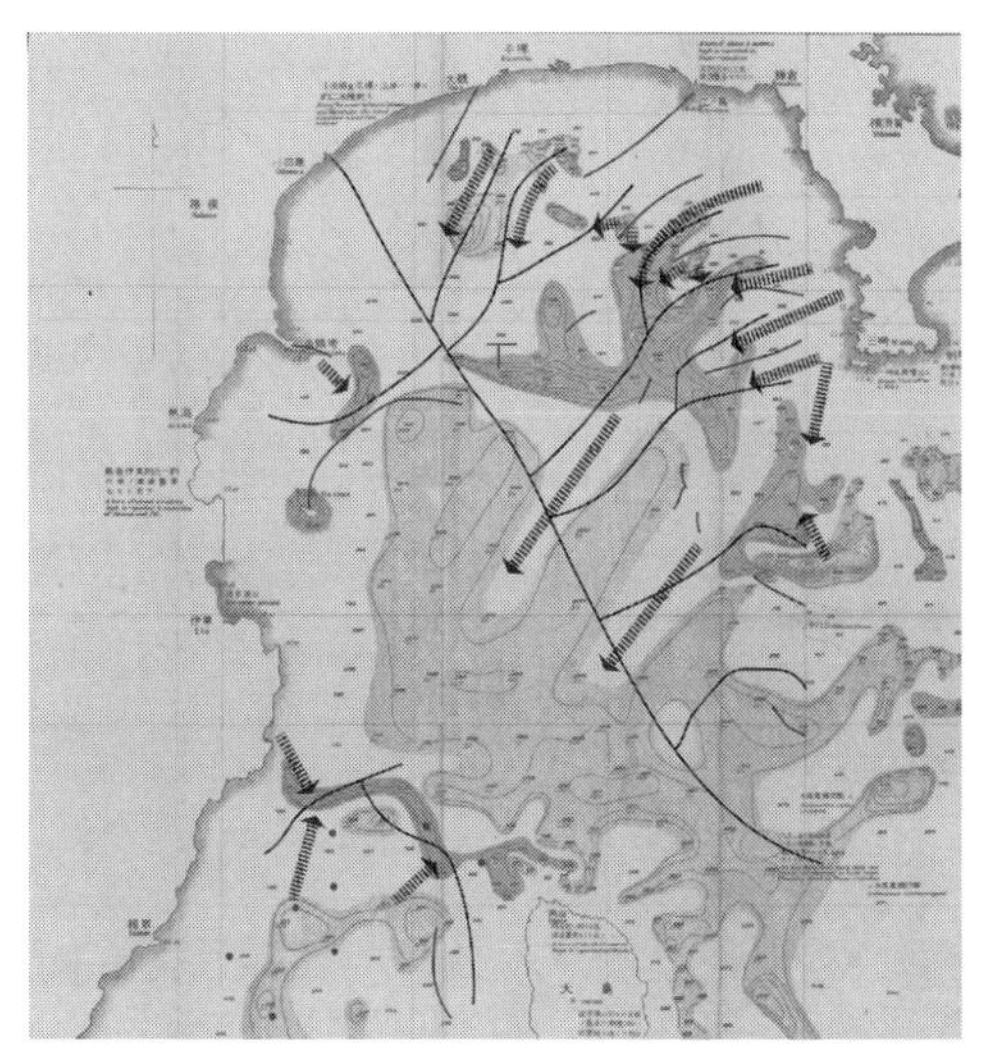

図2-3　水路部（1924）による海底地形変化に著者が追記

2. 記録との比較

地滑りの規模と水深などから励起される津波の高さを評価すると、2－10ｍを得る。最も津波被害が著しかった熱海における津波襲来は、

熱海伊東間最も烈しく激震後五六分にして多少の退潮ありたる後、三回の津波来たり高さ二十尺（6.6ｍ）乃至三十五尺（12ｍ）に達す

と記録されている（吉田ら２０１２）。まず、「まず潮が引いた」という記述は、海岸近くから沖に向かって流下した海底地滑りによる津波の特徴と合致している。次に、浅水波である津波の速度は約70m/sであるので、約10km離れた熱海までは約140－200秒で到達することになる。地滑りが完全に成長するまでに少なくとも200秒はかかることを考慮すると、地震発生から津波の襲来まで300－400秒つまり5－6分かかったことはうまく説明できそうである。波高に関しては、沖合で２ｍの津波が地形効果による波高の増幅により6－12ｍとなったと考えられる。つまり、海底地滑りモデル予言は、記録と波の位相、到達時間および波高の３つの観点で記録と概ね一致する。

また、熱海には地震後13分後、下田には20分後と遅く到達していることは、相模トラフにおける地滑りが、津波の主因であることを示している。相模湾東北部（三浦半島沿岸）や稲取・下田沖にも海底地形の変動がみられるが、その規模は、相模トラフにおける変動の一桁以上小さい。また、調査が１９２４年1月までかかっていることから、これらの小規模の変化が地震直後でなく、数か月間かけてゆっくり起こった可能性もある。

3. 東京湾の海底変化

東京湾内においても多少の変化が記録されている。調査報告書は

> 北部沿岸の羽根田燈台付近、大森及び品川地先等において海底の上昇する所があるものの、その他のところでは一般に低下した。中でも低下の著しかったのは横浜より羽根田に至る間及び深川より検見川に至る間で、この間、2－3ヶ所を除いて水深が増加し、その最大は船橋地先で3.36m増した。北部沖合でも36cm乃至2.52mの陥落が認められた。特に横浜沖合で最大3.6m沈下したところがあった。（後略）

と記述している（吉田ら 2012）。東京湾海底谷は横浜沖において次第に傾斜と水深を大きくして浦賀水道を抜け、蛇行しながら相模舟状海盆に合流している。横浜沖における陥没は、東京湾海底谷においても小規模ながら海底地滑りが起こっていた可能性を示唆している。実際、東京湾内部で1m程度の津波を観測している（羽鳥 2006）。また、東京湾海底谷の相模トラフへの合流部には、東京湾由来の土砂に由来すると思われる、海底三角州が見られる。実際、館山沖の海中電線が切断されている（水路部 1924、図2-1）。

同様に三浦半島付近を震源とする元禄関東地震（1703年）においては、東京湾内においても本所、深川、両国で1.5m、品川、浦安で2m、横浜で3m、稲毛では3-4m、さらに隅田川の遡上も記録されている（羽鳥 2006）。これらは、東京湾海底谷における地滑りのせいかもしれない。

多くの産業インフラと居住地が海岸線にある現在、もし元禄地震並みの津波が東京湾内沿岸に襲

来したら、その被害の大きさは想像もつかない。今後想定される東京直下型地震において、この東京湾海底谷における海底地滑り発生可能性を十分精査する必要がある。

（2017年2月5日）

参考文献

(1) 羽鳥徳太郎：東京湾・浦賀水道沿岸の元禄関東（1703）、安政東海（1854）津波とその他の津波の遡上状況，歴史地震，21号，37-45，2006.

(2) 水路部：大震後相模灘付近推進変化調査図，水路要報，第3年第16号，1924.

(3) 寺田寅彦：大正十二年九月一日の地震に就いて，地学雑誌，36巻7号，395-410，1924.

(4) 吉田明夫，塚田昌武，小田原啓：大正関東地震の際の海底地殻変動，神奈川県温泉研究所報告，44巻，17-28，2012.

2-4 小川琢治（湯川秀樹の実父）が指摘した津波発生原因としての海底地滑り

地質学者の小川琢治は、ノーベル賞物理学者、湯川秀樹の実父である。彼は１８７０年、紀伊国田辺藩の儒学者、浅井篤の次男として生まれた。16歳で上京し、第一高等学校に入学。20歳のときに濃尾地震に遭遇した後、熊野旅行に行き、湯ノ峰温泉、瀞八丁、潮岬を旅行する。この地震と旅行がきっかけで地質学に興味を持ったといわれている。

2年後には帝国大学理科大学地質学科に入学している。97年に東京帝国大学を卒業して地質調査所に入所したが、１９０８年には退官して京都帝国大学文科大学教授地理学講座担当となり、21年には同大学理学部地質鉱物学科の初代主任教授となった。

そして23年に大正関東地震が起こった。地震の直後から水路部が相模湾の水深の調査を行い、場所により100ｍを超える大規模な水深変化が起こったことが報告された。陸上の地形変化は１、２ｍにとどまっているのに対し、海底ではその100倍近い変化がなぜ起こったのかが議論の的になった。

小川は24年に雑誌「地球」に「相模湾のいわゆる隆起と陥没の意義如何」と題した論文を発表した。その中でこの大きな水深変化を「地震に伴って海底崩落および洗浄の作用が海底地盤の直後の振動と海水の津波を起こす震盪とで大規模に起こったものとすべきだと思ふ」と述べている。また、「数百平方粁の海底地盤が平均半米だけ高まったとしてもすこぶる大きな体積の変化で、同じく海水の動揺を起こす原因として起こってくる」と、相模湾内の津波の原因として海底地滑りを示唆している。

さらに、地層の中に過去の海底地滑りの跡が残っていることを指摘。小川のこの議論は、海底地滑りを津波の真の原因と指摘した点で、世界的にみても嚆矢（こうし）となるものである。独創的かつ正鵠（せいこく）を射た鋭い議論だ。

一方、東京帝国大学の物理学者、寺田寅彦も同年に「大正12年9月1日の地震に就いて」という論文を雑誌「地学」に発表した。この中で寺田は、相模湾の水深変化の原因を議論している。気象学者、ウェゲナーの大陸移動説などの諸説を取り上げて議論しているが、結局はこれほど大きな水深変化が海底でのみなぜ発生したかについては要領を得ない議論となっている。

論文の付記において、小川の説も紹介している。「種々有益な啓示を受けた」としながらも、「浅い処が深くなり、深い処が埋もれたといふ明白な結果になって居ないのである」などと歯切れの悪い論評に終わっている。この後、海底地滑りの発生と津波の原因に関する議論は途絶えてしまい今日に至っている。

一方、小川が先駆的に唱えた地滑りの跡の地層は「ブーマ・シーケンス」という特徴的な層理構造を持つ砂岩泥岩互層の成因論として定着している。海底地滑りでできたはずの砂岩泥岩互層は、日本の太平洋側海岸に普遍的にみられるが、それを現代日本で起こる津波と関連付けて考える研究者が小川の後、最近になるまで現れなかったのは大変残念なことだ。

小川の三男、秀樹は物理学を志した。湯川家に養子に行き、湯川姓を使うようになる。彼は、当時の素粒子論の流行を追わずに中間子論を独創し、日本で初のノーベル賞を受賞した。湯川の独創に実父の小川の背中を見る思いがする。

（２０１７年10月27日）

初出

戎崎俊一：高論卓説，フジサンケイビジネスアイ（FujiSankei Business i），２０１７年10月27日．

2-5 パル地震による津波災害と、パルと東京の地形の類似性

今年9月28日、インドネシア・スラウェシ島でマグニチュード7.5の地震が発生した。それに伴って、島中部に位置する中スラウェシ州の州都パルの町を波高6－10ｍの津波が襲い、2、000人を超える犠牲者を生む大災害を引き起こした。パル湾を南北に走るパル・コロ断層の横ずれが地震の原因であり、当初あまり大きな津波が発生するとは考えられていなかった。

パルは南北に伸びるパル湾の湾奥に位置している。湾口部および湾内で発生した同時多発海底地滑りが、その原因ではないかと推定されている。実際、地上でも、傾き1度程度の緩斜面が1㎞以上移動するという大規模な地滑りが発生している。同様の地滑りが、湾内海底に大量に堆積した軟弱な地層に発生したことは容易に想像できる。

パルは、パル湾奥に位置し、パル川が運ぶ土砂が堆積した軟弱地盤の上に位置している。東京湾奥に位置し、荒川・江戸川が運ぶ土砂が堆積した軟弱地盤の上に建設されている東京との類似性が顕著である。同様の地震が発生したとき、湾内海底およびデルタ地帯に、同様の大規模な地滑りが東京で起こらないと誰が言えるだろうか。

実際、1923年の関東地震（いわゆる関東大震災）では、相模湾および東京湾口部において大きな水深変化や海底電線の切断が記録されており、大規模な海底地滑りが発生していた可能性が高い。

このときの津波で静岡県・熱海の町が壊滅的な被害を受けている。一方、東京湾口部における地

滑りは比較的小規模で、東京湾内では２ｍ以下の波高にとどまった。想定されている次回の関東地震で、東京湾内の津波波高がその程度でとどまる保証はどこにあるだろうか。

日本の人口の１割以上が居住し、産業インフラが集中する東京湾岸域の重要性を考えると、日本がスラウェシ島地震の教訓から学ぶことは多い。

まず、パルにおける海底地質調査を徹底的に行って、津波の発生と伝搬のメカニズムを明らかにする必要がある。特に、地滑りによる海底地形の変化を特定するとともに、海底の地層層序をソナーとボーリングによって明らかにする必要がある。

次に、同様の調査を東京湾口部と相模湾で行って、パル湾のそれと比較し、東京湾・相模湾における海底地滑り発生の危険性を評価する。地上においても、荒川・江戸川のデルタ地帯における液状化と緩斜面大規模地滑り発生の可能性も検討する必要がある。

日本近海の海底地形図を見ると、東京湾・相模湾の他に、伊勢湾伊良湖水道沖の遠州灘・熊野灘や紀伊水道口沖の室戸舟状海盆に至る急傾斜地域に海底地滑りでできたと思われる特徴的な地形を見いだすことができる。

また、これらの急傾斜海域が、１９４４年の東南海地震、１９４６年の南海地震のときの津波波源域と一致している。これらの地域の地滑りによる津波発生の可能性の評価を含めた総合的な対策により、想定される東南海・南海地域巨大地震の被害が最小に抑えられることを切に願っている。

（２０１８年12月20日）

初出

戎崎俊一：高論卓説，フジサンケイビジネスアイ（FujiSankei Business i），２０１８年12月20日．

2-6 大規模な地滑りが津波地震を起こす

東北日本太平洋岸の東約200㎞沖にほぼ南北に延びる日本海溝は、最深部の水深が8、020ｍであり、地球で最も低い場所の一つである。その底から日本列島を見上げるとその高さはヒマラヤ山脈に匹敵する。ここでは、太平洋プレートが地球深部に向かって沈み込んでいる。その陸側斜面では、その沈み込み運動に引きずられて10度を超える急斜面が形成されている。

その詳細な地形図には、いたるところに地滑り跡らしい巨大な崖がみられる。その斜面の崩壊で、巨大な岩石塊を含む土砂が、海溝最深部に流れ込んでいることが想像される。

また、この海溝陸側斜面近くでは巨大な地震が繰り返し起こっている。最近では、1968年十勝沖地震、78年宮城県沖地震、94年三陸はるか沖地震、2011年東北地方太平洋沖地震などがその例である。これらのうち一部は、大規模な津波を伴っている。

例えば、東北地方太平洋沖地震に伴う津波が東北地方太平洋岸に大きな被害をもたらした。地震に比べて津波が強い地震があることは、1972年に指摘され、「津波地震」と呼ばれている。1896年明治三陸地震、1946年アリューシャン地震、2010年スマトラ沖地震がその典型例とされている。津波を励起しやすい「ゆっくりした地殻変動」のためとされているが、それを作り出す物理機構は、よく分かっていない。

一方、「ゆっくりした地殻変動」を伴う地震のほとんどが海溝陸側斜面に震央を持つことが１９８０年に指摘されている。そこでは、上記に述べたように地滑り頻発地帯であり、強い地震動に見舞われれば、大規模な地滑りが起こらないはずがない。このように思考をたどると、上記の「ゆっくりした地殻変動」の正体は、地震動による液状化とそれによって二次的に引き起こされた斜面崩壊、つまり地滑りではないかという推論が浮上してくる。まず、「ゆっくりした地殻変動」の変動時間は100－200秒であり、海溝斜面における地滑りの時間尺度と整合する。次に、地滑りでも地震波が作られる。さらに、地震波解析のみでは低角な断層運動と地滑り運動を区別することは一般に難しい。実際に物質移動の現場を見ても両者の区別はそう簡単ではない。その上、100㎞四方の面積の表面が動くような大規模な地滑りが生み出す重力エネルギーやモーメントは、マグニチュード９の海溝型巨大地震のそれとおおむね一致する。

日本列島の太平洋沿岸には、海溝堆積体が海岸線に露出している。そこは、断層運動が卓越しているところ、堆積岩中に噴砂の跡があって液状化が顕著なところ、ビルほどの大きさ（数十ｍ）の岩塊が乱雑に積み重なった激しい乱流を伴った地滑りの跡とみられるところなどが入り交じった複雑な様相を示し、その特異な姿からオリストストロームと呼ばれている。

海溝陸側斜面の急傾斜地で地震が起これば、断層運動と地震動により斜面を構成する地盤で液状化が進行し、傾斜に従って大規模な地滑りが発生するに違いない。それは場所により、激しい乱流を伴う場合もあるだろうし、地層構造を保ちながら静かに滑る場合もあるだろう。それはまさにオリストストロームで観察される地相と整合する。

津波地震、海溝陸側斜面における地滑り多発地帯、そしてオリストストロームはそれぞれ、地震学、海洋学、そして地質学の分野で別々に議論がなされてきた。これらを俯瞰的に見て統合的に把握し直すことにより、津波地震の正体が明らかになるかもしれない。

（2019年11月1日）

初出

戎崎俊一：高論卓説，フジサンケイビジネスアイ（FujiSankei Business i），2019年11月1日．

2-7 水中核爆発による津波について

ロシアが開発中の核魚雷ポセイドン（約5Mt）による津波のことが巷で話題になっているようなので、定量的に評価してみた。水中核爆発の場合、発生したエネルギーは大部分水の気化に使われる。水が蒸発で失われる半径Rは、

$$R \sim (3E/4\pi U)^{1/3} = 74\ \mathrm{m}(E/\mathrm{TNT\ Mt})^{1/3}$$

と評価できる。ここで、Eは爆発エネルギー、$U = 2.5 \times 10^9\ \mathrm{J/m^3}$は、1m^{3}の水を蒸発するのに必要な気化エネルギーである。このサイズの泡ができ、それが海面に抜けると、それを埋め合わせるように周りから水が流れ込んでくる。Mtクラスの核爆発が水中で起こると、その直上の水面に、半径約100m、高さ約100mの波が立つことになる。

これが円環上に広がりつつ海面を伝搬してゆく。その高さは伝搬距離に反比例して小さくなる。つまり、波高hは、以下のように書き表せる。

$$h \sim 5.4\ \mathrm{m}(D/1\mathrm{km})^{-1}(E/\mathrm{TNT\ Mt})^{2/3}$$

ここで、Dは爆心からの水平距離である。5Mtの場合、1kmの距離で約18m、10kmの距離で約1.8mの高さとなる。距離10kmで通常の防波堤で対応可能（ほぼ安全）な津波波高となる。もちろん、海岸近くでは、地形効果による増幅も考慮しなければならない。

水中爆発では、核の灰（放射性の核分裂生成物、

ストロンチウム90、セシウム137、ヨウ素129、131など）の大部分が水中に捕獲されるので、空中に放出され風に乗って広範囲に広がる放射能が相当減る。また、水中の核の灰は急速（1週間程度）に微生物の体内に取り込まれて、水底に落下し、水中から取り除かれる（1章解説）。これらのことを考えると、同じ規模の爆発ならば水中核爆発の方が空中爆発よりもずっと被害が少ないかもしれない。

核爆発は恐ろしいが、核魚雷の水中爆発をことさら恐れる必要はない。

（2022年10月13日）

第3章

天体物理学

解説　第3章　天体物理学

ほとんどの銀河の中心には､百万太陽質量を超える巨大ブラックホールがあることが分かっています。たとえば太陽系がある天の川銀河の中心には、太陽の260万倍のブラックホールが存在します。これらの巨大ブラックホールは、どのように形成されるのでしょうか?

私たちは、スターバースト銀河M82の中心近く（ただし中心ではない）に、成長途中の中間質量（数十-数百太陽質量）ブラックホールがあることを突き止めました（記事3-4）。それが若い星団の中にあることから、星団の中心で起きる大質量星の暴走的合体で作られたと考えられます。このような中間質量ブラックホールを含んだ星団は、次第に銀河中心に落下し、さらにお互いに合体して、やがて百万太陽質量を超えるまで成長することが分かりました。

私たちは、このようなブラックホール同士の合体が宇宙で頻繁に起こっており、その際に放出される重力波バーストが、建設中の重力波アンテナによって一月に一回程度の割合で検出されるであろうと予言しました。そして2016年には、LIGOなどの重力アンテナにより、ブラックホール連星合体による重力波バーストの発見という形で、この予言が確認されました。

最新のカタログによると、6年間で90個もの重力波バーストが観測されており[1]、そのほとんどは、ブラックホール連星の合体によるものです。1年で平均15個ですから、一月に一回という私たちの予言も、的外れではなかったことになります。今後、重力波バーストの頻度と理論モデルを比較することにより、宇宙におけるブラックホールの成長過程の詳細が明らかになるでしょう（記事３－６）。

さて、ここで少し、理論天文学の歴史を振り返ってみたいと思います。

１９８０年代頃に、私たちの一つ前の世代の天文学者たちが、星のような球対称に近い系のシミュレーション技術を確立し、星の誕生と進化に関する議論が進みました。その後、１９９０年代くらいから、私も参加したグループ（東京大学教養学部の杉本大一郎先生が主導されました）が、重力多体問題専用計算機ＧＲＡＰＥ（GRAvity PipE）の開発を始め、重力多体系の高精度シミュレーションが可能になり、銀河や星団の研究が大いに進みました[2]。また、牧野淳一郎先生（当時は国立天文台所属、現在は神戸大学教授）は、この分野で大規模な数値シミュレーションを実行し、次々と重要な発見をしていました。

一方、スーパーコンピュータの発展で、多次元流体シミュレーションが可能になり、星の爆発などについての理解が進みました。このままスーパーコンピュータや専用計算機を速くしていけば、宇宙のほとんどの現象が数値シミュレーションで解決するはず、という空気が、理論天文学の分野に横溢（おういつ）していたと思います。

そのようなときに、次の理論天文学上の重要課題は、降着円盤であろうと私は考えました。クエーサーやX線天体、原始星などの高エネルギー天体では、中心星にガスが落ち込んでいます。落ち込みつつあるガスは、その角運動量のために、そのまま一気に中心星に落ち込めません。いったん降着円盤を形成し、さまざまな非熱的な高エネルギー現象を示すのです。

そこで、私は牧野先生に、「降着円盤の第一原理数値シミュレーションは、近未来において可能だろうか?」と相談を持ち掛けました。その後、かなり突っ込んだ議論の結果、「降着円盤の数値シミュレーションを第一原理的に行うのは、非常に難しい。まだ数十年程度は実現不可能だ」という結論になりました。

当時、多くのグループが、降着円盤の第一原理数値シミュレーションに挑戦する中、私は別のアプローチを探すことになりました。1991年に、バルブスとハウリー(Balbus, S. A. and Hawley, J. F.)によって、磁気回転不安定の存在が発見されています。そして、これが、降着円盤で起こる爆発現象やジェット噴出の原因であることが推察されていました。そこで私は、古典的なアルファ円盤モデルに戻り、磁気回転不安定の効果を現象論的に取り入れた、準解析的なモデルを構築することにしました。この努力は、以下に説明する、航跡場加速理論とタンデム惑星形成理論の二つへと結実します。

まず、カリフォルニア大学の田島俊樹教授との航跡場加速に関する研究は、2010年に始まったと記憶しています。田島先生は、レーザーによって励起された航跡場で荷電粒子の加速を行う、「レーザー航跡場加速」というアイデアを提唱されていました。年々出力の上がっているレーザーを用いて、コンパクトな加速器が作れるというわけです。

もし、同様の機構が宇宙で起こっていれば、長いこと謎であった宇宙線加速の問題を解決できるかもしれません。この共同研究は、1年半ほど続いたと思います。私たちは、ほぼ毎週、日本の日曜日のお昼頃（カリフォルニアでは土曜の夕方）に電話で１週間の検討結果を交換し、議論し、次の検討事項を決めました。毎回、へとへとになるまで議論をしたものです。

レーザーに代わる電磁波の激烈なビームは、宇宙のどこに存在するのでしょうか？ あるとすれば、それは、ブラックホールの周りの円盤から噴出するプラズマでできたジェットであろうと私たちは考えました。ジェットは、ブラックホール周辺から降着円盤に垂直な方向に噴き出し、数メガパーセクにわたって延々と伸びるビームを形成していることが、長年の電波観測で分かっています（写真３－１）。

降着円盤の中では、上記で述べた磁気回転不安定で磁場が成長し、周りのプラズマでは抑えきれなくなって、準周期的に爆発を起こします。そのときに発生するアルフベン波（プラズマ波の一種）の強さを評価してみたところ、プラズマ波の無次元強度パラメーターがなんと10^{10}以上という結果になりました。何度も二人で検算をしましたが、確かに間違っていません。これには興奮しました。というのも、この値が１以上のとき、プラズマ波中の電子の動きが相対論的になり、航跡場加速が効率的になるからです。地上では、この値で言えば1－10程度を、レーザー照射で実現しているのみなのです。ところが宇宙では、それを10桁も上回るような凄まじい波が作られていました。これが、私たちが宇宙でも航跡場加速が起こっていることを確信した瞬間でした。この研究結果は、２０１４年に“Astroparticle Physics”第56巻に収録され、出版されています（記事３－１）。

その後、田島先生と私は、宇宙に存在するさまざまな降着ブラックホールの観測と我々の理論を比較する試みを、約10年にわたって続けました。また、この試みにおいては、通常の可視光、赤外線、紫外線、電波、エックス線、ガンマ線などの光子だけでなく、荷電粒子（宇宙線）、ニュートリノ、重力波などの新規なメッセンジャーを使った観測も考慮しました。幸いなことに、航跡場加速理論は、これらの観測と整合しており、多くのメッセンジャーからの情報を統合して新しい宇宙像を作るための、重要な理論的枠組になりそうです。

そして、この10年の研究成果について、田島先生、バリー・バリッシュ（Barish, B. C.）先生（カリフォルニア工科大学教授）との共著でまとめた長大なレビュー論文を2023年に上梓することができました（記事3－9）。レーザー干渉重力波アンテナの開発を主導し、2017年にノーベル物理学賞を受賞なさったバリッシュ先生と一緒に論文を書いたことは、私にとって大変よい経験になりました。

こうして、田島先生と私の二人で作った航跡場加速理論は、ブラックホールの形成と成長、長大なジェットの形成と高エネルギー現象、特に高エネルギー量子（荷電粒子、ガンマ線、ニュートリノ）の生成機構を説明するための、有力な理論的枠組へと成長しそうです。今後、さまざまな降着ブラックホールの観測との比較を進めれば、高エネルギー宇宙の理解を進めるためのよい手掛かりになるでしょう。

さて、次に、タンデム惑星形成理論においては、できたばかりの中心星の周りの降着円盤を想定します[3]。このような低温の降着円盤の中では、ガスはほとんど中性なのですが、ほんの一部が電離していて磁場と相互作用するため、磁気回転不安定が起こる場合があります。それが起動するかどうかは、中心星からの距離で概ね決まっていて、太陽の場合は、1天文単位（地球太陽間の平均距離）から10天文単位ぐらいの間に、磁気回転不安定が起こらない静穏領域ができることが分かりました（記事3－5）。

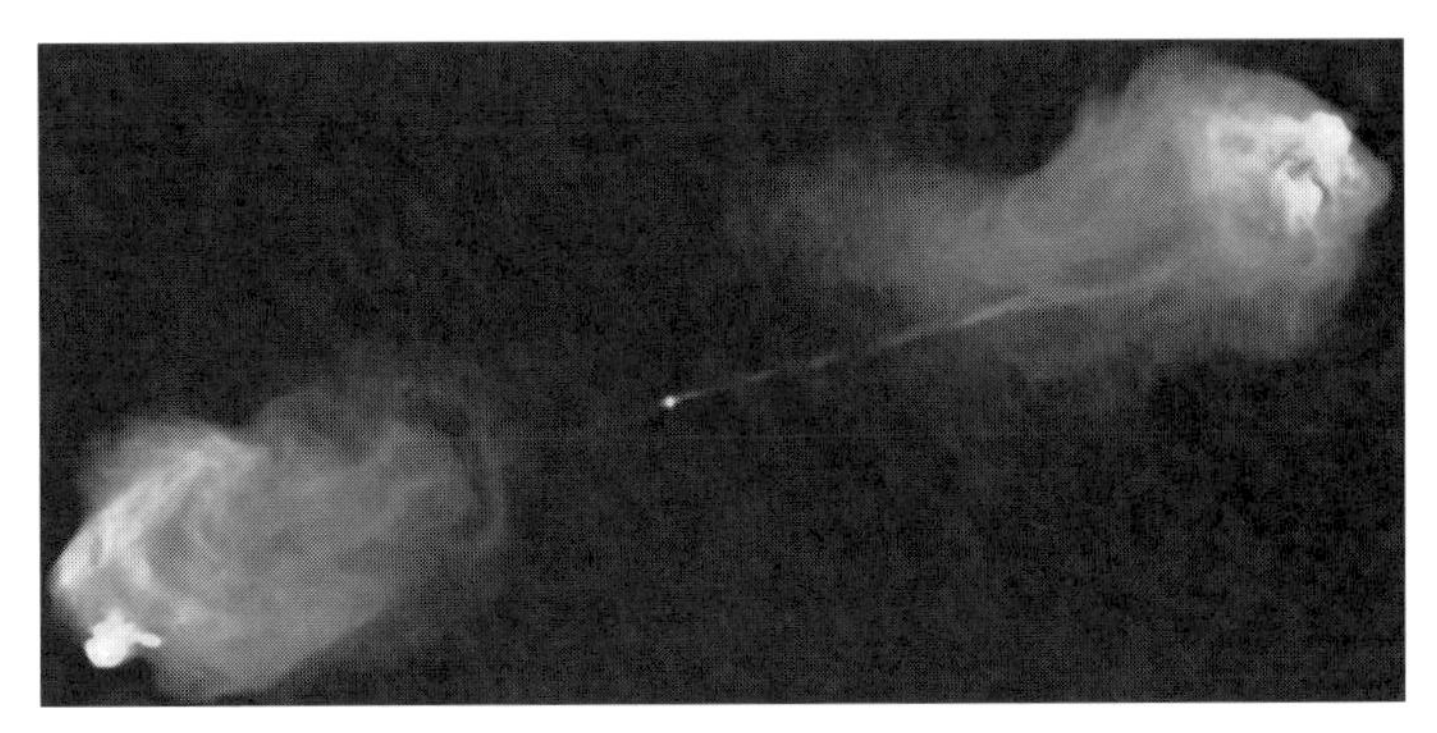

写真3-1　ブラックホールの周りの円盤から噴出するジェット

非熱的電波源白鳥座 A のジェット。中心のブラックホールの周りの円盤からプラズマのジェットが噴出している。

また、その外側と内側には、磁気回転不安定のために乱流領域があります。つまり、乱流領域と静穏領域の境界が二か所できるわけです。この二か所に、降着円盤の中の固体粒子が集積します。そして、内側の境界で岩石惑星が、外側の境界で氷惑星（十分成長するとガスを集積して巨大ガス惑星になります）ができることが分かりました。このように、二つの場所で助け合って、二人乗り（タンデム）自転車のように惑星を形成することから、私はこれを「タンデム惑星形成理論」と呼ぶことにし、論文を執筆しました（記事3－5）。

タンデム惑星形成理論では、固体粒子が円盤の二か所に集中するので、惑星の成長時間が、従来のモデルよりも100倍近く短くなります。その結果、従来のモデルが抱えていた問題をうまく解決できることが分かりました。

また、太陽系の固体成分の分布とも整合的です。太陽系内の惑星分布（固体成分の分布）を見ると、地球のような岩石惑星（太陽からの距離が2天文単位以下）と木星のような巨大ガス惑星（太陽からの距離が4天文単位以上）の間に、ほとんど固体物質がない間隙があります（記事3－3）。この間隙には小惑星などの非常に小さな天体しか存在していません。こうした二つの惑星形成領域の間が、上記の間隙の位置とほぼ一致しました。つまり、固体成分分布の間隙は、原始星の周りの降着円盤の中にかつてあった静穏領域の名残、ということになります。

また、タンデム惑星形成理論では、岩石惑星が1，000度を超える高温の環境で作られます。このため、地球は、海洋大気成分なしの非常に還元的な固体成分を持った星として誕生したことになります。

地球の海洋大気成分は、後に丸山先生と私が「ABELL爆撃」と名づけたイベントにおいて、炭素質コンドライト成分の降着で降臨したと私たちは考えています。

タンデム惑星形成理論、および丸山茂徳先生と提案したABELL爆撃仮説によれば、冥王代の地球は、原子炉の燃料となるウランやトリウム、さらにカリウムやリン酸を豊富に含んだKREEP玄武岩で覆われており、原子炉間欠泉が稼働して、リン酸やカリウムを含んだ生命構成分子を合成する環境が用意されていました。[4] 現在でも、月の古い地殻はKREEP玄武岩で覆われています。その意味で、月は冥王代地球の化石です。

今後の惑星形成研究の方向は、以下の二つになると思います。

まず、タンデム惑星形成理論から、惑星の材料となる微惑星が形成される温度と密度が、かなり正確に決まります。これをもとに、微惑星の化学組成が熱力学から予言できるので、現在、太陽系に存在する惑星や小惑星、もしくは隕石の組成と比較することで、理論の直接検証を行うことができそうです。この比較の過程で、たくさんの反証が指摘されるでしょう。そして、それを乗り越える修正が加えられることで、太陽系における惑星形成の理解が進むと考えられます。

次に、近年多数発見されている、太陽系外惑星の分布との比較が重要となります。その比較をもとにした議論の中で、さまざまな中心星の周りで起こる惑星系形成の過程が解明されることを期待します。

さて、本章の解説の終わりに、田島先生との交流の中で得た、素晴らしい出会いについても触れておきましょう。あれは2012年か2013年頃、宇宙における航跡場加速について講演したレーザー航跡場加速の学会で、フランスのエコール・ポリテクニークのジェラール・ムルー（Mourou, G. A.）教授とお会いしたことです。

このとき、ムルー先生と私は、私が副代表を務めていた極限宇宙天文台（Extreme Universe Space Observatory: EUSO）用に開発していた広角望遠鏡と、ムルー先生が開発を提唱していたＣＡＮ（Coherent Amplifying Network）レーザーを組み合わせると、宇宙デブリの除去に適用できることに気づき、意気投合したのです。すぐに、ムルー先生のグループとEUSO Collaboration の有志によって、共同研究が始まりました。そして、２０１５年に、国際宇宙ステーションに広角望遠鏡とＣＡＮレーザーを搭載し、宇宙デブリ除去の実証実験を行うとする提案論文を出版しました（記事３－２）。このときには、ネットワークメディアを中心に、世界中で100以上の反響がありました。中には、「日本のクレージーな研究者が、スターウォーズのデススターみたいな巨大なレーザー砲を作ろうとしているぞ」といった、少々大げさな記事もありました。

この提案を発端として、衛星運用を行っているスカパーＪＳＡＴ株式会社が興味を持ち、理化学研究所と共同で、その実現に向けた共同研究を２０２０年に開始しました[5]。また、極限エネルギー宇宙線を宇宙から検出することを目指すJEM-EUSO Collaboration は、スーパープレッシャー気球実験（記事３－７）や宇宙ステーション実験（記事３－８）を遂行し、宇宙ミッション実現に向けて実績を積み上げています。

注

(1) https://www.ligo.org/science/Publication-O3bCatalog/translations/science-summary-japanese.pdf

(2) 杉本大一郎：手作りスーパーコンピュータへの挑戦――テラ・フロップス・マシンをめざして，講談社，1993.

(3) 戎崎俊一：タンデム惑星形成理論，地学雑誌，127巻，577-607，2018.

(4) 丸山茂徳，戎崎俊一，金井昭夫，黒川顕：冥王代生命学，朝倉書店，第3章，第4章，2022.

(5) スカパーJSAT株式会社，理化学研究所，名古屋大学，九州大学：世界初、宇宙ごみをレーザーで除去する衛星を設計・開発，2020，https://www.riken.jp/pr/news/2020/20200612_2/index.html（最終閲覧日2023年7月17日）

3-1 降着超大質量ブラックホールにおけるZeV(10^{21} eV)加速

宇宙からやってくる高エネルギー粒子、宇宙線のスペクトルは、10^{20} eVを超えるエネルギーまで滑らかに冪級数的に伸びている。このような極限的なエネルギーにまで荷電粒子を加速するには、これまでのフェルミ加速機構を超える効率のよい加速機構が必要だとされてきた。

Ebisuzaki and Tajima (2013) は、ブラックホール周りの降着円盤で作られるアルフベン波の強力なパルスが、降着円盤から垂直に吹き出すジェットに沿って伝搬する間に、航跡場を励起し、その電場で粒子が加速されるという新しい加速理論を提案した。この場合、加速電場は、進行方向(ジェットに平行)にかかるので、粒子を曲げなくてもよく、放射損失を最小にとどめることができる。また、アルフベン波、航跡場、そして粒子がすべて同じ光速でジェット内を走ると期待される。したがって、一度、加速位相に入ってしまえば、長い距離その位相関係を保つことが可能になる。実際、数十光年をこえる長距離にわたって、波に乗るサーファーの様に粒子が加速される。

この加速機構のもう一つの特徴は、電子も陽子と同様に加速されることである。電子の加速に使われたエネルギーは、最終的にはガンマ線光子として電子から放射される。したがって、このような航跡場加速天体は、GeV–TeV領域のガンマ線の線源でもあるはずである。実際、ガンマ線天文衛星フェルミは、GeV–100 GeVガンマ線を放射する活動的銀河核を多数発見している。そのうち

50 Mpc 内の近傍のものが、極限エネルギー宇宙線の線源の有力候補と考えられる。

強力なレーザーで、航跡場を作って加速するレーザー航跡場加速は、磁場で曲げながら加速する現在の人工加速器の限界を超える加速器の原理として注目を集めている。アルフベン波かレーザーかの違いがあるものの、同様の機構で粒子を 10^{21} eV までの加速する航跡場加速天体が本当に宇宙にあることが分かれば、レーザー加速器も原理的には可能なことを示している。これは、地上のレーザー航跡場人工加速器の開発を強く後押しする結果であると言える。

（2013年6月9日）

参考文献

Ebisuzaki, T. and Tajima, T.: Astrophysical ZeV acceleration in the relativistic jet from an accreting supermassive blackhole, *Astroparticle Physicss*, **56**, 9–15, 2014.

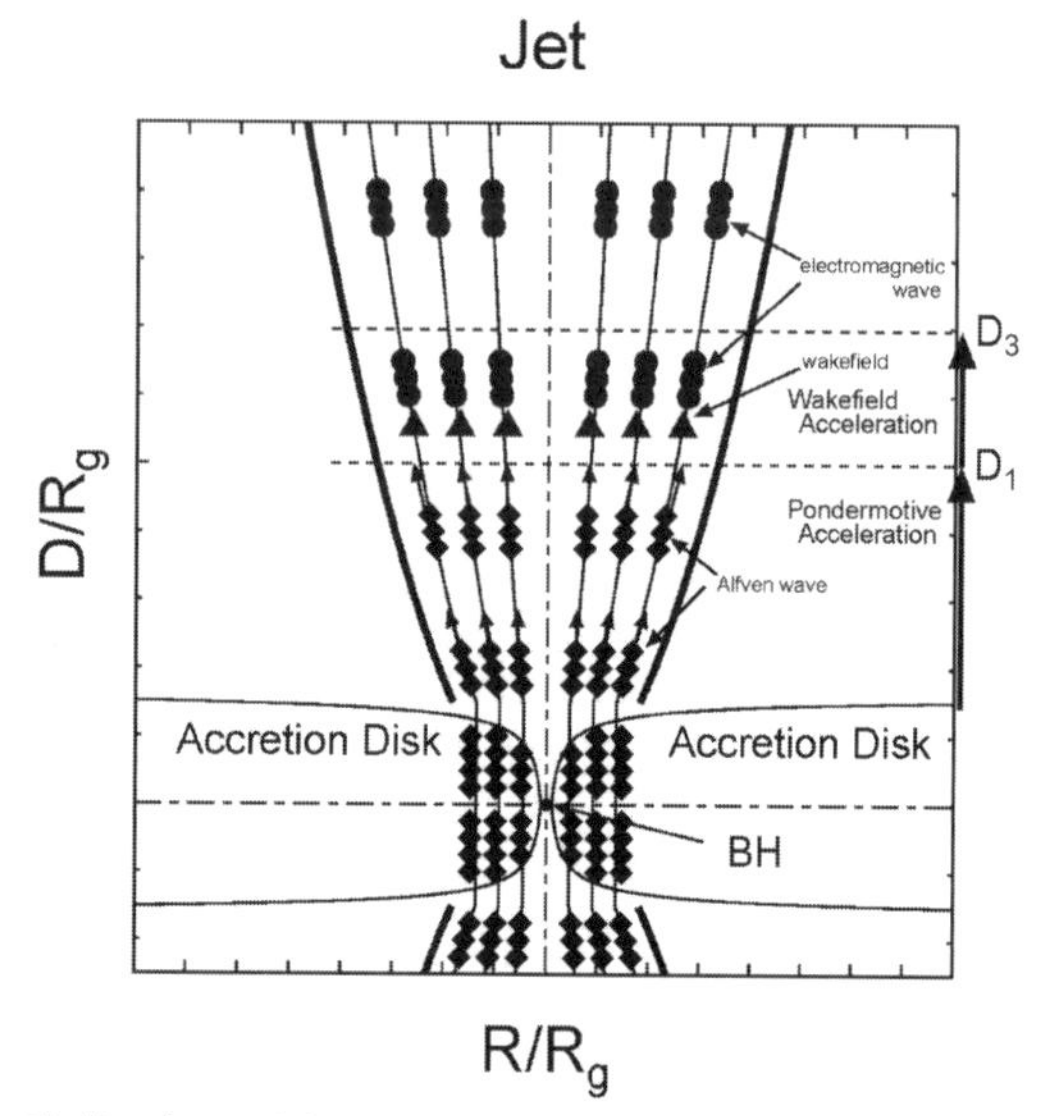

図3-1　降着円盤で励起された強力なアルフベン波がジェットを伝搬するうちに航跡場を作る。その中で荷電粒子がジェットに平行に加速される。

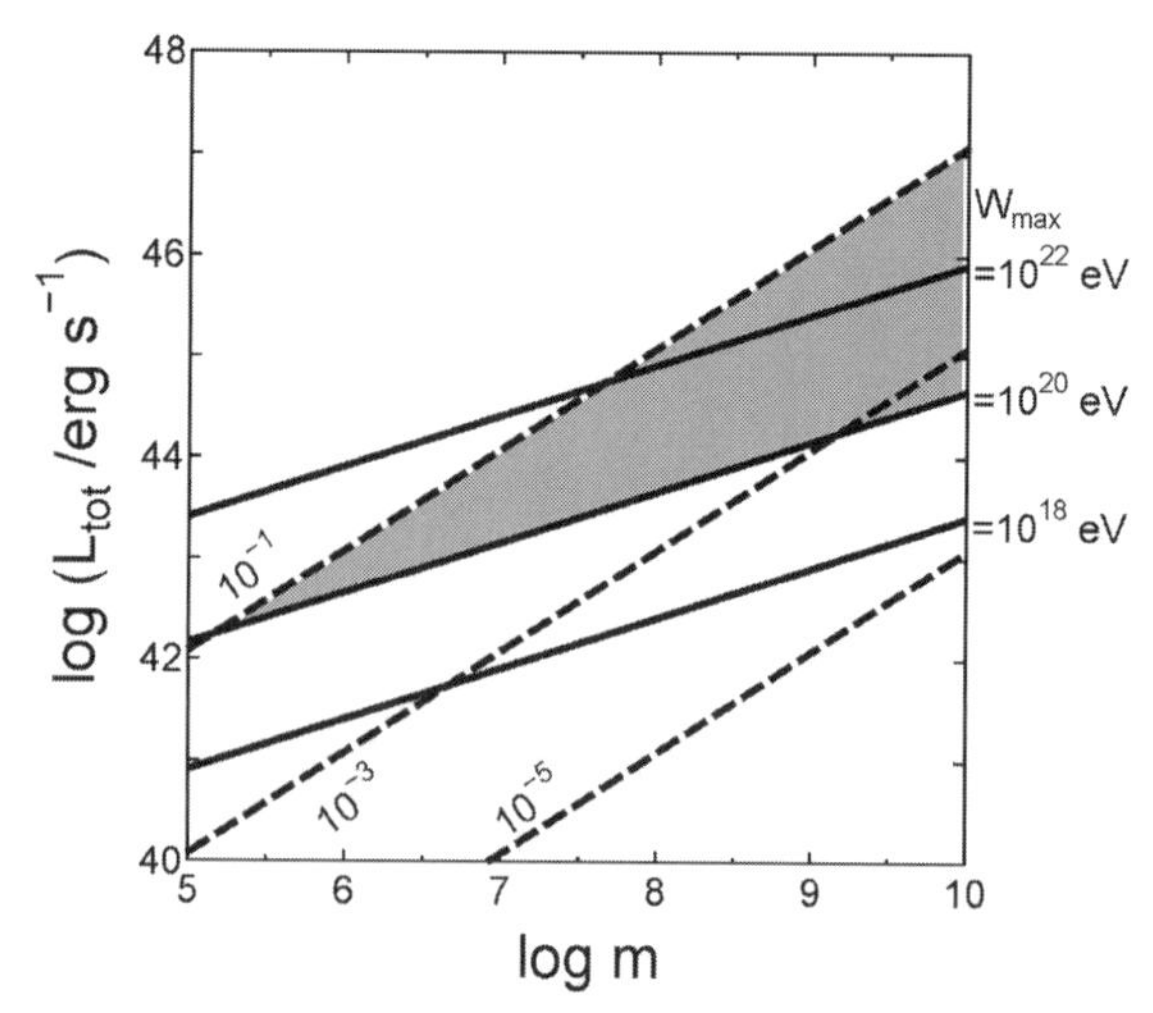

図3-2　灰色の領域で10^{20} eV を超える荷電粒子の加速が起きる。

3-2 宇宙デブリ除去のための実証実験を宇宙ステーションで行う

Ebisuzaki *et al.*（2015）は、超広視野望遠鏡（ＥＵＳＯ（ユーソ））と新規な高効率ファーバーレーザーシステム（ＣＡＮ）で構成された宇宙デブリ除去システムの段階的な実施方法を提案した。概念実証段階は、国際宇宙ステーション（ＩＳＳ）で実施される。口径2.5ｍの屈折光学系を持ち±30度の視野を持つＥＵＳＯ望遠鏡は、国際宇宙ステーションで超高エネルギー宇宙線観測のために運用されるよう設計されているが、ＩＳＳ軌道近くの宇宙デブリを検出する目的にも使うことができる。さらに詳細な、トラッキングと除去は、ＥＵＳＯ望遠鏡と並んで設置されたＣＡＮレーザーシステムが行う。強いレーザー光をデブリに集中するとその表面からプラズマが噴出する。その反力を利用して減速し、再突入に導く。

実機モデルにおいては、100㎞の距離から１－10㎝の宇宙デブリを検出し除去することが可能である。これらは非常に多数（100万個程度）ある上に地上からの観測ではとらえきれないので、最も危険とされている。技術実証は、次第にシステムを大きくしながら段階的に行う。まず、第一段階は、宇宙ステーションに設置予定のmini-EUSO望遠鏡で検出し、ＩＳＳに設置する100ファイバーＣＡＮレーザーで照射の技術実証を行う。第二段階では、実機スケールのＥＵＳＯ望遠鏡とで1万本のファイバーを持つＣＡＮレーザーで、１－10㎝の宇宙デブリ除去の実機実証を行う。最終段階では、高度800㎞の極軌道に専用の宇宙機を打ち上げると、５年間の運用でこれらの軌道にある危険なデブリのほとんどを除去できる。

（２０１５年４月14日）

参考文献

Ebisuzaki, T. *et al.*: Demonstration designs for the remedation of space debris from the International Sopace Station, *Acta Astronautica*, **112**, 102–113, 2015.

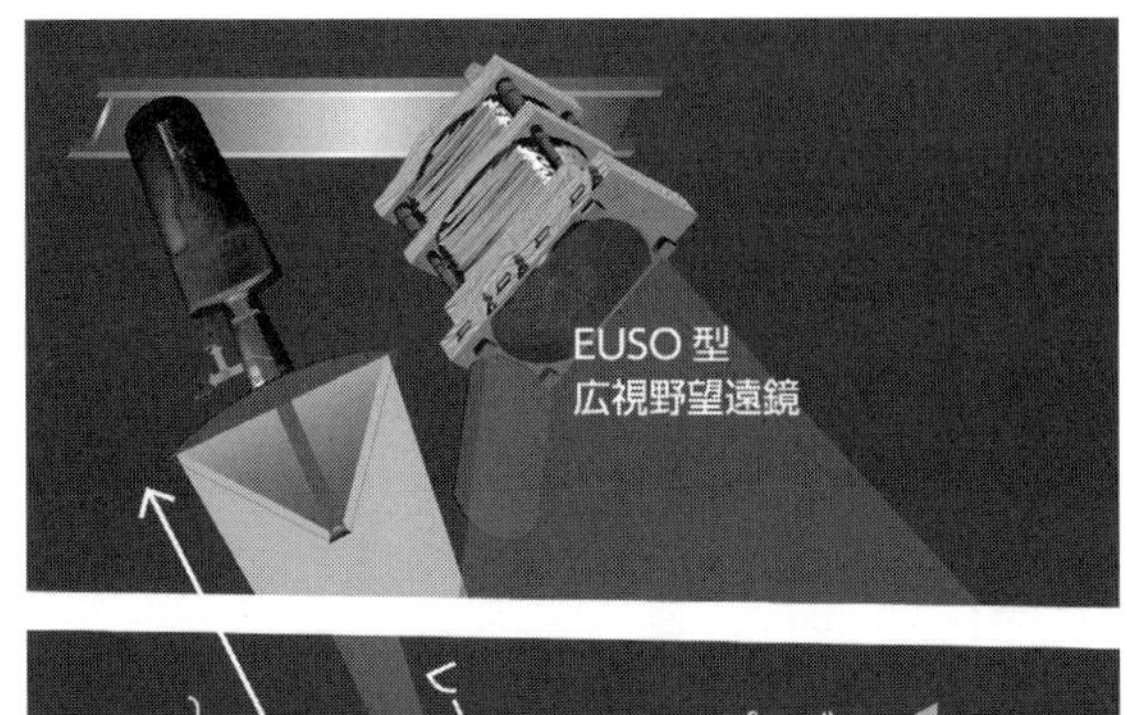

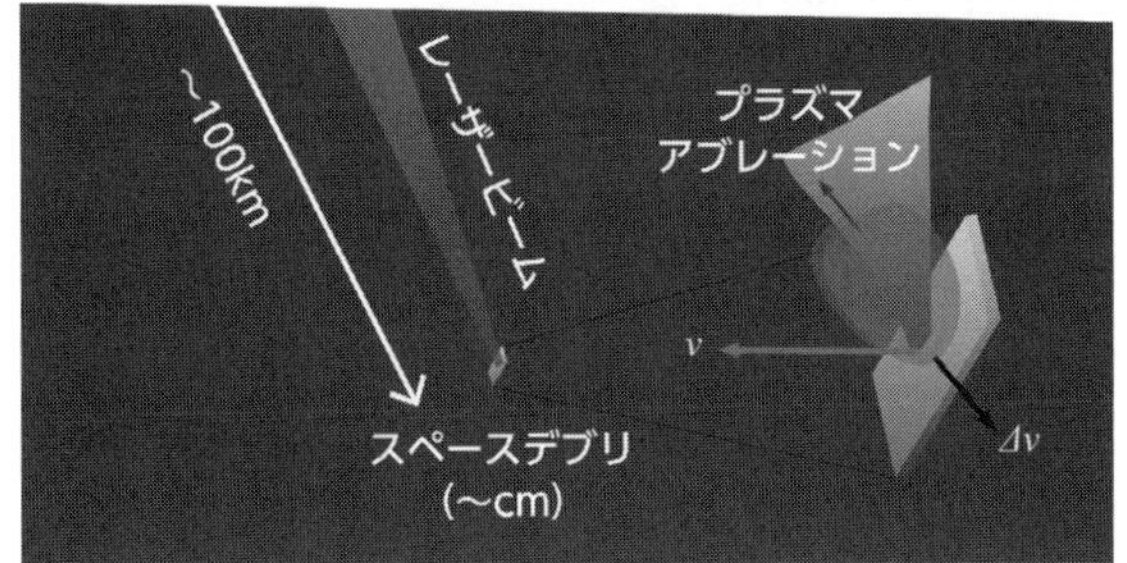

図 3-3　宇宙デブリ除去のイメージ図

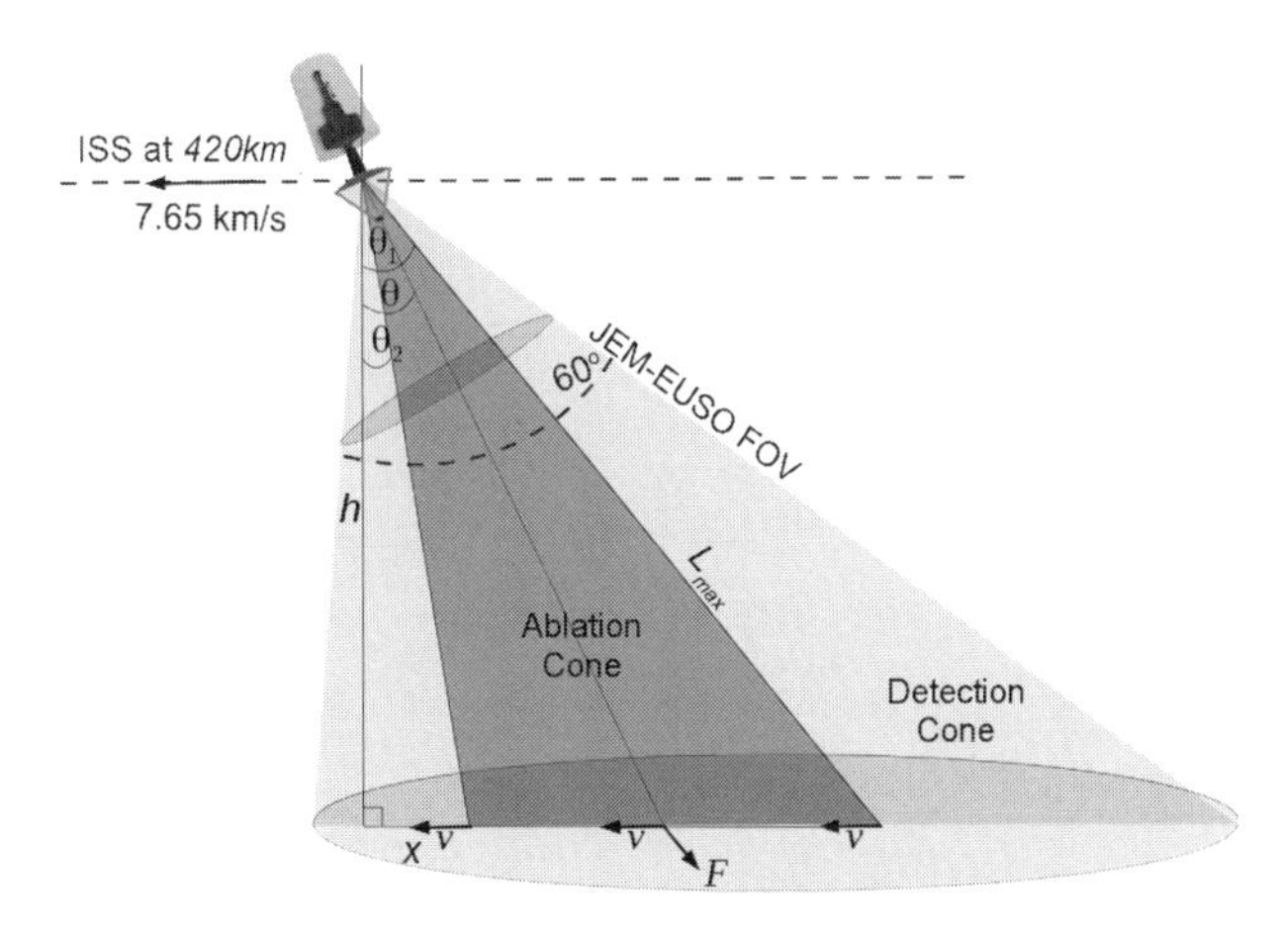

図 3-4　宇宙デブリの検出・除去範囲

3-3 原始惑星系円盤における固体物質分布の間隙

Weidenschilling（1977）は現在の太陽系の惑星の分布とその中の鉄の質量を見積もった。それらの惑星の周りに分布させてみた。鉄は最も熱に強く、これらの惑星を作った原始惑星系円盤の固体成分の分布をそのまま反映している可能性が高い。その結果、全体としては半径の－1.5乗に比例する物質分布で近似できることが分かった。しかし、太陽からの距離が2天文単位と4天文単位の間に、まわりと比べて一桁から二桁ぐらい物質量が少ない間隙があることが分かった。ここは、現在は火星と小惑星がある場所である。火星の質量が地球の質量の10分の1程度であること、小惑星体全体の質量が、2×10^{21} kgと地球の1、000分の1程度しかないことを反映していると思われる。このような固体物質の分布の間隙の存在は、惑星形成理論に強い制限を与える。

（2015年7月20日）

参考文献

Weidenschilling, S. J.: The distribution of mass in the planetary system and solar nebula, *Astrophysics and Space Science*, 51, 153–158, 1977.

3-4 ブラックホール連星の起源と超巨大ブラックホールへの成長

多くの銀河の中心核に太陽の100万倍から10億倍の質量を持つ超巨大ブラックホールがあることは、星とガスの運動学研究からはっきりとしてきた。一方、その形成機構はよく分かっていない。その一つの理由は、恒星質量ブラックホールと超巨大ブラックホールとの間の質量を持つ「中間質量」ブラックホールが発見されていないことにある。X線天文衛星ＡＳＣＡとＣｈａｎｄｒａのスターバースト銀河M82の中心部分の観測の観測により、このミッシングリンク、中間質量ブラックホールが発見された。Ｓｕｂａｒｕ望遠鏡による引き続きの観測で、この中間質量ブラックホールの位置が、若いコンパクトな星団に一致していることが分かった。

これらの発見を総合して、Ebisuzaki *et al.* (2001) は、超巨大ブラックホールの新しい形成シナリオを提案した(図３-５)。このシナリオにおいては、中間質量ブラックホールは、若いコンパクトな星団における大質量星の暴走的な合体で作られる。これらの中間質量ブラックホールが形成されている間に、それを含んだ星団が銀河中心核に力学摩擦で落下する。銀河中心核に近づきすぎると、星団が破壊されて中間質量ブラックホールが、放出される。このような中間質量ブラックホールが二つ集まって連星系を作り、最終的には重力波を放出して合体する。このような中間質量ブラックホールの合体を通して銀河中心核のブラックホールは成長し、ついには超巨大質量に至ると考えられる。

先に報告された重力波バーストは、36太陽質量と29太陽質量のブラックホール連星合体によるものとされている。これは、上記のシナリオの中の初期の過程によるものと考えられ、それを強く支持するものである（Abbott *et al.* 2016）。

（2016年3月7日）

参考文献

(1) Abbott, B. P. *et al.* (LIGO Scientific Collaboration and Virgo Collaboration): Observation of Gravitational waves from a binary black hole merger, *Phys. Rev. Lett.*, **116**, 061102, 2016.

(2) Ebisuzaki, T. *et al.*: Missing link found? The "runaway" path to supermassive black holes, *The Astrophysical Journal*, **562**, L19–L22, 2001.

図3-5　超巨大ブラックホールの形成シナリオ
（Ebisuzaki *et al.*（2001）より作成）

3-5 タンデム惑星形成理論

Ebisuzaki and Imaeda（2017）は新しい惑星形成理論の枠組みを構築した。彼らはまず、原始星の周りを回転する降着円盤の定常1次元構造を求めた。そこで、磁気回転不安定性（MRI）による乱流の発生を考慮すると、円盤は、三つの領域、外の乱流領域、静穏領域そして、内側の乱流領域に分かれることが分かった（Imaeda and Ebisuzaki 2016, 図3－6）。外側の乱流領域は磁気回転不安定のために完全に乱流的であるが、r_{out}（＝9－60天文単位）よりも内側では、円盤の中央面付近で電離度が極端に下がり、磁場とガスとの相互作用が全くなくなって、磁気回転不安定が抑制される領域（静穏領域）が現れる。さらに内側に進んでr_{in}（0.2－1.0天文単位）ぐらいになると、重力エネルギー解放のためにガスの中央面の温度が1，000Kを超えて再び電離度が上昇して磁気回転不安定が起動され、円盤が再び乱流的になる。

この三つの領域を分ける二つ（外側と内側）の境界が、惑星形成に重要な役割を果たす。微惑星（直径数kmの微小な惑星）は外側と内側の境界付近の二つの場所でのみ形成される。固体微粒子が、動径方向に移動して二つの境界に集まってくるからである。

外側の境界では氷の粒子が低速衝突による多孔性集積を繰り返し、雪の塊のように非常に低密度（10^{-5} g cm^{-3}）になりつつ直径数mになるまで成長する。最終的には、これらが重力不安定を起こして微惑星となる。この微惑星がさらに集まって木星や土星などの巨大ガス惑星の固体コアや海王星などの氷惑星となったと考えられる。

一方、内側の境界ではガス圧が最大になるので、岩石粒子の動径方向のドリフト速度が非常に小さくなり、吹きだまって集積する。それらはガス円盤の中央面付近に固体微粒子（小石サイズ）ででき た薄く高密度のサブ円盤を形成する。それが薄くなりすぎて重力不安定を起こし、分裂して微惑星を形成する。この岩石でできた微惑星がさらに小石サイズの固体粒子を吸収しつつ成長し、最終的には地球、金星、火星などの岩石惑星となったと考えられる。

内側の境界の温度は、ナトリウムやカリウムのようなアルカリ元素が電離を始める温度で決まっており、必ず1,000Kを超える高温になる。したがって、そこで作られる岩石微惑星は揮発成分（水や二酸化炭素）を完全に失ってしまう。このような水を持たない微惑星の形成は、地球を含む岩石惑星が完全に水なしでまず生まれたらしいという地球マントルや月の石、火星隕石の最近の分析結果と整合的である。その場合、いま地球に存在する水は、惑星形成後だいぶ（1億6千万年ほど）経ってから、現在の小惑星帯あたりにあった炭素質コンドライト様の小惑星の爆撃で後からもたらされたと考えなければならない。

この新しい理論は「タンデム惑星形成」と名づけられた。外側と内側の二か所で形成されるからである。タンデム惑星形成理論は、これまでの理論にはないよい特徴を持っている。まず、固体微粒子が円盤の二か所に勝手に集まってくる機構を持っているので、固体粒子の成長が十分早く起こり惑星ができる。次に、原始惑星がある程度成長してからも、小石サイズの粒子の供給が外側の領

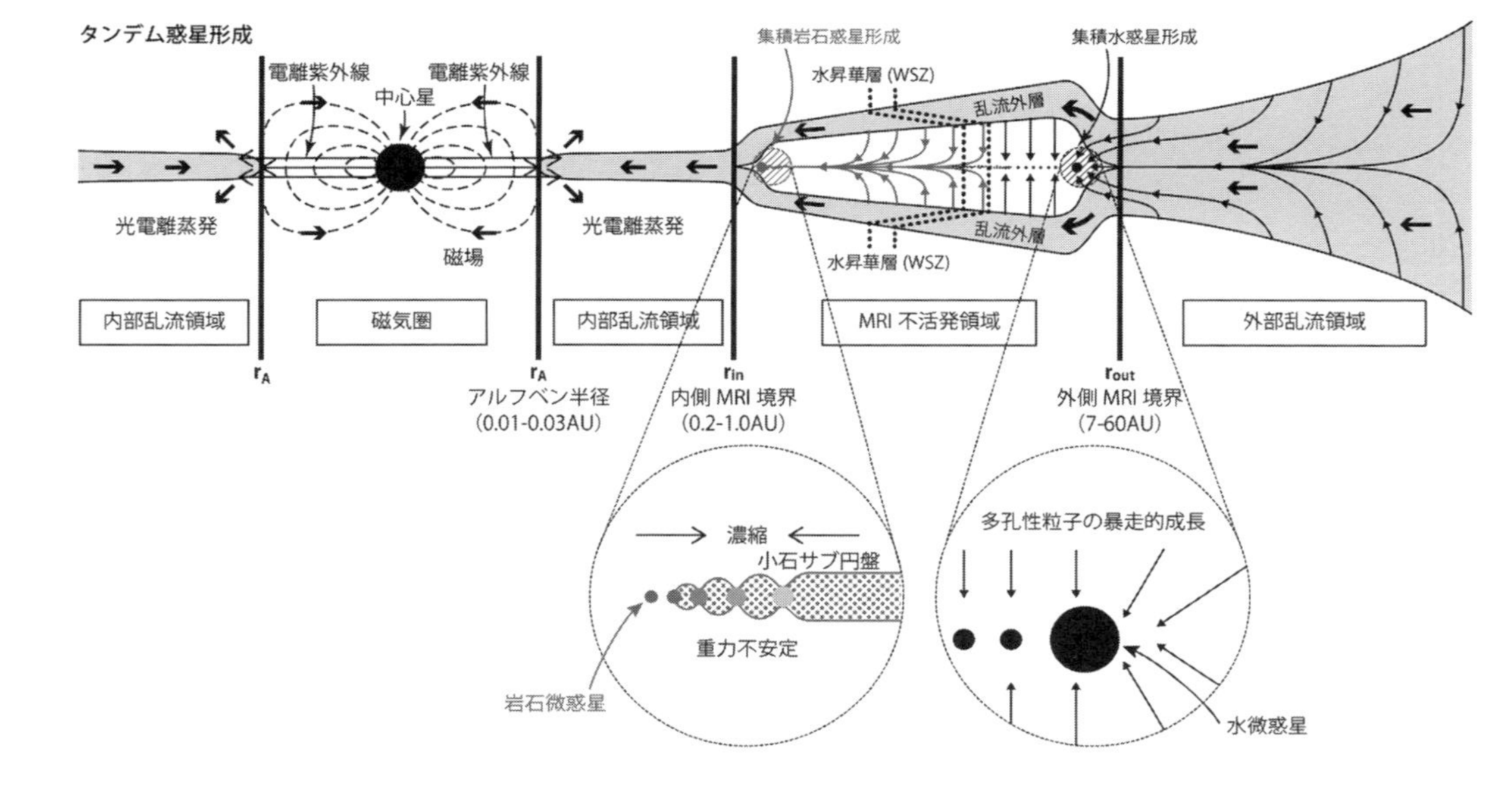

図3-6　タンデム惑星形成の概念図

原始星（中心星）の周りの降着円盤の断面図。円盤の中ほどに乱流がまったくない静穏領域が作られる。その外側と内側には発達した乱流領域が広がっている。それらの二つの境界（外側 MRI 境界と内側 MRI 境界）に固体粒子が集積して惑星が形成される。前者で氷惑星（十分大きくなるとガスを集積して巨大ガス惑星に成長する）が、後者で岩石惑星が作られる。

域から続くと期待されるので、少数（10個以下）の比較的大きな惑星ができる可能性が高い。その過程では激しい惑星同士の衝突はあまり起こらない（数が少ないから）と期待されるので、太陽系の惑星が円軌道に近い軌道を持つことが自然に説明できる。最後に、太陽系には、火星の外から木星までの間に固体成分がない「間隙」が存在することが知られている。現在はそこには惑星が存在せず、小惑星帯になっている。タンデム惑星理論は固体粒子分布の間隙を自然に説明できる。

　このようなタンデム惑星がうまく機能するためには、星ができる環境が適切でなければならない（Imaeda *et al.* 2017）。例えば、円盤の縦磁場の強さが弱いと外側の境界が100天文単位の外に出てしまい、外側での氷微惑星の形成がうまくいかなくなることが分かっている。今後、星形成の環境と惑星形成の様態の関係について調べれば、最近見つかっている多様な惑星系をうまく説明できるようになるかもしれない。

（２０１７年１月８日）

参考文献

(1) Ebisuzaki, T. and Imaeda Y.: United theory of planet formation (i): Tandem regime, *New Astronomy*, **54**, 7–23, 2017.

(2) Imaeda, Y. and Ebisuzaki, T.: Tandem planet formation for solar system-like planetary systems, *Geoscience Frontiers*, **8**, 223–231, 2017.

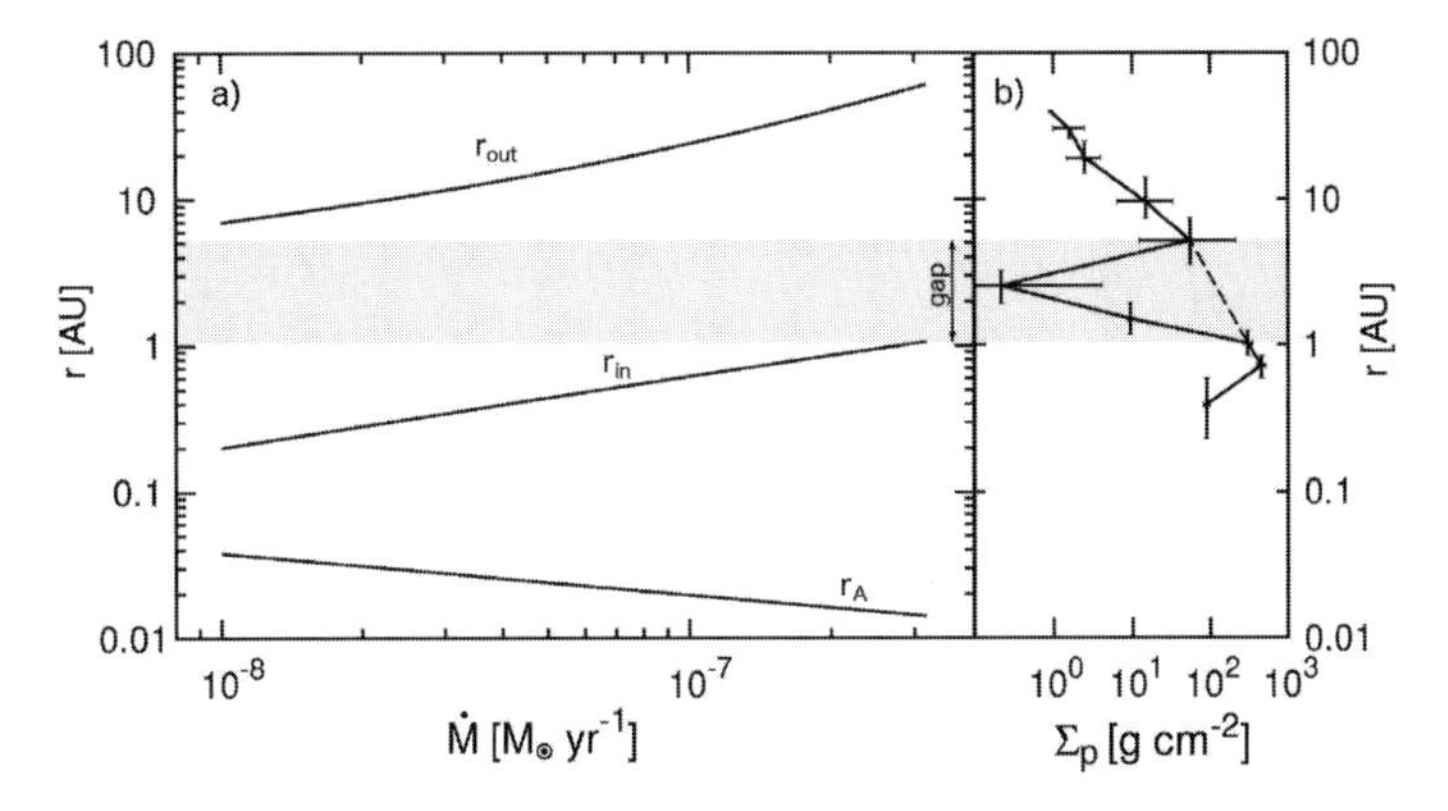

図3-7　タンデム惑星形成理論における微惑星形成と、太陽系の固体成分分布

a) タンデム惑星形成理論における微惑星形成。微惑星が全く作られない領域がある。
b) 太陽系の固体成分分布。固体成分分布の間隙の位置が、タンデム惑星形成における微惑星が形成されない領域の位置に一致している。

3-6 銀河中心超巨大ブラックホールの形成シナリオと地上重力波検出器によるブラックホール合体イベントの検出頻度

Shinkai, Kanda, and Ebisuzaki（2017）は、銀河中心の超巨大ブラックホールが、中間質量ブラックホールを起点とした階層的合体で作られるというモデルを基礎において、KAGRAもしくはadvanced LIGO/VIRGOのような地上重力波アンテナで検出できるイベント数を評価した。第二世代地上検出器の感度は10Hzから上の周波数に十分な感度を持つので、原理的には2千太陽質量以下のブラックホールのリングダウン重力波を検出可能である。特に、KAGRAは天候や人工的活動による地面振動ノイズが少ない地下に設置されているので、有利なはずだ。この能力を使うと、超巨大ブラックホールが中間質量ブラックホールを起点とした一連のブラックホール合体イベントの数を確認できる。宇宙における銀河の数密度が与えられており、そのすべてが超巨大ブラックホールを持っていることを使えば、理論的にブラックホール合体イベントの発生頻度が評価できる。これと、観測数を比較すれば、超巨大ブラックホールの形成シナリオを検証できる。

検出の信号・ノイズ比の敷居を30とすると検出可能な重力波合体イベントの数は、最も楽観的な場合で年間20個に上る。地上の重力波アンテナの感度曲線を考慮すると、全質量が60太陽質量になるようなイベントが最も多く検出される計算になった。このことは、最初に検出されたイベント（GW1501912）が全質量62太陽質量であったことと整合的である。ただし、超巨大ブラックホールが、ブラックホール同士の合体で成長したというEbisuzaki *et al.*（2001）が提唱したシナリオに従えば、より大きな質量、例えば全質量が100－150太陽質量のイベントもかなりの頻度で存在しなければならない。特に低周波数の重力波イベントの検出努力が重要であり、超巨大ブラックホールの形成過程の解明に大きなインパクトを与える。

（2017年2月10日）

参考文献

（1） Ebisuzaki, T. *et al.*: Missing Link Found? The "Runaway" Path to Supermassive Black Holes, *The Astrophysical Journal*, **562**, L19–L22, 2001.

（2） Shinkai, H., Kanda, N. and Ebisuzaki, T.: Gravitational Waves from Merging Intermediate-mass Black Holes. II. Event Rates at Ground-based Detectors, *Astrophysical Journal*, **835**, 276–283, 2017.

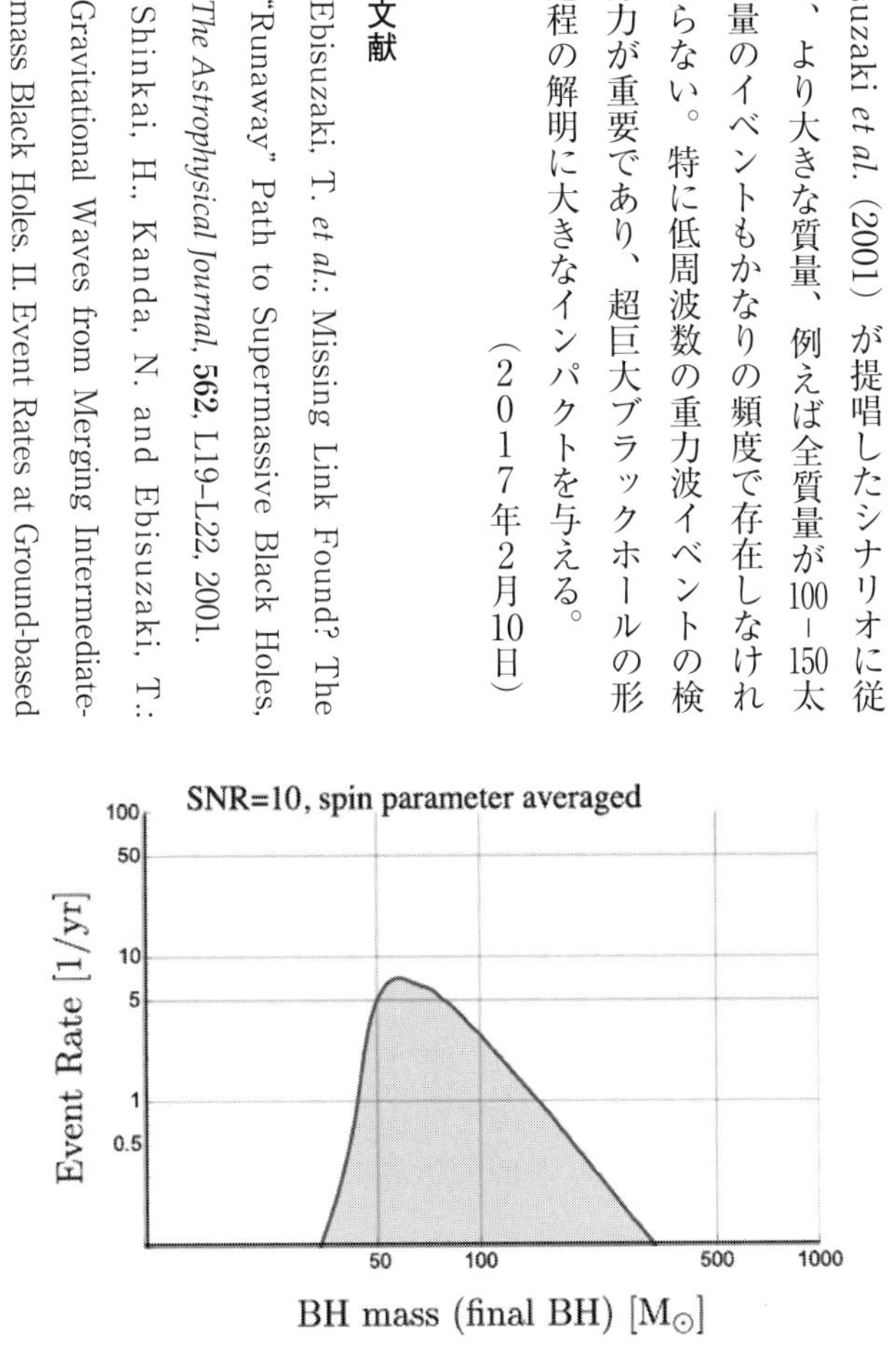

図3-8　Shinkai, Kanda and Ebisuzaki, 2017, *ApJ*, **835**, 276 – 283.

巨大ブラックホールの階層的合体理論は、60太陽質量周辺にブラックホール合体イベントの頻度のピークがあるはずと予言する。重力波バーストの観測結果はこの予言と整合的である。

3-7 スーパープレッシャー気球の放球成功、国際協力で成層圏利用推進

4月25日早朝（日本時間）にニュージーランドの南島、ワナカから米航空宇宙局（NASA）のチームがスーパープレッシャー気球の放球に成功した。通常の大気球は、気密性が低くてヘリウムガスの消散が速いため高度約40㎞の成層圏滞在が数日に制限されるのに対し、スーパープレッシャー気球は、気密性が高く、1か月を超える成層圏での滞在を可能にした。

これまで、長期間の圧力に耐える丈夫さと軽さを兼ね備えた気球膜の製造が困難だった。NASAは何度も試行はするものの、なかなか望むような長期飛行ができなかったが、とうとう2015年3月の打ち上げで初めて30日を超える（実際は32日）飛行に成功した。16年3月の打ち上げでは46日の飛行を記録。観測機器の回収を優先して、気球が大陸上に来たときに早めに落下させる。ただ、その時点でヘリウムガスにはまだ余裕があり、100日以上の飛行も不可能ではないと専門家は指摘する。そうなると、従来の大気球に対して10倍以上の飛行時間をとることができ、それだけ感度のよい観測ができることになる。

今回の気球飛行には、著者も含む理化学研究所のチームが参加した観測装置が搭載された。それは、宇宙からやってくる超高エネルギー宇宙線が作る空気シャワーという荷電粒子（主に電子と陽電子）のシャワーが大気の窒素分子を励起して発する紫外線を検出するための望遠鏡だ。この実験

では、世界で初めて上空から空気シャワーを観測することを目指す。理化学研究所のチームは、超精密加工技術を生かして、この1m角の「プラスチック・フレネル・レンズ」を製造して提供した。目標とする空気シャワーは、おおむね数日に1個程度の頻度で検出される。

この観測機器は、米国を中心に、日本、フランス、イタリア、ドイツ、アルジェリア、ポーランド、メキシコなどの多くの国の研究者が関わる。それぞれの国の置かれた制限の中で、お互いに補い合って望遠鏡を製作。スケジュールが極めて厳しい中、ほとんど不可能とさえ思われた望遠鏡製作が期日に間に合ったのは、「奇跡」が連続して起こったからである。自分のところで「奇跡」のバトンを途絶えさせてはならないと各段階の担当者が頑張ったからこそ、打ち上げまでたどり着けた。国際情勢が複雑になっている中、世界の仲間と協力してこそできるこのようなプロジェクトに参加できたのはとてもうれしく、科学者をやっていてよかったと思う。

さて、成層圏は常に晴れており、太陽光発電には理想的な場所だ。また、定点上空に長く滞在できるよう推進力を持つか係留すれば、都市の重要な通信・発電インフラとして機能するかもしれない。成層圏に長期に滞在できるこのような成層圏気球技術について日本でも見直す時期に来ているといえるかもしれない。

（2017年5月10日）

初出

戎崎俊一：高論卓説，フジサンケイビジネスアイ（FujiSankei Business i），2017年5月10日．

3-8

紫外線で夜の地球を網羅的に観測——国際宇宙ステーション搭載の望遠鏡

地球の夜側を近紫外線で詳細に観測する「Mini-EUSO望遠鏡」が、準備の最終段階を迎えている。Mini-EUSO望遠鏡は口径25cmの紫外線望遠鏡で、国際宇宙ステーションのロシアモジュールにある紫外線透過窓に設置され、地球方向を観測する。視野は±19度で、差し渡し250kmの領域を2.5マイクロ秒ごとに36×36画素で撮像観測する。

これは、超高エネルギー宇宙線を観測するための超広視野望遠鏡・EUSOの開発の一環をなすもので、宇宙におけるプラスチック・フレネル・レンズ、位置検出型光電子増倍管アレイの技術検証と宇宙線観測時にバックグラウンドとなる大気光の全球マッピングを行うのが主要目的である。

その他に、Mini-EUSOは地球科学に貢献する。まず、地球高層（高さ約100km）大気が夜光を放射している。これは原子状酸素の再結合によるものだ。これまでの地上観測で、夜光放射にしま状の濃淡構造があることが観測されている。これは、大気圏で作られた擾乱（じょうらん）が、波として上層に伝わって作られると考えられている。しかし、地上から一度に観測できる領域は100km程度に制限されているので、この波がどこで作られてどこに伝搬していくのかが分からない。

国際宇宙ステーションの運動により250kmの幅で帯状に観測できるMini-EUSOは、このしま状構造の全球的な分布を明らかにし、大気上層に伝わる波の起源を明らかにすると期待されている。

また、上空から大気圏の放電現象の観測が可能である。2.5マイクロ秒の超高速で撮像観測ができるMini-EUSOはエルブスやスプライト、ブルージェットなどの特殊な放電現象の発達の様子を明らかにする。近紫外線は、地上観測では大気吸収で観測が難しいので、詳細な撮像観測がなされていない。同様に、流星の観測も行う。

さらに、夜光虫などの中には、近紫外線領域で発光するものがある。発光生物の全球マッピングが行える。

薄明帯通過中は、太陽光の反射によってスペースデブリ（宇宙ごみ）の観測が可能である。Mini-EUSOで使われる超広視野望遠鏡の技術により、スペースデブリのその場検出が実現できる。これは、スペースデブリ脱軌道ミッションの基幹技術である。

Mini-EUSO望遠鏡は、イタリア宇宙機関とロシア宇宙機関の国際共同プロジェクトで推進されている。今年8月にロシアのバイコヌール基地から打ち上げる予定である。ミッション機器の製作は、イタリアとロシアをはじめ、日本、フランス、ポーランドなどの研究者が協力して行った。理化学研究所を中心とした日本チームは、レンズ製作と光電子増倍管アレイの製作の一部を担っている。

世界が次第にきな臭くなっている中で、各国の研究者の知恵と技術を結集し、お互い足りないところを補って一つの観測機器を作り上げ、運用することのようなプロジェクトに参加できることは大変幸せである。協力して困難に立ち向かうことで国境や国籍を超えた友情を育んでいる。

（2019年6月26日）

初出

戎崎俊一，高論卓説：フジサンケイビジネスアイ（FujiSankei Business i）, 2019年6月26日.

3-9　宇宙における航跡場加速

宇宙から10^{20} eVを超えるエネルギーを持った超高エネルギー荷電粒子（宇宙線）がやってきている。これは、人工加速器をはるかに超える天然加速器が宇宙には実在していることを意味している。その実体は長年謎のままだったが、最近それが解明されつつある。

従来、宇宙線加速は1954年にE. Fermiが提唱したフェルミ加速で超新星残骸において行われると考えられてきた。しかし、フェルミ加速においては、荷電粒子が磁気雲と多数回衝突を行って統計的に加速されるので効率が悪く、10^{15} eV以上のエネルギーを得るのは、不可能ではないがかなり無理があると言われてきた。

Ebisuzaki and Tajima（2014）は、ブラックホールの周りに形成された降着円盤から垂直に打ち出されるアルフベン波の強烈なパルスが航跡場を励起し、その中で伝搬に荷電粒子の強い加速が起こることを示した。加速を行う航跡場自身も加速される荷電粒子もともに同じ光速で伝搬するので、加速が長時間続く。その結果、効率的に超高エネルギーに到達できる。加速された荷電粒子のうち電子は高エネルギーガンマ線を放射する。また、陽子は周りの静止ガス中の陽子と衝突してニュートリノを生産する。

このように、ブラックホールにガスが降着している天体は、銀河内のマイクロクエーサー（10太陽質量程度の降着ブラックホール天体）、近傍の活動的な銀河核、そして遠方のブレーザー（数種類の高エネルギー銀河核の総称）とさまざまなものがある。これらはどれも、航跡場加速機構によりさまざまな高エネルギー粒子を生産して宇宙空間にばらまいている。

さらに、大質量星のコア崩壊や中性子星合体などのイベント時には形成されつつあるブラックホール付近から、重力波とともに、強烈なアルフベンパルスが放射され、超高エネルギーの電子、陽子、ガンマ線、ニュートリノが航跡場加速機構で作られることも明らかにされた（Kato *et al.* 2022)。

Ebisuzaki, Tajima, and Barish (2023) は、宇宙における航跡場加速理論とマルチメッセンジャー天文学（光のみでなく、荷電粒子、ニュートリノ、重力波すべてを使う天文学）による主要高エネルギー天体の観測を総括し、航跡場加速理論が宇宙における高エネルギー現象を説明する有力なモデルであることを示した。共著者の一人であるBarry C. Barishカリフォルニア工科大学教授は、２０１７年に「ＬＩＧＯ検出器および重力波の観測への決定的な貢献」が認められキップ・ソーン、レイナー・ワイスとともにノーベル物理学賞を受賞している。

（２０２３年5月1日）

参考文献

(1) Ebisuzaki, T. and Tajima, T.: Astrophysical ZeV acceleration in the relativistic jet from an accreting supermassive blackhole, *Astroparticle Physics*, **56**, 9–15, 2014.

(2) Ebisuzaki, T., Tajima, T. and Barish, B. C.: Wakefield acceleration in the universe, *International Journal of Modern Physics D*, **32**, 2330001, 2023.

(3) Fermi, E.: Galactic magnetic field and the origin of cosmic radiation, *Astrophys. J.*, **119**, 1–6, 1954.

(4) Kato, Y. and Ebisuzaki, T., and Tajima, T.: Wakefield acceleration in a jet from a neutrino-driven accretion flow around a black hole, *Astrophys. J.*, **929**, 42, 2022.

第4章

気候変動

解説　第4章 気候変動

私の気候変動に関する興味は、地球科学者の丸山茂徳先生との議論の中から生まれました[1]。

丸山先生は、地球の気候は人類誕生以前でも大きく変動していることから、CO_2のみを気候変動の要因と考える、現在の気候学の主流となっている考え方に予(かね)てから強い疑問を抱いていました。もし、「CO_2のみが気候変動の要因である」という仮説が正しいならば、すべての時期において、CO_2濃度と地球の平均気温には一対一の相関関係が見られなければなりません。ところが、20世紀の地球平均気温は1940年から1980年にかけて下降していますが、その間、CO_2濃度は順調に上昇していました[1]。

ここに「CO_2のみが気候変動の要因である」という仮説に対する、明快な反証があります。つまり、CO_2濃度以外の気候変動要因が、少なくとも一つは別に存在しているということです。私は、科学者としてこの反証を無視することができず、その未知の変動要因を探し求めました。

まず私は、過去2,000年の年輪データから復元した地球平均気温の復元図に、世界史上の事件をプロットしてみました。そして得られた図は、長く繁栄を誇った王朝の滅亡の多く（全部ではありません）が、低温期に起こっていることを示していたのです（記事4-1）。これは、ブライアン・フェイガン（Fagan, B. M.）の一連の著作[2,3]の記述を裏づけるものでした。

記事4-3においては、現在に似た政治的状況にあった7世紀東アジアでも、平均気温の低下が、隋の滅亡をはじめとする、東アジア各国で生じた政変と関連があることを明らかにしています。また、記事4－9は、太陽の磁気活動が弱い時期に起こる小氷期の開始期に、長く繁栄した王朝の滅亡（中国の南宋と明、フランスのブルボン朝）が起こっていることを示しています。さらに、記事4－10は、水田稲作の日本への伝搬ルートの議論を行うにあたって、ヒプシサーマル期（7，000－5，000BP）から紀元前10世紀（3，000BP頃）にかけての気候変動を考慮する必要があることを明らかにしました。その上で、記事4－7では、現代においても天候不順による全球的な食糧不足（飢饉）が起こり得るとして、玄米真空パックによる食料備蓄を提唱しています。

それでは、気候変動の真の原因とは、一体何なのでしょうか？

私は、地球の外にそれを求めました。そして、全球凍結事変のような極端な気候変動の原因が、天の川銀河のスターバーストによる暗黒星雲や超新星残骸への太陽系の頻繁な衝突である、という仮説を提案しました（記事4－2）。その後、このアイデアは「星雲の冬」という概念に発展しました。この仮説は、特に後期原生代（エディアカラ紀とカンブリア紀）における大絶滅の繰り返しをうまく説明していい ます（記事4－6）。また、恐竜が絶滅した白亜紀末の大絶滅は、一回の小惑星衝突だけではなく、暗黒星雲との衝突による約800万年に及ぶ気候不順（寒冷化）で引き起こされた（小惑星衝突も、暗黒星雲との重力相互作用で惹起（じゃっき）された）、とする仮説を提唱しました（記事4－8）。

また、私は、海洋低層雲が地球の気候変動を決める重要な役割を果たしていることに2013年10月頃に気づき、関係する諸論文を詳細に読んで報告しています（記事4－4、5）。その努力は、海洋低層雲の気候緩衝効果の発見という形で、2023年に実を結びました（記事4－11）。この効果のために、CO_2濃度の気温への影響は、強く減殺されます。さらに、現在の最高精度の全球気候モデルを使った数値シミュレーションでも、海洋低層雲をうまく再現できない理由を明らかにしました。要するに、現在のシミュレーションでは、まだ鉛直方向の格子点が足りないので、海洋低層雲の生成消滅を正しく表現できないのです。

収束性と予言性を持った信頼に足る数値シミュレーションを行うには、鉛直方向の格子点数を現在の約100倍に増やし、現在の約100倍の細かさで時間積分を刻む必要があります。これらを合わせると現在の1万倍の計算能力が必要ですが、残念ながら、それはまだ存在しないのです。このシミュレーションが可能になるまでは、地球の気候変動の科学的な議論は収束しないでしょう。したがって、当面、気候変動への対策は、温暖化と寒冷化のどちらに転んでも大丈夫のような構えで臨むべきです。

一方、その緩衝点の変化は、むしろエアロゾル数密度に制御されています。図4－1が示すように、エアロゾル数密度に影響を与える諸因子（化石燃料消費、海藻起源ジメチルスルホン酸、核爆発、銀河宇宙線など）の間の因果関係は、複雑に絡み合っています。「ガイア仮説」は海藻起源のジメチルスルホン酸、「核の冬」は化石燃料消費（大規模森林火災）と電離放射線、そして「星雲の冬」は銀河宇宙線と宇宙起源エアロゾルの効果のみを切り取って、その一断面を見ているに過ぎないようです。

それらの複雑な因果関係を解きほぐすには、これから長年の地道な研究が必要です。気候変動の理解は、一筋縄ではいきません。その解明には、気象学のみではなく、大気化学、岩石科学、雪氷学、海洋

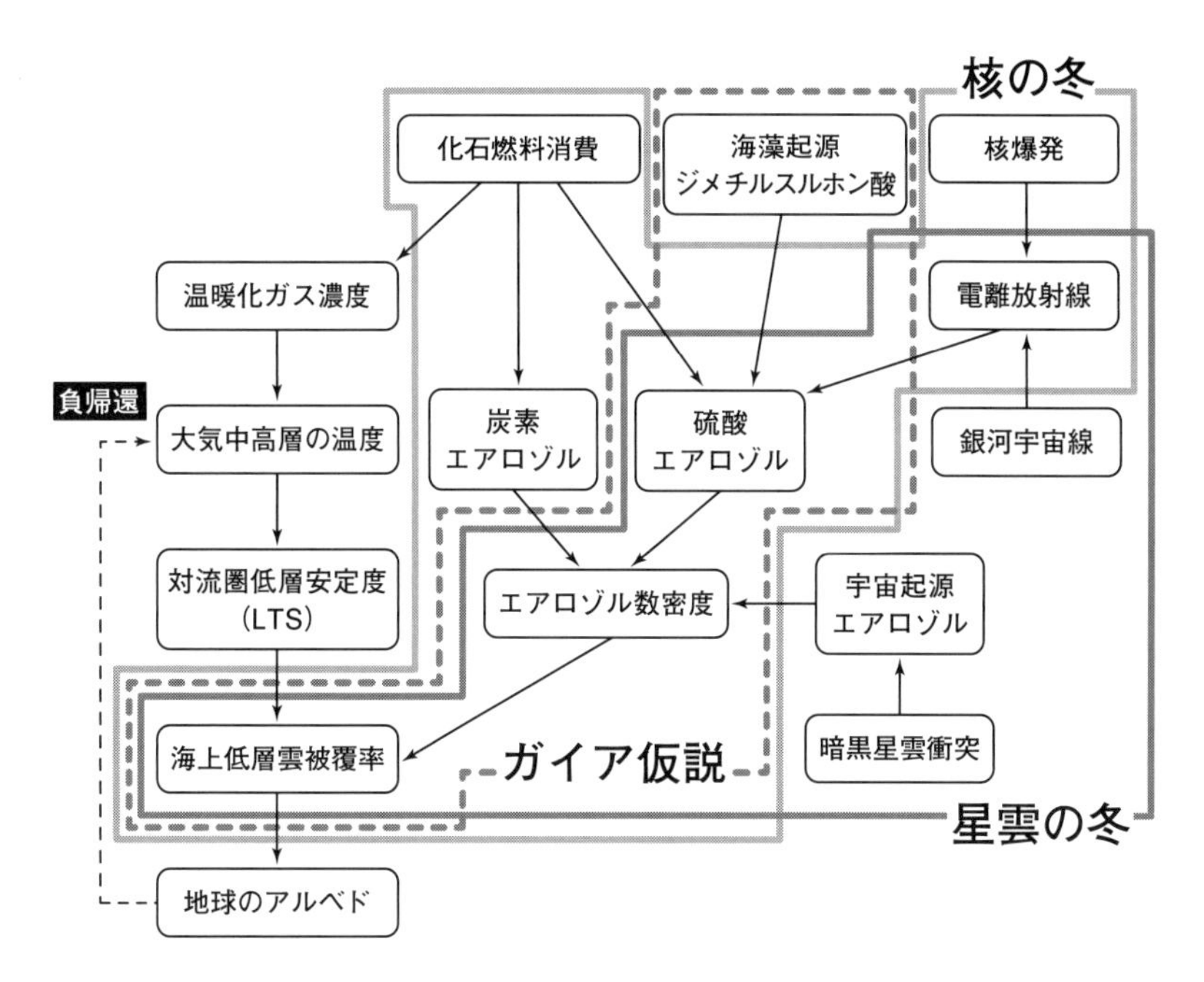

図4-1　気候変動をめぐる諸因子の因果関係図

ガイア仮説、核の冬仮説、星雲の冬仮説は、この複雑な因果関係の一断面を表しているに過ぎない。

学、天体物理学、計算科学、歴史学など、さまざまな科学分野の協力と統合が必要です。その一端を、この解説で紹介しています。また、過去の気候変動の中で現在の気候をとらえる、長期的な視点も重要です。これらは、現在、巷に流布している気候変動の議論に欠けているものです。

さて、この解説の最初に紹介した、1940年から1980年にかけての低温化の原因は何だったのでしょうか？　私はこの時期、太平洋で盛んに行われていた核実験のせいではないかと疑っています。核実験は、大気中に大量の放射性物質を放出します。そのせいで空気中の電離放射線量が増加し、弱い「核の冬」状態を作ったのではないか、というわけです。その確認のためには、図4-1に描いた諸因子を取り込んだ全球気候モデル（もちろん、十分な鉛直方向分解能を持ったもの）を構築し、様々な状況における気候変動の数値実験をすることが必要でしょう。その過程で、氷期・間氷期サイクルや全球凍結事変を含めた、地球の気候変動の本当の原因が明らかになってくることを期待したいと思います。なお、エディアカラ紀とカンブリア紀における、頻繁な大絶滅と生物の急速な進化（いわゆるカンブリア爆発進化）については、種の起源と生物進化の章（第6章）で議論します。

注

(1)　丸山茂徳ほか：地球温暖化「CO_2犯人説」は世紀の大ウソ，宝島社，18-33，2020.

(2)　B. Fagan: *The Little Ice Age, How Climate Made History, 1300–1850*, Basic Books, New York, 2000.

(3)　B. Fagan: *The Long Summer, How Climate Changed Civilization*, Basic Books, New York, 2004.

4-1 過去2,000年の気温変化と王朝の盛衰

図4－2に、年輪から再構築した過去2,000年の気温変化に、世界史上の重要事件を重ね書きした。

図4－2を見ると、中国の王朝にとどめを刺した乱の多く（黄巾の乱［漢末］、八王の乱［晋末］、農民の乱［隋末］、黄巣の乱［唐末］）は、数年から数十年にわたる低温期に起こっているように思われる。ユーラシア北方民族の南下は低温期に起こっている（漢末の動乱［180－220］、五胡十六国開始［304頃］、安史の乱［763］、土木の変［1449］）。また、11世紀から12世紀にわたる北方民族（金、元、ノルマン）の数次にわたる執拗な南下は、中世温暖期末の長期的な低温化の時期に一致している。温暖期に人口が増えた北方民族が、低温化で食料の確保が難しくなり、南下したと考えられる。

世界的な低温化による、ユーラシア北方・中央部における食糧不足が、東アジアにおける政変の原因と考えられる。「衣食足りて、礼節を知る」という言葉がある。逆に読めば「衣食が足りなければ、礼節もくそもない」ということになるかもしれない。そんな世界にしてはならない。今は、科学技術で予測し、対策を立てて克服できるはずだからだ。

（2011年12月26日）

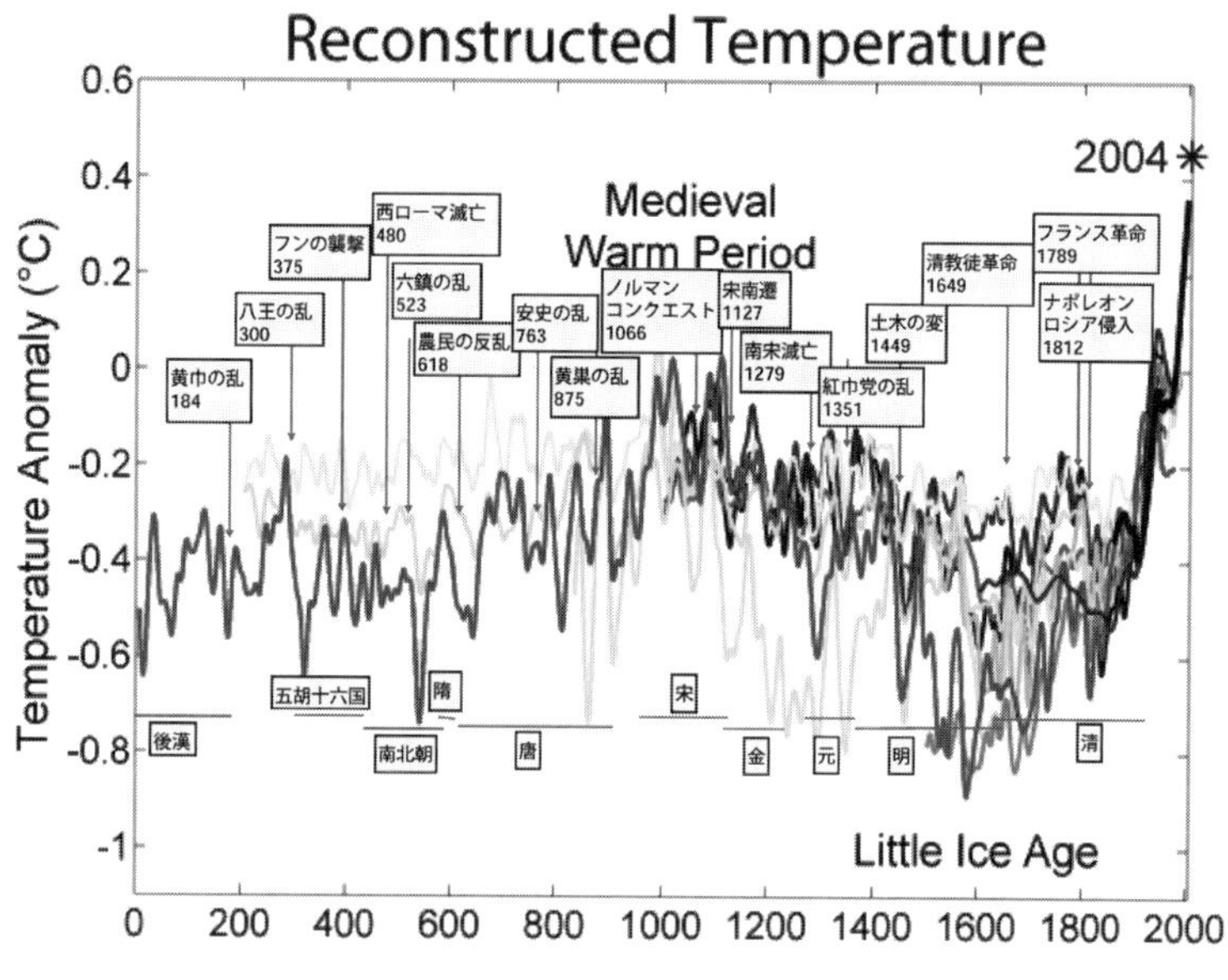

図4-2　過去2,000年の気温変化と世界史上の重要事件

https://upload.wikimedia.org/wikipedia/commons/archive/c/c1/20180527190730%212000_Year_Temperature_Comparison.png を元に、著者が改変して作成した。

4-2 全球凍結事変のスターバーストモデル

地球の46億年の歴史の中で、原生代に2回（22－24億年前と5.5－7.7億年前）のみ、赤道まで凍結した全球凍結事変があったことが知られている（Hoffman and Schrag 2002; Maruyama and Santosh 2008）。全球凍結に至る機構はこの10年における熱心な研究にもかかわらず、よく分からなかった。Kataoka *et al.*（2013）は、この全球凍結事変の天の河銀河のスターバーストによって引き起こされたとするモデルを提案した。天の川銀河も、星形成率が通常の10－100倍に増加するスターバーストを経験したと考えられており、その時期は上記の全球凍結期とほぼ一致している（Rocha-Pinto *et al.* 2000; Marcos and Marcos 2004; Svensmark, H. 2007）。スターバースト銀河においては、銀河円盤の大部分は濃い暗黒星雲に覆われ、太陽系が超新星残骸に遭遇する確率も非常に高かったと考えられる。このような星雲（暗黒星雲と超新星残骸）に太陽系が遭遇すると、宇宙塵と宇宙線の地球への降下量がけた違いに大きくなる。これらによる地球環境への影響を調べた。それらは真に破壊的であった。

現在の地球は、太陽から吹く高温プラズマででき た太陽風によりできたヘリオスフェアの中にあり、銀河宇宙線と太陽系外からくる固体微粒子（宇宙塵）が直接地球に降り注がないようになっている。また、成層圏のオゾン層が有害な紫外線Bを吸収している。

しかし、暗黒星雲遭遇の場合は、まず、宇宙塵が地球の成層圏に長期滞留し、太陽光を散乱して、地球を寒冷化させる。その強さはアイス・アルベド不安定による地球の全球凍結を引き起こすのに十分な強さである（Pavlov et al. 2005）。また、太陽系内の惑星間空間で、ＧｅＶ以下の宇宙線が大量に作られて地球に降り注ぎ、成層圏でNO_xを形成してオゾン層を破壊する（Ruderman 1974）。その結果、紫外線Ｂが増加し、植物の光合成システムを破壊する（Smith and Baker 1989）。全球凍結と紫外線の増加により地球の基礎生産量は大幅に減少し、大絶滅を引き起こしたと考えられる。

一方、超新星に遭遇したときには、銀河宇宙線量が１，０００倍増し、その結果として雲被覆率を増加させ、寒冷化を引き起こす（Sventhmark and Friis-Christensen 1997; Sventhmark 2007）。宇宙線による硫酸アエロゾルの増加を通した雲核の形成メカニズムは、複数の実験室実験により確かめられており（Sventhmark 2007; Kirkby *et al.* 2011）、太陽の11年周期による20％変動の効果はいざ知らず、宇宙線降下量の１，０００倍増による自然放射能の増加は、最も保守的な見積もりにおいても、アイス・アルベド不安定による地球の全球凍結を引き起こすのに十分な強さとなる。また、成層圏では、宇宙線によるNO_x形成によりオゾン層を破壊する。さらに地上の自然放射能も１，０００倍増になるため、年間被曝量は１Sv近くに達することになる。これは、生物にゲノム不安定を引き起こすのに十分な被曝量である（Dubrova 2006; Aghajanyan *et al.* 2011）。

詳細な研究によると、全球凍結事変は、寒冷な気候がずっと続いていたのではなく、超寒冷な時期の後に超温暖な気候が続くサイクルが少なくとも数回起こっていることが分かってきた。このような超寒冷／超温暖サイクルの一つ一つが個々の星雲衝突に対応していると考えられる。顕生代にも5回の大絶滅が報告されている。これらも、比較的小規模な星雲衝突と関係しているかもしれない。

（2013年1月9日）

参考文献

(1) Aghajanyan, A. *et al.*: Analysis of genomic instability in the offspring of fathers exposed to low doses of ionizing radiation, *Envirom. Mol. Mutagen.*, **52**, 538–546, 2011.

(2) Dubrova, Y.E.: Genomic instability in the offspring of irradiated parents: facts and interpretation, *Russ. J. Genet.*, **42**, 1116–1126, 2006.

(3) Hoffman, P. F. and Schrag, D. P.: The snowball Earth hypothesis: testing the limits of global change, *Terra Nova* **14**, 129–155, 2002.

(4) Kataoka, R., Ebisuzaki, T., Miyahara, H. and Maruyama, S.: Snowball Earth events driven by starbursts of the Milky Way Galaxy, *New Astronomy*, **21**, 50–62, 2013.

(5) Kirkby, J. *et al.*: Role of sulphuric acid, ammonia and galactic cosmic rays in atmospheric aerosol nucleation, *Nature*, **476**, 429–433, 2011.

(6) de la Fuente Marcos, R. and de la Fuente Marcos, C.: On the recent star formation history of the Milky Way disk, *New Astron.*, **9**, 475–502., 2004.

(7) Maruyama, S. and Santosh, M.: Models on Snowball Earth and Cambrian explosion: A synopsis, *Gondwana Res.*, **14**, 22–32, 2008.

(8) Pavlov, A. A., Toon, O. B., Pavlov, A. K., Bally, J. and Pollard, D.: Passing through a giant molecularcloud : “Snowball” glaciations produced

by interstellar dust, *Geophys. Res. Lett.*, **32**, L03705, 2005.

(9) Rocha-Pinto, H. J., Scalo, J., Maciel, W. J. and Flynn, C.: Chemical enrichment and star formation in the Milky Way disk II. Star formation history, *Astron. Astrophys.*, **358**, 869–885, 2000.

(10) Ruderman, M. A.: Possible consequences of nearby supernova explosions for atmospheric ozone and terrestrial life, *Science*, **184**, 1079–1081, 1974.

(11) Smith, R. C. and Baker, K. S.: Stratospheric ozone, middle ultraviolet radiation and phytoplankton productivity, *Oceanography*, **2**, 4–10, 1989.

(12) Svensmark, H. and Friis-Christensen, E.: Variation of cosmic ray flux and global cloud coverage—a missing link in solar-climate relationships, *J. Atmos. Sol. Terr. Phys.*, **59**, 1225–1232, 1997.

(13) Svensmark, H.: Cosmoclimatology: A new theory emerges, *Astron. Geophys.*, **48**, 18–24, 2007.

(14) Svensmark, H. *et al.*: Experimental evidence for the role of ions in particle nucleation under atmospheric conditions, *Proc. R. Soc. A.*, **463**, 385–396, 2007.

4-3 7世紀初頭の気候寒冷化と隋の崩壊

7世紀の隋の滅亡の時期について気候変動との関係を見てみよう。隋の煬帝は、611年－614年にかけて高句麗遠征を行う。年輪による平均温度の復元結果をみると、このころ気候は急速に寒冷化していた（記事4－1、図4－2参照）。煬帝による過酷な徴発とこの寒冷な気候のせいで中国東北地方が、ひどい飢饉（ききん）となったのだろう。天災に人災が重なった悲惨な例である。

西暦611年「――耕し稼うるに時を失ひ、田畑は多く荒れる。これに加えるに飢饉し、穀の価はなはだ貴し。東北の辺りもっとも甚だしく――」（資治通鑑）

隋軍を悩ませたという冬将軍は例年よりずっと厳しいものだったのかもしれない。この後、西暦618年に農民の反乱が起き、煬帝が殺されて隋が滅亡する（図4－2）。

日本においては、622年に聖徳太子が、626年に聖徳太子とペアを組んで政治を主導した蘇我馬子が病没する。日本書紀の記述では、その記事に続き天変の記録が続く。

「六月に雪ふれり」

「三月より七月に至るまでに、霖雨ふる。天下、大きに飢える。翁は草の根を喰らひて、道の垂に死ぬ。幼は乳を含みて、母子ともに死ぬ。」

「夏五月に、蝿有りて集まる。其の凝り累ることと十丈ばかりなり。虚に浮かびて信濃坂を越ゆ。鳴る音雷の如し。すなわち東のかた、上野国に至りて自らに散せぬ。」

最後の記述は、イナゴの大群であろうか、もしくはウンカのことか。いずれにしろ、うすら寒い、梅雨が終わらない夏に害虫が追い打ちをかけるという日本の飢饉の年に見られる典型的なパターンが見て取れる。

（2013年1月20日）

4-4 アエロゾル密度による海洋境界層における雲被覆率の急激な変化

海洋上の大気の境界層は、雲核の数密度によって、以下の三つのはっきり分かれたモードを示すことが分かった（Rosenfeld *et al.* 2006）。

1）雲核に富む海洋境界層は、閉じたベナード対流セルを形成し、ほぼ完全に雲に覆われる。このような場所では、対流の駆動が雲頂における冷却によって駆動される。つまり、雲頂で冷やされた雲はセルの外壁に沿って落下し、それを補償するためセルの中央に上昇流が生まれる。

2）雲核が少ない海洋境界層は、開かれたベナード対流セルを形成し、雲被覆率が40％以下になる。このような場所では、対流は海上を照らす太陽熱によって駆動される。温められた空気は外壁に沿って上昇し、それを補償するためにセルの中央に下降流が生まれる。

3）雲核欠乏海洋境界層は、雲核の欠乏のために雲ができないので、雲がない。

この三つのモードの遷移はアエロゾル密度が制御している。アエロゾル密度が30－40 cm^{-3}に増えると、降雨が抑えられて、対流セルが開かれたものから閉じたものに変わる。逆に、降雨によりアエロゾル密度が30－40 cm^{-3}以下に減ると、さらに降雨が激しくなって、アエロゾル密度が4 cm^{-3}まで急速に減る。このような対流モードの遷移は、清浄な空気の背景アエロゾル密度（数－数十cm^{-3}）ぐらいで起こる。
このような境界層対流セルのモードの変化により、雲の被覆率はアエロゾル密度に極めて敏感に反応することが分かった。宇宙線の増加による海洋上でのアエロゾルの数密度の増加はこのようなメカニズムを通して気候変化に大きな影響を与える可能性が出てきた。

（２０１３年10月10日）

参考文献

Rosenfeld, D., Kaufman, Y. J. and Koren, I.: Switching cloud cover and dynamical regimes from open to closed benard cells in response to the suppression of precipitation by aerozols, *Atms. Chem. Phys.*, **6**, 2503-2511, 2006.

4-5 アエロゾルが低層雲に与える影響

汚染された環境で発達する雲は、雲粒の粒が小さく数が多い傾向がある。この性質は、降水を押さえ雲の寿命を延ばすかもしれない。一方で、アエロゾルによる太陽光の吸収は、水蒸気の蒸散をすすめて雲の被覆率を下げるかもしれない。これらの効果をすべて合わせた雲への影響がよく分からず、地球の平均気温を決める放射強制力を与える上でのもっとも大きな不確定性だとされてきた。そこで、Kaufman *et al.* (2005) は、ＭＯＤＩＳ (Moderate Resolution Imaging Spectrimeter) 衛星の１km分解能の２００２年の６月から８月のデータを使った大統計解析によって、海洋上の低層雲に対するアエロゾルの影響を調べた。

彼らは、大西洋を四つの領域、つまり、海洋アエロゾルのみの南緯30度から20度の清浄領域、煙が卓越する南緯20度から北緯５度の煙領域、鉱物アエロゾルが卓越する北緯５度から25度のダスト領域、そして汚染アエロゾルが卓越する北緯30度から60度の汚染領域に分けた。４種類のアエロゾルはどれも雲粒子のサイズを小さくしていた。また、清浄領域に比べ煙、ダスト、汚染領域は雲の被覆率が20%から40%高いことが分かった。低層雲に対するアエロゾルによる大気の頂上における放射効果は、大西洋全体で平均すると $-11 \pm 3\ Wm^{-2}$ と見積もられた。このうち３分の１はアエロゾルの直接効果で、残りの３分の２は、間接効果である。

この値を全海洋に適用できると仮定する。海洋の地球全表面に対する割合を70％とすると、アエロゾルの放射強制力は全球平均で−7.7 Wm^{-2}となる。ちなみに、IPCC2013の報告書では、対応する値は−0.9 Wm^{-2}としてあり、一桁近く低い値を採用している。

一方、Kaufman *et al.*（2005）は、雲の日夜サイクルの影響を受けやすいMODISのデータを用いており、これを考慮すると、アエロゾル雲効果はさらに大きい可能性がある。

放射強制力から地球平均気温変化の変換係数は0.7–2.2 Wm^{-2}度とされているようだ。中を取って1 Wm^{-2}度としよう。アエロゾルが全海洋で平均して有意に（2–10倍ぐらい）増加したときは、5度–10度の平均気温変化が期待できる。これは、氷期・間氷期サイクルにおける変動を説明できる強さである。一方、アエロゾルの数密度が10％程度変動する場合は、放射強制力の変化は、0.8Wm^{-2}程度で、対応する地球平均気温の変化は1度程度であろう。小氷期の寒冷化や最近の温暖化の温度変化は、銀河宇宙線強度が太陽風の強さの変動により数十％変動し、海洋における硫酸エロゾルの数密度が10％程度変動したことで説明できる可能性がある。

（2013年11月1日）

参考文献

Kaufman, Y. J. *et al.*: The effect of smoke, dust, and pollution aerosol on shallow cloud development over the Atlantic Ocean, *PNAS*, **102**, 11207–11212, 2005.

4-6 星雲の冬

超新星残骸や暗黒星雲などの星雲との遭遇は、負の放射強制力による寒冷化、宇宙線フラックス増加によるオゾン層破壊を通して、地球の表層環境の破局をもたらす。その結果の基礎生産量の減少が、酸素濃度の減少と食糧の不足、そして海洋無酸素事変を通して大絶滅を引き起こす。この「星雲の冬」モデルは、超新星残骸遭遇による1千年から1万年の変動、暗黒星雲遭遇による10万年から1千万年の変動、そして銀河全体のスターバーストによる1億年スケールの階層的な変動を予言している。

この「星雲の冬」モデルは後期原生代（エディアカラ期を含む）からカンブリア期に起こった全球凍結、大絶滅の繰り返し、そして生物多様性の爆発的増加をうまく説明する。後期原生代の全球凍結事件は770百万年前からカンブリア期まで、約200百万年続き、その間2回の超氷期（スチューリアン氷期とマリノアン氷期）が起き、さらには少なくとも8回の大絶滅が発生している。それは石灰岩の、強いδ^{13}Cの負異常と同期しており、この時期に地球の炭素循環、おそらく光合成による基礎生産量の激変があったことを意味している。

このような環境変化は「星雲の冬理論」で以下のように説明することが可能である（Kataoka *et al.* 2013）。天の川銀河は約60億年前にスターバースト状態にあった。その結果として地球が何度も全球凍結した。それが終わり、正常な状態への過度期には、スターバーストで誕生した多くの星が死期を迎え、特に多くの超新星が爆発したと考えられる。したがって、超新星残骸との遭遇が顕生代に比べて一桁高い頻度で起きたと考えられる。その一つ一つの超新星残骸との遭遇が、局所的な（全球凍結に至らない）氷期の原因となる。このとき、地球の表層環境が寒冷化して破局し、大規模な生物大絶滅が起こったのだろう。実際これらは、化石にみられる大絶滅、つまりアクリターク、エディアカラ動物群、微小殻化石群、そして古杯類の絶滅時期と対応づけられる。

また、これらのδ^{13}Cの負異常期の年代が、動物種の系統樹における主要な分岐年代とも一致している。超新星残骸の強い宇宙線が生物のゲノム不安定を引き起こして、その進化を加速したかもしれない。

（2014年2月21日）

参考文献

Kataoka, R. *et al.*: The nebula winter: the united view of the snowball Earth, mass extinctions, and explosive evolution in the late Neoproterozoic and Cambrian periods, *Gondwana Research*, **25**, 1153–1163, 2014.

4-7

火山噴火が引き起こす大飢饉、玄米備蓄のすすめ

わが家では、有事に備えて玄米を備蓄している。そのきっかけは、火山噴火だった。２０１０年の春（3月から4月）にアイスランドのエイヤフィヤトラヨークトル火山が噴火した。欧州の主要空港が閉鎖され、多くの観光客が足止めを食ったので覚えている方も多いだろう。このとき、私が思い出したのは１７８２年から88年にかけて起こった天明の大飢饉である。日本の近世では最大の飢饉だったといわれている。天明の飢饉も、同じアイスランドのラキ火山とそれに引き続くグリムスヴォトン火山の１７８３年から85年にかけての噴火が原因だったとされている。

２０１０年の噴火の火山性ガスの噴出量は、４月終わりの時点で、１７８４年の噴火の噴出量の最初の部分のそれとあまり変わらなかった。私はこれで、ここ数年で飢饉が来ると踏んで、玄米の真空パックを大量発注し、居間に積み上げたという次第である。幸いにして、２０１０年の噴火は5月に入ると終息に向かった。一方、１７８３年の噴火はまずラキ火山のものが5か月続き、さらに別のグリムスヴォトン火山も噴火した。このとき噴出した火山灰と硫化物が地球成層圏に数年間滞在したため、全球的に異常気象が続いた。その結果、農産物が大被害を受けて食糧不足となり貧困と飢饉が欧州全体に広がった。１７８９年のフランス革命の一つの要因とも考えられている。

実は最近でもそれに近い現象が起きたことを覚えておられるだろうか？ １９９１年にフィリ

ピンのピナツボ火山が20世紀で最大規模の大噴火を引き起こした。その後、全球的に冷夏傾向が続き1993年に日本では平成コメ騒動が起こった。現代科学技術は旱魃による不作は克服したが、冷夏による不作を完全に克服するには至っていないのだ。

その後2011年には日本で大震災が起こり、いろいろな事件が起こったが、居間にコメが備蓄してあって、アパートに立て籠もっても何とか食いつなげるという安心感は大変ありがたかった。その備蓄の段ボールがまだわが家の居間にある。この4年前の超古古米をいまだにありがたくいただいている。真空パックした玄米は、ほとんど変質していないと私は思う。

日本は、自給が可能なコメに関しては少なくとも3年分の備蓄を持つべきだと感じている。いったん全球的な異常気象が始まったら、食糧輸入が困難になる。それに備えなければならない。まず、家庭で1年分ぐらい備蓄しよう。玄米真空パックであれば、特別な設備はいらない。食糧不足になったときに、一番困るのはわれわれ消費者だ。家族の命を守るため、備蓄を心がけよう。スペース的に困難な場合は、生産者か卸売・小売業者に保管を依頼する「貯米」（銀行にお金を「貯金」するようにコメを預ける）を考えてもいいと思う。次に、生産者も少なくとも1年分ぐらいの在庫を持っていてほしい。人間は、1か月食べなければ確実に死ぬ。食糧安全保障の観点から、日本の農業を守れというなら、1年分の在庫を常に確保し安定供給のための万全を期す態勢を取ってほしい。

最後に国家も1年程度の備蓄を持つべきだ。今、天明の大飢饉が再発しても、日本では一人の餓死者も出さないための万全の態勢を考えよう。さらに、気候が不順になると、食糧不足から近隣諸国で政治不安が表面化するのは歴史の教えるところである。それが日本に波及しないよう、外交・軍事の面でも油断なきように願いたい。

（２０１５年６月25日）

初出

戎崎俊一，高論卓説，フジサンケイビジネスアイ（FujiSankei Business i），２０１５年６月25日

4-8 白亜紀末の寒冷化と暗黒星雲遭遇による大絶滅

暗黒星雲に含まれる固体微粒子は少なくとも数か月の間、成層圏にとどまる。その太陽遮蔽効果は－9.3 Wm^{-2}ほどもある。これは、地球を一時的に全球凍結に至らせるに十分な強さである。このような暗黒星雲との遭遇が、酸素同位体やストロンチウム同位体の測定結果で示唆されている白亜紀の最後の800万年間に及ぶ全球的な寒冷化の原因だったと考えられる。その結果、大陸氷床の成長により海面水準が下がった。この全球的な寒冷化は、化石生物の種の多様性の減少に伴って起こっており、最終的には、K－Pg境界の大量絶滅を引き起こしたと考えられる。

Nimura *et al.* (2016) は、深海底コアのサイト886Cの遠洋堆積物の中に、イリジウム濃度が異常に高い層が5m連続的に分布していることを発見した。そのイリジウム異常層の最上層近くに、チュチュルブ小惑星衝突に関係するK－Pg（中生代－新生代）境界のイリジウム濃度スパイクがある。この幅の広いイリジウム濃度の異常は、地球表面起源のいかなる成分の混合でも説明できない。一方で、太陽系が100 pcに及びその中心濃度が2,000個陽子／cm^3に達する巨大分子雲に遭遇したと考えるとうまく説明できる。Kataoka *et al.* (2013; 2014) は太陽系の暗黒星雲との遭遇が、大量絶滅を引き起こす地球に環境の破局をもたらすことを示している。

（2016年3月21日）

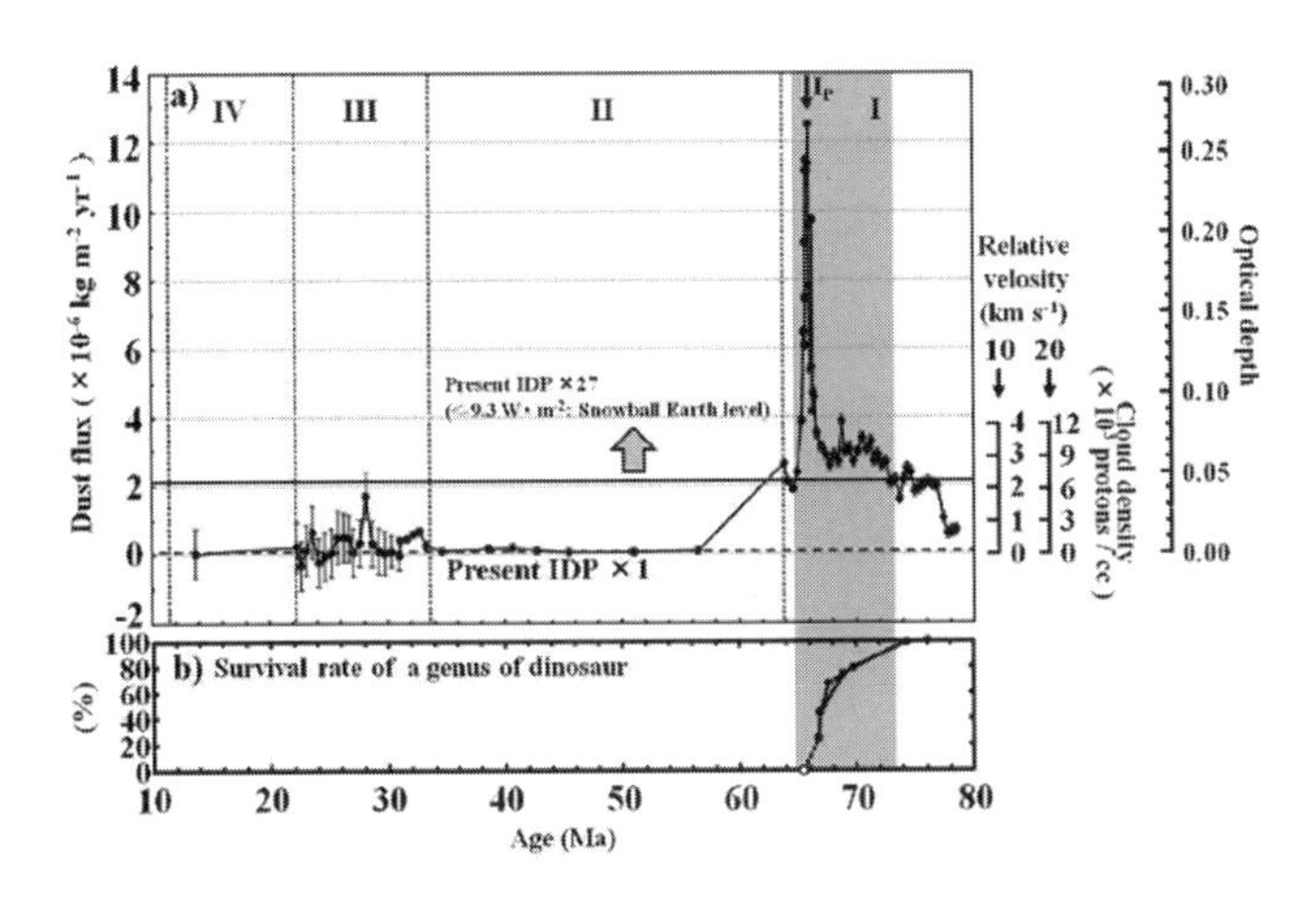

図4-3 Nimura *et al.*, 2016, *Gondwana Research*, **37**, 301–307.

深海底コアのサイト886Cの遠洋堆積物の中に、イリジウム濃度が異常に高い層が5mにわたり連続的に分布している。その最上層にチュチュルブ小惑星衝突による鋭いピークがある。

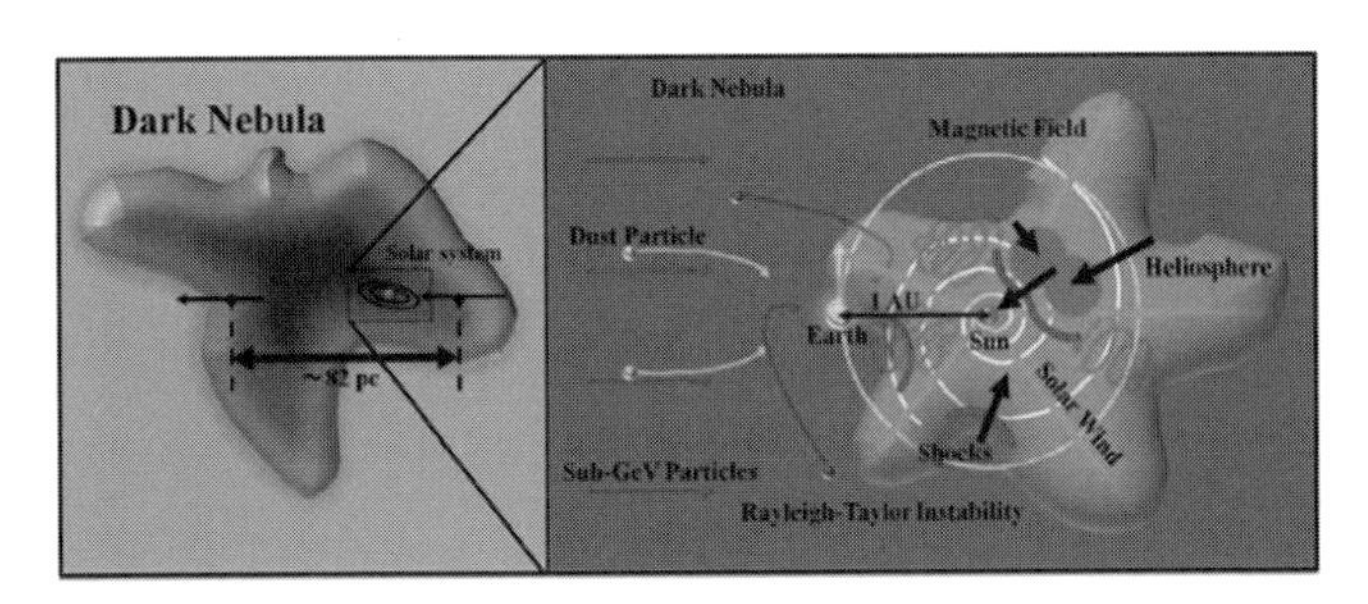

図4-4 Nimura *et al.*, 2016, *Gondwana Research*, **37**, 301–307.

この幅の広いイリジウム濃度の異常は、太陽系が100 pcに及びその中心濃度が2,000個陽子/cm^3に達する巨大分子雲に遭遇したと考えるとうまく説明できる。

参考文献

(1) Kataoka, R., Ebisuzaki, T. *et al.*: Snowball earth driven by starbursts of the milky way galaxy, *New Astronomy*, **21**, 50–62, 2013.

(2) Kataoka, R., Ebisuzaki, T. *et al.*: The Nebula Winter: the united theory of the snowball earth, mass extinctions, and explosive evolution in the late Neprotrozoic and Cambrian periods, *Gondwana Reserach*, **25**, 1153–1163, 2014.

(3) Nimura, T., Ebisuzaki, T. and Maruyama, S.: End-cretaceous cooling and mass extinction driven by a dark cloud encounter, *Gondwana Reserach*, **37**, 301–307, 2016.

4-9 太陽活動の弱化がもたらす天候不順と政変・戦乱の時代

太陽の磁気活動は、約11年の周期で増減している。その振幅は常に変動している。例えば１６４５－１７１５年はほとんど黒点が観測されなかったので、マウンダー極小期と呼ばれている。そのほかにも１２８０－１３４０年のウォルフ極小期、１４５０－１５７０年のシュペーラー極小期、１７９０－１８２０年のダルトン極小期などが知られている。

１８７０年頃から１９３０年にかけては極小期ほどではないが、太陽活動があまり活発でなかった。しかし、１９４０年頃から２０００年にかけて非常に活発化した。その後急速に弱化して今に至っている。２０１３年頃ピークを迎えたサイクル24は、１９０６年以来の弱さだった。専門家はこのままダルトン極小期のような状態に入るのではないかと心配している。

太陽活動の弱い時期は、地球の気候は平均気温が少し（１－２度）低い小氷期になることが経験的に知られている。また、小氷期においては気候変動の振れ幅が大きく、異常気象の連続が常態になる。「50年に1度」の記録的異常気象が頻発する現在の状況は、すでに小氷期に入りかけていることを示唆している可能性がある。

なぜ、太陽活動が地球の気候に影響を与えるのかはあまりよく分かっていない。太陽風が弱いと太陽から吹くプラズマの風（太陽風）が弱いため、太陽圏が収縮する。このため、太陽系外からの高エネルギー宇宙線が浸入しやすくなり、地球の雲に覆われる面積に影響を与えるためではないかと考えられている。

雲は白いので、雲の被覆率が多いと地球が受け取る太陽熱が減る。ただし、雲の形成過程は複雑でまだ分からないことが多く、専門家の間でまだ議論が続いている。

太陽活動極小期（小氷期）には、天候が不順で飢饉が頻発し、戦乱も多い。例えば日本の戦国時代（1467－1587年）はほぼシュペーラー極小期に対応している。ウォルフ極小期に入る直前の1279年にモンゴルの南下と南宋の滅亡が、マウンダー極小期に入る直前の1644年には清の南下と明の滅亡が、ダルトン極小期開始直前の1789年にフランス革命が起こっている。

特に、現在のように極小期に入る直前は、大規模な政変が起こることが多い。東アジアにおいては、朝鮮半島北部、中国東北部、モンゴル平原の民族が南下して大規模な戦乱が続く。この点でも現在の東アジアの政治的状況に符合する向きがないこともない。

日本および世界の指導者は「衣食足りて礼節を知る」幸せな50年が終わり、「衣食が足りないので礼節は知らない」大変な50年が始まることを認識し、食糧の備蓄をしっかり行い、東アジアおよび世界規模の戦乱に備える必要がある。

（2018年2月23日）

初出

戎崎俊一：高論卓説，フジサンケイビジネスアイ（FujiSankei Business i），2018年2月23日．

4-10

日本への水田稲作の伝搬：環東シナ海文化圏仮説

日本人は、温暖湿潤な日本列島に居住し、代々水田で稲を作って暮らしてきた。その影響は、日本人の生活と文化に深く根差している。水田稲作自身は約1万年前頃、中国の長江流域で始まった。従来、水田稲作の伝搬経路に関しては、長江流域で始まった水田稲作が北上して山東半島まで到達し、その後遼東半島、韓半島を経由して日本に到達したという仮説（宮川２０１７：以後宮川説と呼ぶ）が有力とされてきた。しかし、

1）弥生時代の開始時期が500年早まった、

2）4.2 kyrイベントによる寒冷化で水田稲作の北限が南下した、

3）紀元前10世紀頃に韓半島南部における水田稲作の証拠がない、

の三点で成り立たなくなった。

戎崎（２０２２）は、宮川仮説の問題点を克服した環東シナ海文化圏仮説を提案した（図４－５a，b，c，d）。彼は、東アジアにおける農耕領域の拡大は以下の4段階で進んだと考えた。

A）ヒプシサーマル期（7，000－5，000BP）。粟と黍を中心とした畑作が韓半島に広がった。

B）ヒプシサーマル後の温暖期（5，000－4，200BP）。水田稲作が長江下流域から海岸にそって山東半島まで北上した。水田耕

作が不可能な乾燥地帯でも畑作の輪作体系に稲が取り入れられた。

C）4、200－4、000BP頃の寒冷期。寒冷化と乾燥化のため、東アジア北部（遼東、遼西、内モンゴル地域）では牧畜が不可能になり、遊牧民が南下し、玉突き式に農耕民族が南下して長江流域に流れ込み、越（倭）人の民族となった。

D）3、200－3、000BP頃に再び寒冷期となった。北方民族の南下により越(倭)人系の民族が長江上流（西）、華南・台湾（南）、そして日本の九州と韓半島南部（東）に広がった。

BC10世紀頃に越(倭)人系民族により環東シナ海文化圏が成立したとすると、当時圧倒的な先進地域であった長江下流域からの九州、そして韓半島南部への文化伝搬が水田稲作とともに進んだと考えられる。この環東シナ海文化圏は、支石墓、石包丁の分布、古人骨の人類学的特徴、そして東アジアの在来種稲のゲノム解析の結果と整合的である。

Robbeets *et al.*（2021）は、古人骨の遺伝子解析、考古学、そして言語学の知識を組み合わせて、東アジアにおける民族と文化の伝搬を議論した。彼らは、東北アジア（中国東北部、韓半島、日本列島）の言語、考古資料、そして遺伝子の分布は、中国東北部の農民が遼西・遼東地方を通過して韓半島を南下し九州に到達したと考えると説明できるとしている。この動きは、本稿で提案した農耕の第一および第二段階、そして紀元前5世紀以降に本格化する中国東北部からの青銅器・鉄器文明を持った民族の韓半島と日本列島への移民と文化流入の流れを表していると考えられる。

しかし、約1、200年続く弥生時代を一緒くたにして青銅器時代とし、紀元前1世紀頃の人骨のみを使って弥生時代を代表させたために、紀元前10世紀頃に起こった中国長江下流域からの水田稲作の伝搬という重要なイベントを見逃すことになった。

現状の弥生時代は長すぎる。環東シナ海文化圏の影響が顕著で金属の生産への使用が本格化していない前半と、中国東北部から韓半島を経由して流れ込む金属器文明が顕著となる後半に分けて議論するべきである。実際そのような提案が複数なされている（例えば、藤尾 2021）。

（2022年10月18日）

参考文献

(1) 戎崎俊一：日本への水田稲作の伝搬：環東シナ海文化圏仮説の提案，TEN，3巻，101－119，2022．

(2) 藤尾慎一郎：日本の先史時代，中央公論新社，46－47，2021．

(3) 宮川一夫：弥生時代開始期の実年代再論，考古学雑誌，1－27，2018．

(4) Robbeets, M. *et al.*: Triangulation supports agricultural spread of the transeurasian languages, *Nature*, **10**, 1-6, 2021.

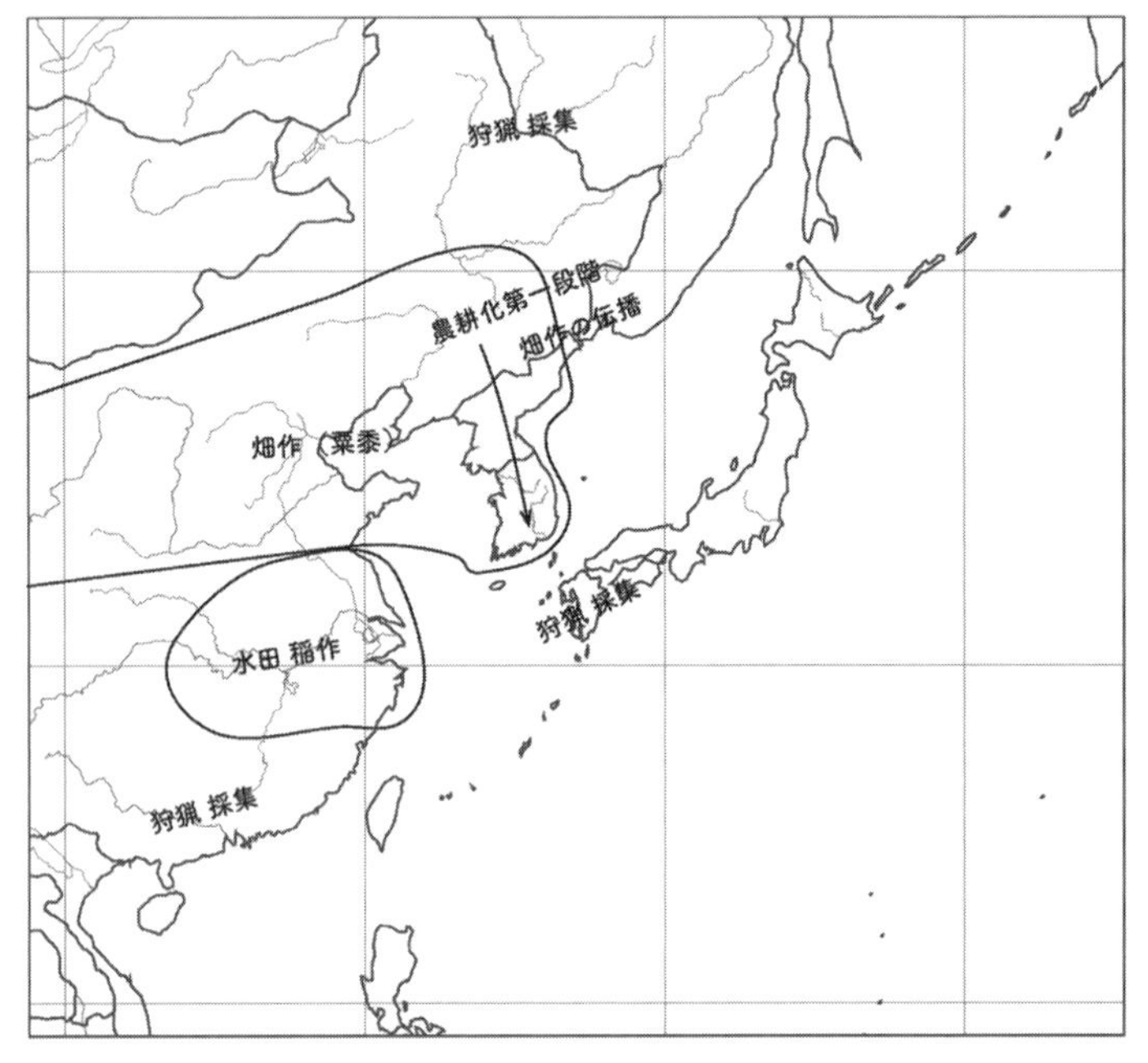

図4-5a　東アジアにおける農耕領域の拡大

A）ヒプシサーマル期（7,000−5,000BP)。
　粟と黍を中心とした畑作が韓半島に広がる。

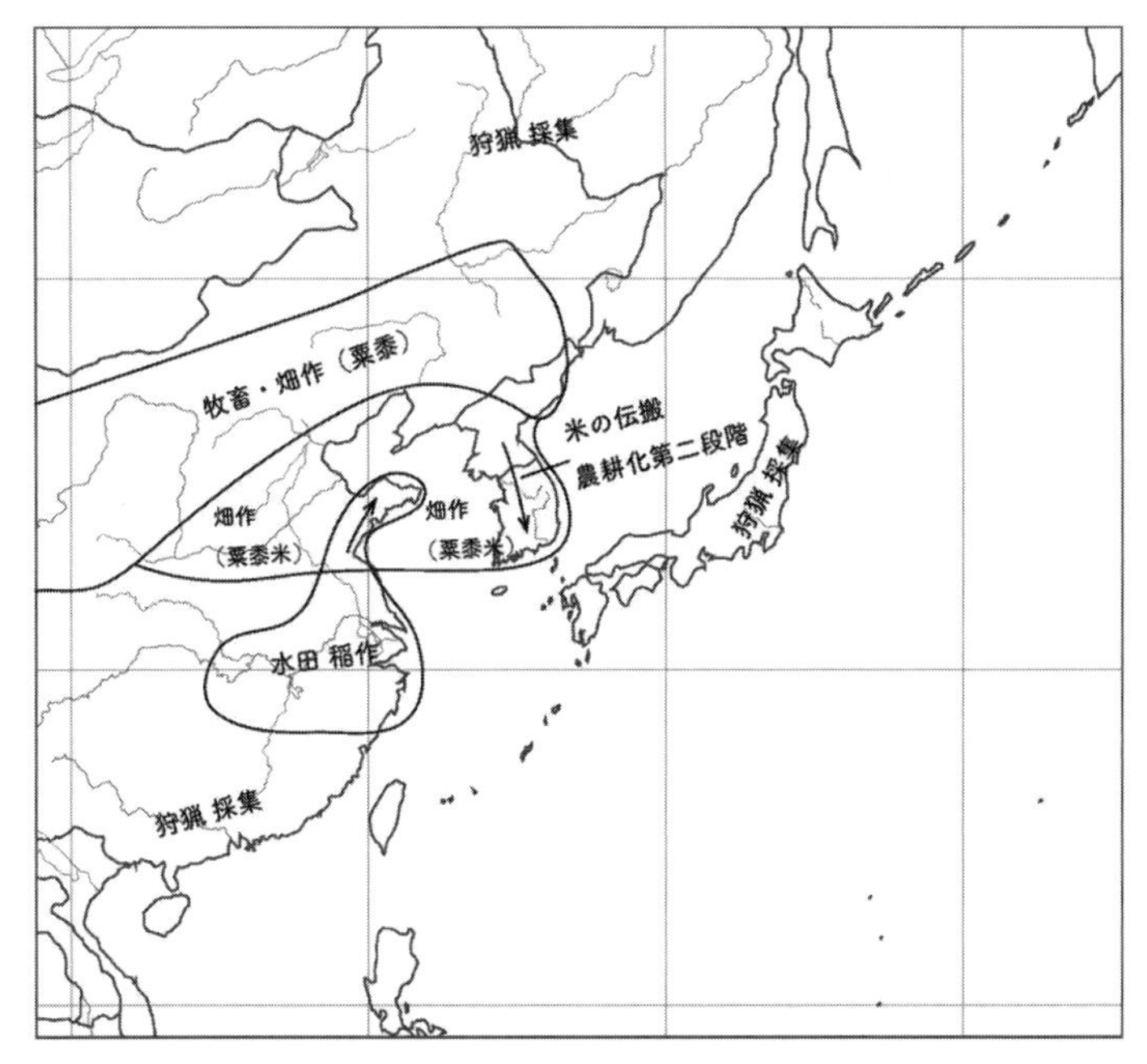

図4-5b　東アジアにおける農耕領域の拡大

B）ヒプシサーマル後の温暖期（5,000−4,200BP）。
水田稲作が長江下流域から海岸にそって山東半島まで北上した。
水田耕作が不可能な乾燥地帯でも畑作の輪作体系に稲が取り入れられた。

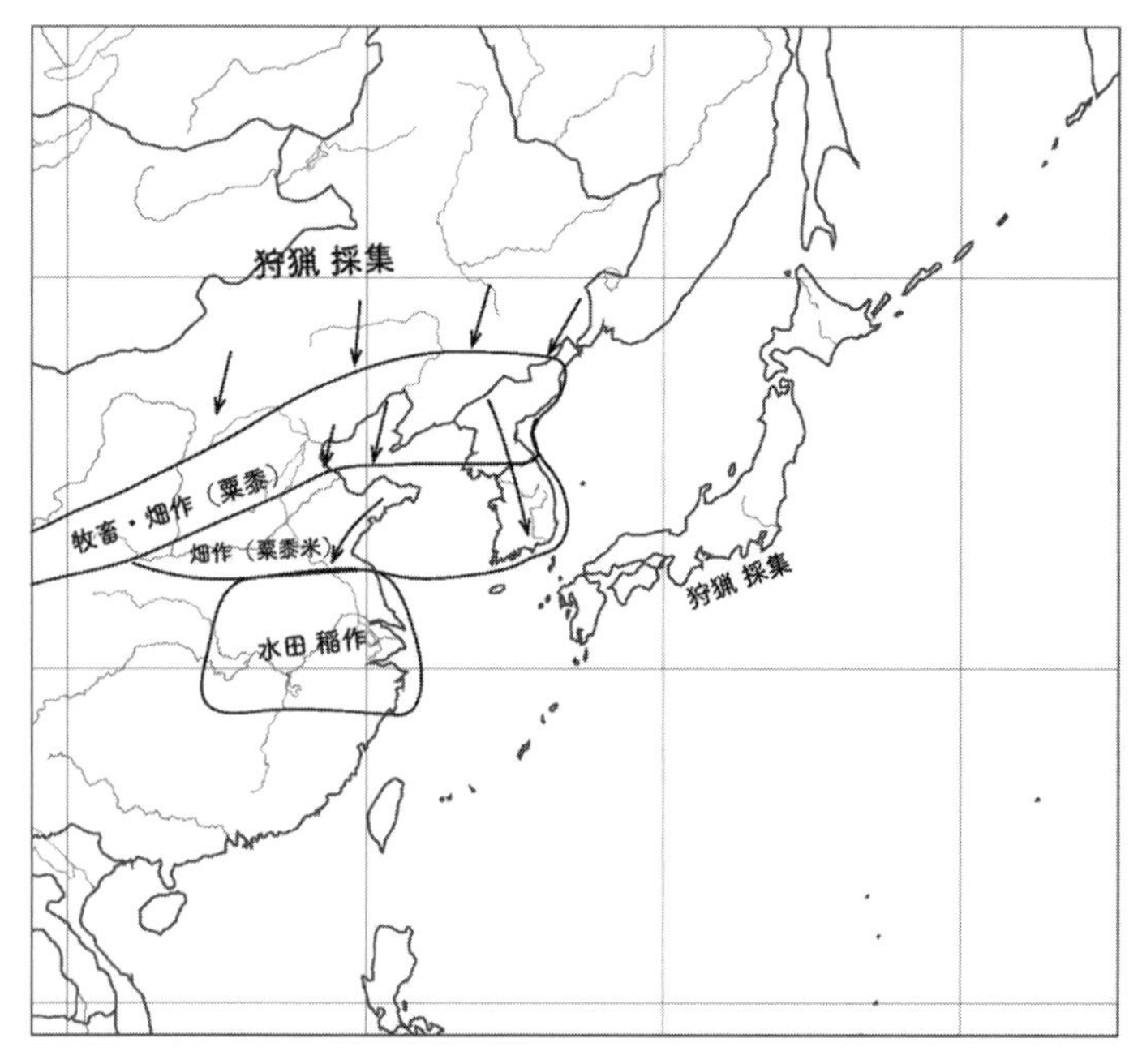

図4-5c　東アジアにおける農耕領域の拡大

C）4,200–4,000BP 頃の寒冷期。
寒冷化と乾燥化のため、東アジア北部（遼東、遼西、内モンゴル地域）では牧畜が不可能になり遊牧民が南下し、玉突き式に農耕民族が南下した。

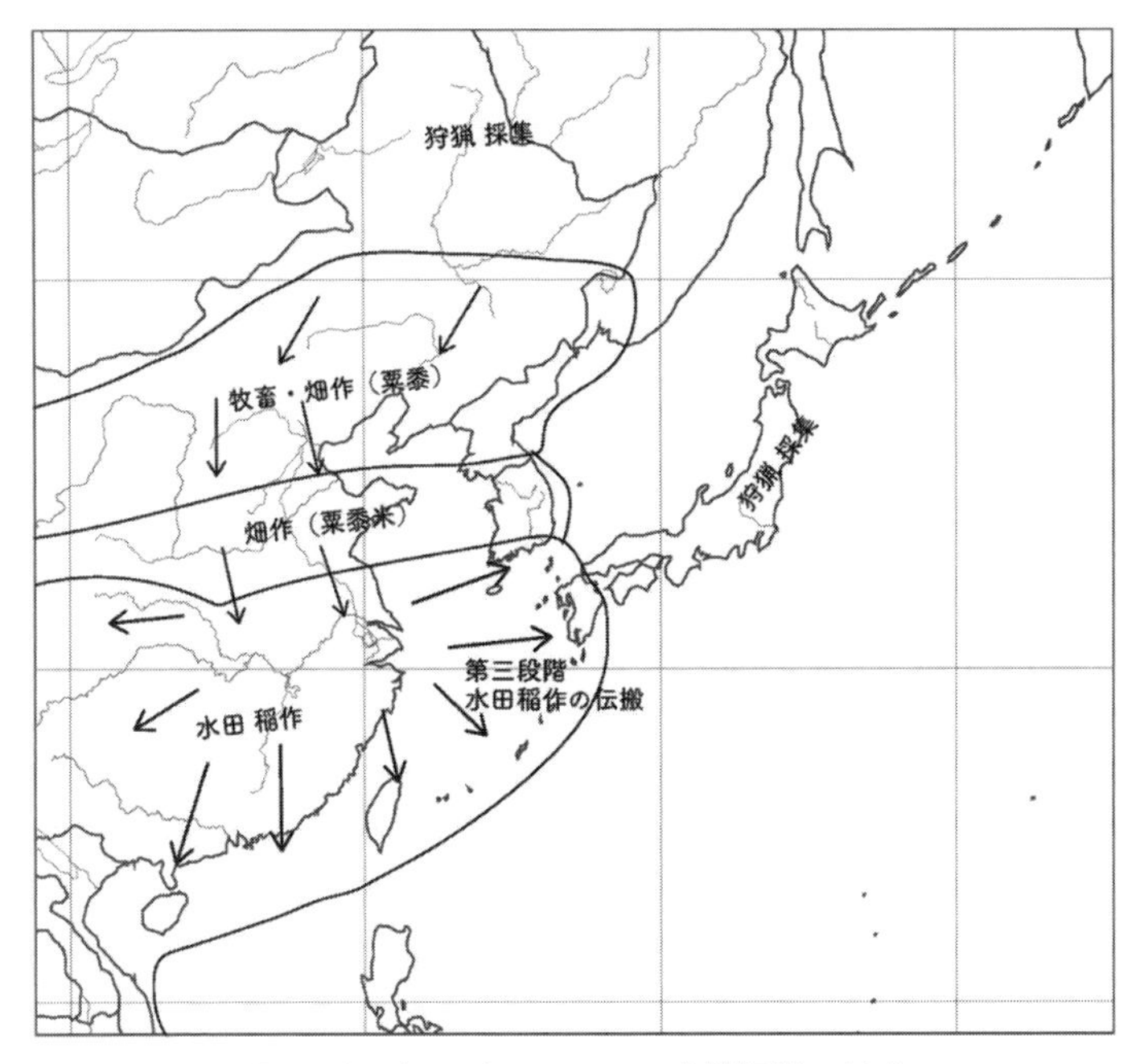

図4-5d　東アジアにおける農耕領域の拡大

D）3,000BP 頃の農耕の分布。
水田稲作の北限は長江流域まで南下したが、長江上流（西）、華南・台湾（南）、そして日本の九州と韓半島南部（東）に広がった。

4-11 海上低層雲による気候変動緩衝

戎崎（2023）は、地球の気候が海上低層雲の雲アルベド効果による緩衝により強く安定化されていることを明らかにした。海上低層雲は、海面温度が低い大陸西岸沖の海洋上にできる表面境界層（雲冠表面境界層）の上部を覆って広がっている。低層雲は、その可視光に対する高いアルベドと、赤外線領域における強い放射冷却で、地球の熱収支を冷却側に強く傾ける効果を持っている。

図4－6に示すように、温室効果ガスの濃度の増加に伴う温暖化は、対流圏・成層圏界面に始まって次第に地上（海上）に波及するが、その過程で低層雲の雲頂に存在する気温逆転層を強化するため、低層雲の消散を防ぎ、新しい雲冠境界層の発生を誘起し、低層雲の被覆率を上げる（図4－7）。この効果で温暖化の大部分が緩衝されてしまう。

これまでの議論では、気温逆転層を考慮せず、温暖化ガス濃度の上昇に伴う対流圏・成層圏海面の上昇に合せて、海水面温度を機械的に上昇させていたために、むしろ低層雲の被覆率が減少すると誤って考えられていた（図4－7b）。

雲冠境界層の生成消滅を正しく数値シミュレーションするには、鉛直方向の格子間隔は数m程度に密に取らなければならない。ところが、これまで全球気候変動モデルは、最も高精度のものでも鉛直方向の格子間隔が100mを超えていた。このため、低層雲の被覆率を正しく表現できなかった（Duynkerke and Teixeria 2001; Siebesma *et al.* 2004; Nam *et al.* 2012; Caldwell *et al.* 2013;

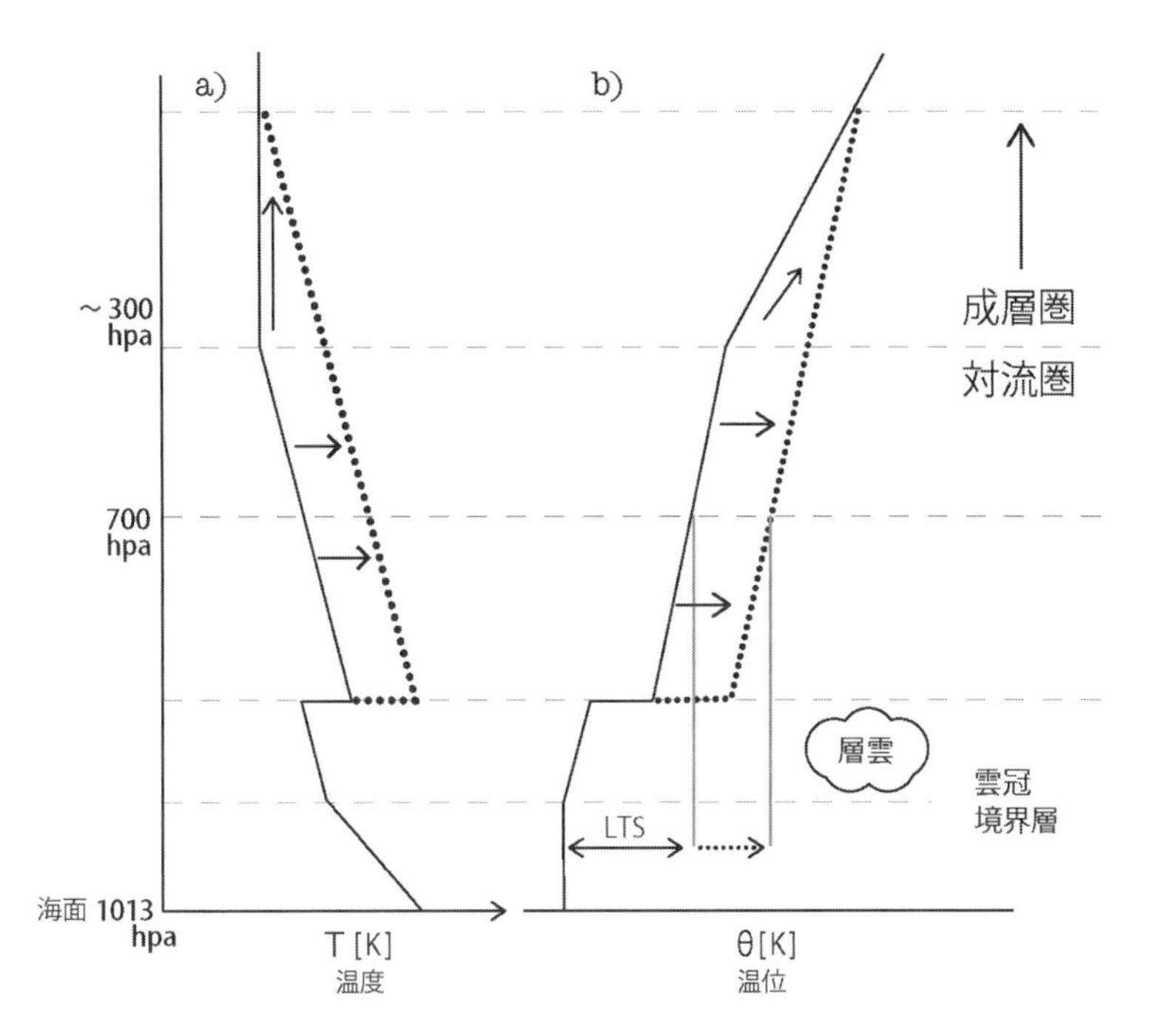

図4-6　温室効果ガスの増加による温位および気温の変化

温室効果ガスの増加により対流圏界面が上昇し、その結果として雲冠境界層上面より上の気温（および温位）が上昇する。この変化は放射対流平衡に至る時間スケール（数時間）で起こる。巨大な熱慣性を持つ海面の温度はこの速い動きに追随しない。この結果、対流圏界面に存在する気温逆転層における温度差が増加する。したがって、下層対流安定度（気圧700hPaと海面での温位の差：LTS）は増加し、対流圏界面上部に存在する下層雲（層雲と積層雲）はより長期にわたって維持される。

Su *et al.* 2013; Koshiro *et al.* 2018; Lauer and Hamilton 2013)。

対流圏で放射対流平衡に至るまでの数時間－1日の時間スケールで起こるこのような変化を考慮して温室効果ガスの増加による気温上昇を評価すると、地上（海上）の温暖化が、考慮しないときに比べて約3分の1以下になることが分かった。二酸化炭素濃度の倍増に対して、地球の平均気温の上昇量はManabe and Wetherald (1975) が主張する2.93Kになることはなく、0.98K以下に留まる。このことは、海洋が持つ緩衝効果により地球の気候が強く安定化されていることを示している。現在、多くの研究者が、二酸化炭素濃度の増加により雲が減り温暖化がさらに進行するという「暴走的温暖化」の発生を心配している。しかし、地球に海洋が存在する限り「暴走的温暖化」の心配する必要はないことが明らかになった。

（2023年3月21日）

参考文献

(1) Caldwell, P. M. *et al.*: CMIP3 subtropical stratocumulus cloud feedback interpreted through a mixed-layer model, *J. Climate*, **26**, 1607–1625, 2013.

(2) Duynkerke, P. G. and Teixeira, J.: Comparison of the ECMWF reanalysis with FIRE I observations, Diurnal variation of marine stratocumulus, *J. Climate*, **14**, 1466–1478, 2001.

(3) 戎崎俊一：海上低層雲による気候変動緩衝，TEN，4巻，52－67，2023．

(4) Koshiro, T. *et al.*: Evaluation of relationships between subtropical marine low stratiform cloudiness and estimated inversion strength in CMIP5 models using the satellite simulator

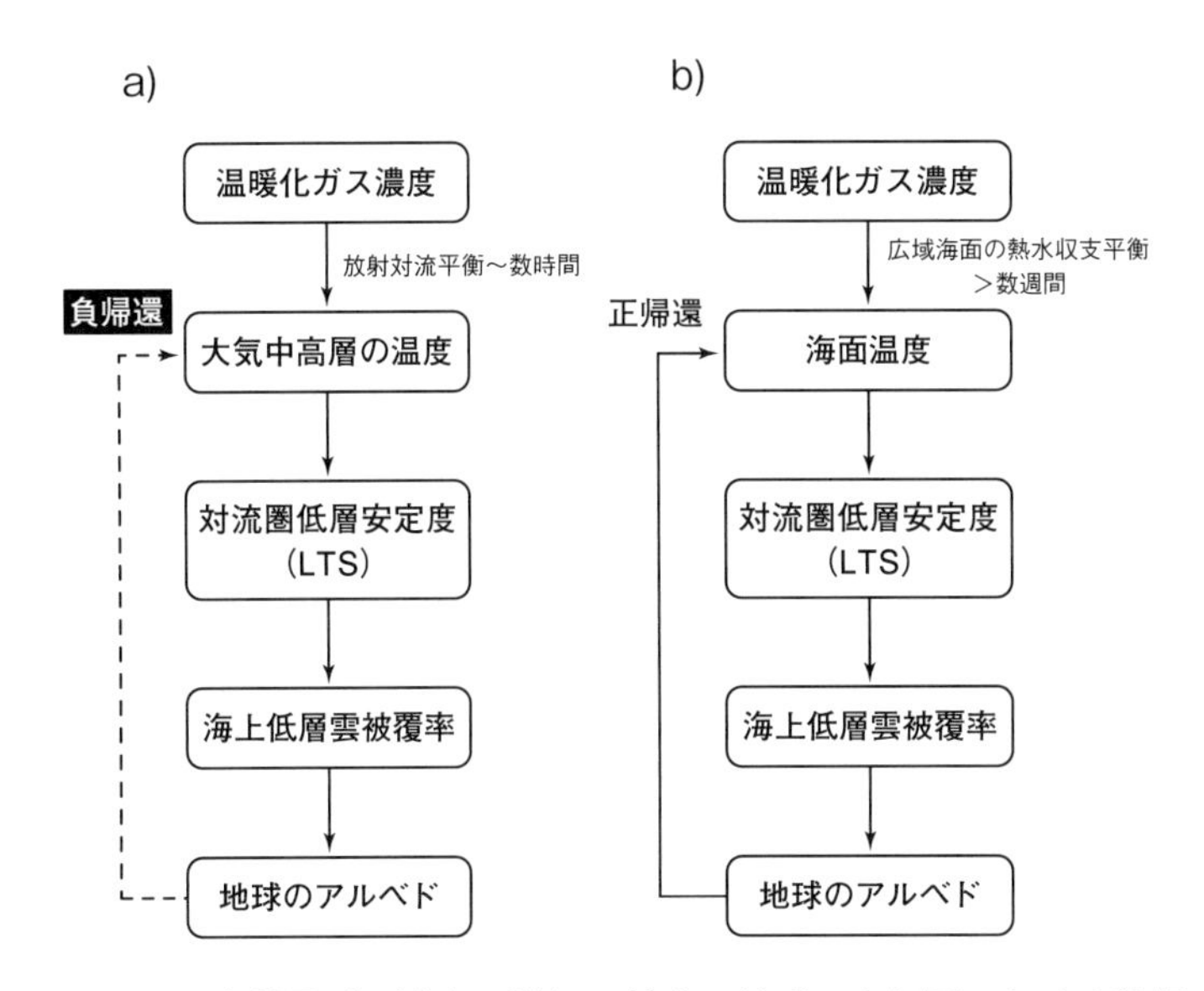

図4-7　温室効果ガス濃度の増加に対する地球の大気層における熱収支の応答に関する異なる二つの考え方

実線の矢印は正のフィードバック、破線の矢印は負のフィードバックを表す。a) 戎崎（2023）では、温室効果ガスの濃度が上昇したときに、大気の垂直方向の放射対流平衡がまず成立するとしている。その結果、中高層大気の温度、対流圏低層安定度、海上低層雲被覆率、地球アルベドがすべて増加するので、中高層大気温度に負のフィードバックがかかると考える。放射対流平衡は少なくとも数時間で到達するので、広域海面の大気を通した熱と水の平衡に達する速度よりも圧倒的に速い。したがって、温室効果ガス濃度の増加による温度上昇は、海上低層雲の増加で緩衝され、安定化される。これに対して、b) Miller (1995) は、温室効果ガス濃度が上昇したときに、広域海面の大気を通した熱と水の収支平衡を求めると冷たい海の温度が上昇するとした。その結果、対流圏低層安定度、海上低層雲被覆率、地球のアルベドはすべて減少するので、海面温度に正のフィードバックがかかることになった。その結果、地球の表面温度が不安定になって温暖化が暴走する危険があると考えた。残念ながら彼は、鉛直格子に荒い格子を用いたために、上で説明した低層雲の重要な変化を無視したことになっており、この結論は正しくない。

package COSP, *SOLA*, **14**, 25–32, 2018.

(5) Lauer, A. and K. Hamilton: Simulating clouds with global climate models: A comparison of CMIP5 results with CMIP3 and satellite data, *J. Climate*, **26**, 3823–3845, 2013.

(6) Manabe, S. and Wetherald, R. T.: The effects of doubling CO_2 concentration on the climate of a general circulation model, *Journal of the Atmospheric Sciences*, **32**, 3–15, 1975.

(7) Nam, C. S. *et al.*: The too few, too bright tropical low-cloud problem in CMIP5 models. *Geophys. Res. Lett.*, **39**, L21801, 2012.

(8) Siebesma, A. P. *et al.*: Cloud representation in generalcirculation models over the northern Pacific Ocean: A EUROCS intercomparison study, *Quart. J. Roy. Meteor. Soc.*, **130**, 3245–3267, 2004.

(9) Su, H. *et al.*: Diagnosis of regimedependent cloud simulation errors in CMIP5 models using "A-Train" satellite observations and reanalysis data, *J. Geophys. Res. Atmos.*, **118**, 2762–2780, 2013.

第5章
生命の起源

解説　第5章 生命の起源

「生命は、どこで、どのように生まれたのか?」

この疑問は、多くの科学者が興味を抱く、究極の研究テーマだと思います。幸いなことに、丸山茂徳先生と私は協力してこのテーマに取り組み、自然原子炉間欠泉がその答えであるとの結論を得ました[1]（記事5－10、12）。この結論に至るまでのジグザグの道筋が、本章の記事からは読み取れます。

まず、福島第一原子炉事故の関係で色々と調べた結果、天然の原子炉が、かつて（約20億年前）地球上に存在していたことを私は知りました（第1章 記事1－4）。そして、その動作原理の研究から、それが間欠泉を駆動していたことが分かってきました。

その一方で、生命の発生に先立って、どのようにすれば生命を形作る有機分子群（タンパク質、核酸、リン脂質など）が豊富に存在した環境を作れるのか、といった点が問題になっていました。いわゆる「化学進化」の問題です。

化学的に安定な二酸化炭素、水、リン酸から、これらの高エネルギー（不安定な）有機分子を合成するためには、エネルギーが必要です。オパーリン（Oparin, A. I.）は、それが太陽からの紫外線ではないかと考えました。また、ユーリーとミラー（Urey, H. C. and Miller, S. L.）は、放電でそのエネルギーを供給し、アミノ酸を非生物的に合成することに成功しています。彼らは、自然環境では落雷がその役割を果たすと考えました。

確かに、太陽紫外線や放電によって、有機分子の原料となるホルムアルデヒド（HCHO）やシアン化水素（HCN）が作られます。これらがうまく重合すれば、タンパク質や、核酸、リン脂質が合成できそうです。実際に、HCHO分子5個の重合で五炭糖、HCN分子5個の重合でアデニンができます。

しかし、重合反応が進行するためには、重合前の物質の濃度がかなり高くなければなりません。化学反応平衡論からは、分子の濃度が数ミリモラー（モラー：1リットル中のモル数）を超えていなければ、重合反応が進みません。

ところが、太陽紫外線で作られるホルムアルデヒドやシアン化水素の濃度は、どれほど頑張っても数ナノモラー（ミリモラーの6桁下の濃度）にしかならないことが分かってきました（記事5−10）。また、落雷のエネルギー密度は高いので、確かに一瞬、濃度は高くなり得ます。ところが、ホルムアルデヒドやシアン化水素は揮発性です。そよ風程度の風でも広く拡散するので、すぐに濃度が下がってしまいます。落雷は同じ場所では発生しませんが、重合反応が進行するためには、閉鎖空間で落雷が繰り返し起こるような環境が必要なのです。

実際に、ユーリーとミラーの実験では、まさにそのような環境を再現していました。では、40億年前の生まれたばかりの地球で、フラスコも電線も電源もないときに、どうすればそのような環境が天然に存在し得るのでしょうか？

私は半年ほど、悩みに悩みました。そして、地下の洞窟で動作する自然原子炉間欠泉の周辺のみが、冥王代の地球表面においてこの必要な条件を満たせるという結論を得たのです[1]。

まず、記事5−1では、非生物的に有機物を作るために、水素が必要となる点に触れています。これは、自然環境において、橄欖石が水と反応して蛇紋岩、ブルース石、そして磁鉄鉱に変化する蛇紋岩化反応で生じます。さらに、これが一酸化炭素や二酸化炭素と反応（フィッシャー・トロプシュ反応）し、非生物的にメタンが作られている場所が現在でもあることが紹介されています。

次に、生命が誕生したとされる地球の冥王代には、自然原子炉が動作していた可能性があること、それが生命の起源と関係があるかもしれないとする論文を紹介しています（記事5−2）。

やがて私は、「放射線化学」という分野の論文を片っ端から漁るようになりました。その結果として見つけたのが、ガンマ線照射や電子放電によるシアン化水素の生成（記事5−3および記事5−5）を報告した論文です。また、紫外線の照射による水和電子の供給で、単純糖や、リボヌクレオチド、アミノ酸前駆体が合成されることが分かってきました（記事5−6および記事5−7）。

何のことはありません、電離放射線（紫外線、ガンマ線、陽子線、電子線、中性子線など）によって、水中に水和電子をつくり、不安定な分子やラジカルを大量につくれば、ほとんどの生命構成分子が非生物的に合成できるのです。十分な放射線密度があれば、十分な濃度のホルムアルデヒド等が合成され、重合反応が進みます（記事5−7）。また、紫外線で光触媒半導体（TiO_2やZnS）を励起し、化学エネルギーに変えることができます。その化学エネルギーを利用できる微生物が存在し、その増殖速度が光照射量に相関して増大することも確認されています（記事5−9）。

このような状態を数万年にわたって安定して維持できる環境は、自然原子炉間欠泉の周りしかありません。これらの知見をもとに、丸山先生と私は、２０１６年に生命起源の自然原子炉間欠泉モデルを提唱しました（記事５－10および記事５－12）。

もちろん、自然原子炉の炉心では、温度も放射線量も非常に高く、せっかく誕生した原始的生命も生き残れません。しかし、炉心から少し離れた場所であれば、話は違ってくるでしょう。また、炉心で作られた生命構成物質を大量に含んだ水が、間欠泉となって地上に噴き出します。そこにできた池は、原初的な生命が生き残れる環境であったと考えられます。

タンデム惑星形成理論（第３章参照）、および丸山先生と私で提案したＡＢＥＬＬ爆撃仮説によれば、冥王代の地球は、ウランやトリウムなどのアクチノイド、カリウムやリン酸を豊富に含んだＫＲＥＥＰ玄武岩で覆われており、原子炉間欠泉が稼働してリン酸やカリウムを含んだ生命構成分子を合成する環境が用意されていました[1]。

また、上記のように、電離放射線によるエネルギーが生命を支える反応を駆動していた時は、エネルギーを蓄えるヘテロ環を持った核酸様分子がより重要な役割を果たしていた可能性があります（記事５－11）。これらの核酸様分子の機能の名残は、各種ビタミンや生命情報を司る核酸として現生動物の体内で機能しています。

さらに、酵素なしで起こるブドウ糖の分解反応との類似から、最も原初的な代謝反応が、嫌気的解糖系のグリセルアルデヒドリン酸周辺の反応であると推定しました。この推定は、冥王代類似環境である白馬八方の温泉から得られたＯＤ１という微生物が、この部分の代謝酵素しか持っていないことを明らかにしたことで、強い実験的な支持を得ました[2]。

では、今後、どのように自然原子炉間欠泉仮説を発展させればよいでしょうか？

まず、高放射線環境下における有機反応を網羅的に調べ直し、原初的な代謝反応が非酵素的に進行することを確認することが大事だと思います。そのために、高崎にある量子科学研究機構のガンマ線照射施設などを有効利用することが重要だと私は考えています。

次に、高放射線環境における微生物生態系のメタゲノム解析を行い、どのような生物がどのような形でエネルギーを得て、代謝しているのかを調べることも重要です。我々のような太陽光依存生態系や、海底の熱水噴出孔付近の化学エネルギー依存生態系とは全く異なった、電離放射線エネルギーに依存した生態系が存在しているかもしれません。そこでは、最初に成立した生命群の姿が垣間見られる可能性があります。

その意味で、福島第一原子力発電所の壊れた原子炉の炉心の微生物環境の研究が重要です。もし、福島第一原子力発電所付近にそのような研究を行う施設ができるなら、私も参加させていただけないかと思います。

一方で、生命構成物質が太陽系の小惑星や彗星に含まれていることが、直接探査や隕石の研究で明らかになっていることから、これらが地球に大量に降ってきて生命を育んだ、と主張している研究者もいます。しかし、これは以下に説明するように、無理です。

まず、微粒子の形でこれらの物質が地球に大量に降り注いだと主張している人々がいます。しかし、実は有機物は地球軌道付近では不安定で、太陽からの紫外線に晒されると速やかにグラファイト（煤）に変化してしまいます。グラファイトからは、生命は作れません。

次に、約10ｍを超える小惑星や彗星が地球に衝突すると、非常に高温になっていったん蒸発し、ほとんどが最も安定な水と二酸化炭素、そして岩屑（ケイ酸塩）に戻ってしまいます。おそらく、地球の有機物はこのようにして地球に運ばれた水と二酸化炭素から作られたと思いますが、それらからの有機物の再合成には、十分なエネルギー密度で電離放射線を供給する自然原子炉が必要であることはすでに述べました。

最後に、数ｍサイズであれば、ほぼそのまま地上に（隕石として）到達し、その内部の有機物は保存されます。もちろん、表面の有機物は紫外線でグラファイト化され、さらに大気圏突入のときに完全に焼けてしまいます。しかし、隕石の内部からは、アミノ酸などの有機物が実際に検出されています。ただし、このような石の内部に閉じ込められた有機物が、どのようにして環境に開放されるのかがまったく分かりません。

このように、宇宙で作られた有機物が、地表における生命の誕生にそのまま寄与することは、熱力学を考えるとほとんど不可能です。[2] このことは、すでに何度も指摘されています。しかし、天体観測や惑星探査で、宇宙空間における有機物の存在が示されるたび、それらと地球における生命の起源との関係が強調されてきました。これは、科学者の言説としては少々軽率だと私は考えています。

ここで説明した生命の起源に関する議論は、丸山先生や他の共同研究者と共著で書いた書籍に詳しく論じてあります。[2] ここで私たちは、自然原子炉間欠泉以外の生命誕生モデルには、どれも明快な反証が存在することを明らかにしました。それでも、これらの従来モデルを支持したいなら、「反証主張が間違っていることを示す」、もしくは、「反証と矛盾しないようにモデルを修正する」のが、科学の正しい道です。それにもかかわらず、反証を無視して、従来の主張をそのまま繰り返す怠惰な「科学者」が多いのは残念なことです。

注

(1) 丸山茂徳，戎崎俊一，金井昭夫，黒川顕：冥王代生命学，朝倉書店，第1章，第3章，第4章，第6章，第7章，2022.

(2) 戎崎俊一，西原秀典，黒川顕，森宙史，鎌形洋一，玉木秀幸，中井亮佑，大島拓，原正彦，鈴木鉄兵，丸山茂徳：原子炉間欠泉に駆動された冥王代原初代謝経路，地学雑誌，129巻，779804，2020.

5-1 蛇紋岩化反応による非生物的メタン噴出

Ophiolite（橄欖岩、斑糲岩などの超塩基性岩の複合体）の低温蛇紋岩化反応による還元的ガス（メタンと水素ガスを主成分とする）の噴出が世界で４か所（フィリピン、ニュージーランド、オマーン、そしてトルコ）で報告されている。Etiope *et al.*（2011）は、その一つであるトルコのキマイラ噴出孔のガス成分とその同位体組成を調べた。この噴出孔の名前は、英雄ベレロポーンにより殺されたとされる火を噴く怪物キマイラに由来する。この噴気孔のすぐそばには、ギリシャの火の神Hephaestus 神殿の遺跡がある。

蛇紋岩化反応によって放出された水素ガスが、フィッシャー・トロプシュ反応により一酸化炭素もしくは二酸化炭素と反応してメタンが作られている。ガスは、約５,０００㎡の大きさのオフィオライト岩体の露頭の断層に分布する約50か所の噴気孔から噴出しており、そのうち約20か所では半メートルほどの炎が上がっている。メタンの噴出総量は少なくとも年間150－190ｔに達している。炭化水素などの同位体比から、これらのガスが非生物的に作られていることが確かめられた。また、その水素同位体比から生成温度は50度以下であることが分かった。

このTekiorova ohiolite 岩体は、クロムを多く含んでおり、近くにクロム鉱山もある。このような岩体の蛇紋岩化反応で生成されるクロマイトは、フィッシャー・トロプシュ反応のよい触媒であることが分かっている（Neubeck *et al.* 2011）。

（2014年5月6日）

参考文献

(1) Etiope, G. *et al.*: Abiotic methane flux from the Chimaera seep and Tekirova ohiolites (Turkey): Understanding gas exhalation from low temperature serpentization and implication for Mars, *Earth and Planetary Science Letters*, **310**, 96–104, 2011.

(2) Neubeck, A. *et al.*: Formation of H_2 and CH_4 by weathering of olivine at temperatures between 30 and 70℃, *Geochemical Transactions*, **12**, 6, 2011.

5-2 自然原子炉における生命誕生

冥王代において、放射性のアクチノイド（トリウム、ウラン、プルトニウム）に富んだ砂鉱床が集積した砂浜環境で生命が誕生した証拠が増えている（Adam 2007）。43億年前の砂浜鉱床にウラナイトが重量で数パーセント含まれていれば、核分裂反応が継続的に発生する可能性があることが分かった。実際、アフリカ、ガボン共和国のオクロには、自然原子炉の化石が存在している。そこでは、約24－19億年前に核分裂反応が臨界に達し、定常的にエネルギーを発生していたことが確認されている（Naudet 1991; Petrov *et al.* 2005）。

放射性重元素の砂浜鉱床は以下の点で生命の発生場所として都合がいい。

1）原子炉として臨界に達し、大量の電離放射線が供給され、大気中のメタン、窒素、酸素が励起されて反応性のラジカルを形成し、生体始原分子（HCN や HCHO など）の合成が進む。月の潮汐による一時的な水の浸入が中性子を減速し、砂浜の中に温度分布を作りだし、加熱・冷却、加湿・乾燥が周期的に行われる。これらにより生体始原分子の濃縮が進む。

2）モナザイトの放射性変性が水溶性の燐酸を供給する（Deamer 1997）。また、反応性の高いオルトリン酸ラジカル、二リン酸、多リン酸を形成する（Meldrum *et al.* 1998）。これらは、有機物と結合する。多くの生化学反応はリン酸化によって活性化する。

3）アクチノイドの適度に反応的なf軌道が前駆的なRNA短鎖の形成を触媒する。特に、ウラニルイオン（UO_2）と鉛イオン（Pb^{++}）は、水に溶けると非常に効率のよい多量体化触媒になることが分かっている（Orgel 2004; Sawai *et al.* 1997; Sawai *et al.* 1998; Ferris *et al.* 1993）。鉛は、重金属の砂鉱床に集積するわけではないが、核分裂反応の最終生成物としてオクロ自然原子炉でも観察されている（Naudet 1991）。

4）アクチノイドは、配位数が高く有機物と複合体を作る。その特異な配位幾何学によりさまざまな有機反応を触媒する（Harrowfield *et al.* 1991; Marks 1982）。たとえば、Th(IV) イオンもしくはその水酸化コロイド $Th(OH)_4$ はタンパク質、アミノ酸、そして核酸と反応して安定な複合体を作って人間の体に集積する。

（2014年5月22日）

参考文献

(1) Adam, Z.: Actinides and life's origins, *Astrobiology*, **7**, 852-872, 2007.

(2) Deamer, D. W.: The first living systems: a bioenergetic perspective, *Microbiology and Molecular Biology Reviews*, **61**, 239–261, 1997.

(3) Ferris, J. P.: Catalysis and prebiotic RNA synthesis, *Orig. Life Evol. Biosph.* **23**, 307–315, 1993.

(4) Harrowfield, J. M., Ogden, M. I. and White, A. H.: Actinide complexes of the calixarenes. Part 2. Synthesis and crystal structure of a novel Thorium(IV) complex of p-tert-

butylcalix[8]arene, *Journal of the Chemical Society. Dalton Transactions*, 2625–2632, 1991.

(5) Marks, T. J.: Actinide organometallic chemistry, *Science*, **217**, 989–997, 1982.

(6) Meldrum, A., Boatner, L. A., Weber, W. J., and Ewing, R. C.: Radiation damage in zircon and monazite, *Geochim. Cosmochim. Acta.*, **62**, 2509–2520, 1998.

(7) Naudet, R.: Oklo des réacteurs nucléaires fossiles, *Collection du Commissariat a l'Energie Atomique*, Paris, 1991.

(8) Orgel, L. E.: Prebiotic chemistry and the origin of the RNA world, *Crit. Rev. Biochem. Mol. Biol.*, **39**, 99–123, 2004.

(9) Petrov, Y. V., Nazarov, A. I., Onegin, M. S., Petrov, V. Y. and Sakhnovskii, E. G.: Neutron-physical calculation of a fresh zone in the natural nuclear reactor at Oklo, *Atomic Energy* **98**, 296–305, 2005.

(10) Sawai, H., Itoh, T., Kokaji, K. and Shinozuka, K.: An approach to prebiotic synthesis of alpha-oligoribonucleotides and description of their properties: selective advantage of beta-RNA over alpha-RNA, *J. Mol. Evol.* **45**, 209–215. 1997.

(11) Sawai, H., Totsuka, S., Yamamoto, K. and Ozaki, H.: Non-enzymatic, template-directed ligation of 2'-5' oligoribonucleotides. Joining of a template and a ligator strand, *Nucleic Acids Res.* **26**, 2995–3000, 1998.

5-3　窒素とエチレンの混合ガスへのガンマ線照射によるシアン化水素生成

Oka *et al.*（1968）はエチレン（C_2H_4）と窒素（N_2）のガス混合物に^{60}Coからのガンマ線を照射するとシアン化水素（HCN）が形成されることを見出した。そのG値（エネルギー100 keVあたりの分子生成数）は、照射時間により0.1－0.5だった。G値が、窒素ガスの分圧に依存しなかったことは、窒素原子か窒素原子イオンがHCN分子形成に関与していることを示している。

（２０１４年６月４日）

参考文献

Oka, T. *et al.*: Hydrogen Cyanide Formation in Gas-phase radiolysis of mixtures of nitrogen and ethylene, *Bulletin of the Chemical Society of Japan*, **41**, 2192–2193, 1968.

5-4 自然の原子炉が臨界に達する条件

自然環境下で核分裂連鎖反応が臨界になるためには、以下の条件が必要である（Gauthier-Lafaye *et al.* 1996）。

1）臨界質量を超えるほどウランの濃度が高いこと
2）ホウ素や希土類元素などの中性子捕獲原子核の存在比が小さいこと
3）中性子の減速材として働く、軽元素（水素）が豊富にあること
4）ウラン鉱物が核分裂可能核を多く含んでいること

最後の条件は、ウラン鉱物の年齢と関係している。核分裂をしない^{238}Uの半減期（44・68億年）は、核分裂を起こす^{235}Uの半減期（7・038億年）よりも6倍長いので、オクロの自然原子炉が活動した20億年前の地球では、^{235}Uの濃度が3.7%と現在の0・725%に比べて5倍高かった。地球が生まれた46億年前に遡ると25%まで増加する。これが、オクロよりずっと品位の高いが若い鉱床で自然原子炉現象が見られない原因である。逆に、生命が誕生したと考えられている冥王代（46–40億年前）の地球では、自然原子炉がたくさんあった可能性が高い。

（2014年6月5日）

参考文献

Gauthieir-Lafaye, F. *et al.*: Natural fission reactors in the Franceville basin, Gabon: A review of the conditions and results of a "critical event" in a geologic system, *Geochimica Cosmochimica Acta*, **60**, 4831–4852, 1996.

5-5 電子放電によるシアン化水素の形成

Toupance *et al.*（1975）は、炭素、酸素、窒素を含んだガスを低圧電子放電に数秒間晒し、その流出物を解析した。炭化水素（エチレン、アセチレン、メチルアセチレン）と窒素を含む化合物（シアン化水素、シアン、飽和ニトリル、アクリロニトリル、シアノアセチレン）が含まれていた。正極は、長さ10㎝、直径20㎜のチューブ、陰極は直径１㎜のタングステンで構成した。反応炉の圧力は20トルとし、ガスを定常的に流した。ガスの放電滞在時間は約３秒だった。放電の電圧差は450－550Ｖで放電電流は100㎃だった。CH_3とNH_3の混合ガスの場合は、NH_3濃度が約50％のときにHCNの収率が10％に達した。CH_3とN_2ガスの場合は、N_2ガスの濃度が70％のときに、HCNの収率が最大（９％）になった。

（２０１４年６月５日）

参考文献

Toupance F. R., and Bouvet, R.: Formation of prebiochemical compounds in models of the primitive Earth's atmosphere II: CH_4-H_2S atmospheres, *Origins of Life and Evolution of Biospheres*, 6, 91-97, 1975.

5-6 光化学酸化還元反応システムによる前生的な単純糖の形成

前生物的条件におけるピリミジンリボヌクレオチドの合成反応には、酸素的化学反応と窒素的化学反応が混じっている（Powner 2009）。グリコールアルデヒドやグリセルアルデヒドなどの糖の構成要素が、一炭素分子の原料から同様な酸素・窒素混合化学反応系によって作られることが示せれば、RNAが生命の起源にかかわっているという仮説の証拠がより強くなる。Riston and Sutherland（2012）は、これらの糖が、シアン化水素から銅・シアン化物複合体の存在下で、紫外線照射によって作られることを示した。

糖はアルカリ水酸化物の存在下でのホルモース反応でホルムアルデヒドが多量体化することで作られると長年考えられてきた。ホルモース反応では、ホルムアルデヒドから、グリコールアルデヒド、そしてグリセルアルデヒドが合成されるとされている。しかし、カルボニル族の炭素が求電的であって求核的でないので、ホルムアルデヒドからグリコールアルデヒドへの二量体化反応には極性変換が必要であるが、それは前生的な環境で存在が示されていないことが問題だ。次の、炭素伸長反応（ホルムアルデヒドの付加によるグリコールアルデヒドからグリセルアルデヒドの生成）にはそれが必要がないので、炭素鎖伸長反応がさらに進みうるが、逆により安定な異性体への変化を止めることができない。このため、余計な反応物ができてしまう。したがって、ホルモース反応は、反応開始体としてグリセロアルデヒドを必要とすることと、反応の制御が困難で複雑な反応生成物ができるのが、RNA合成の観点からは問題だった。

Kiliani–Fischer 合成は、ホルムアルデヒドから始まるもう一つの反復的炭素鎖伸長反応である。この反応系では、シアン陰イオンの求核性を用い、シアンヒドリンもしくはその派生物の形成と、それに引き続く選択的な還元を通して炭素鎖伸長反応を進める。水の中のシアン化水素がシアノヒドリンの一つであるグリコロニトリルを作り、それがグリコールアルデヒドイミンに還元される反応経路が最近見出されている。そのグリセロアルデヒドとアンモニアへの自発的な加水分解により最初の炭素鎖伸長の第一段階が終了する。ここで、ホルムアルデヒドとシアン化水素からシアノヒドリンができる反応は、シアノヒドリンに強く偏った平衡反応（$K_{ep} = 4.6 \times 10^5\ M^{-1}$）であり、運動学的にたいへん容易に進む。その次のグリコールアルデヒドイミンへの反応は、触媒的な水素付加反応による。ただし、グリコールアルデヒドイミンもしくはグリコールアルデヒドの還元を抑制するための活性抑制触媒（硫酸バナジウムの上のパラジウム）が必須である。でないと、グリコールアルデヒドイミンからグルコルアルデヒドとアンモニアへの平衡分解反応は、酸的な反応条件では、アンモニアのプロトン付加により非可逆になってしまう。普通の Kiliani–Fisher 反応は、細かく調節された条件を必要とするので、前生的な条件では、有効ではないと考えられてきた。

そこで、Riston and Sutherland（2012）は、光化学反応による水和電子を考慮することにした。一般に、水溶液中の負に帯電した遷移金属シアン複合体は、紫外線照射により、水和電子を放出する。このようにしてつくられた水和電子のニトリルとの相互作用は、これまで化学進化の観点からはあまり論じて来られなかった。

^{13}Cでラベルされたシアン化カリウムと触媒としてのシアン化銅が10%のD_2Oが混ざったH_2Oの中に溶けている。この水溶液は254 nmの紫外線で照射した。試料は随時^{13}C-NMR解析にかけた。7時間後の反応終了時には、NMRスペクトルには、$^{13}C-^{13}C$が形成されたことを示す多重信号があった。グリコールアルデヒドとグリセルアルデヒドのオキサゾリジン派生物と思われる。オキサゾリジン派生物は、糖からシアン酸塩との反応で形成されるので、グリコールアルデヒドとグリセルアルデヒドが実際に形成されたことを示している。

主要な反応過程と中間生成物は以下のように考えられる。まず、反応の第一段階で、シアン化水素がメタンイミンに還元される。シアン化水素が含まれる水中では、メタンイミンがグリシンニトリル、ヘミアミナル、そしてホルムアルデヒドとアンモニアと平衡状態にある。一方、光酸化還元反応サイクルの生成物であるシアン分子が加水分解して、イソシアン酸とシアン化水素の結合への直接・間接の反応経路を与える。生成されたホルムアルデヒドは、その水酸化物やグリコールニトリルとの平衡状態にある。

水和電子はシアン化水素を還元して、上記の第一段階を繰り返すか他のニトリル分子を還元してこれから述べる第二段階を駆動する。グリコールニトリルの還元は、イミンをつくる。イミンはセリンニトリルとヘミアミナル、そしてグリコールアルデヒドとアンモニアと平衡状態にある。アンモニアはイソシアン酸との酸-塩基反応で不足するので、この平衡はグリコールアルデヒドとその水素付加体、およびシアノヒドリンであるグリセロニトリルとの平衡に置き換えられる。後者の付加反応は平衡状態の非主要成分ではあるが、それはオキサゾリジン環を非可逆的に閉じさせるケミカルポテンシャルを持っている。このオキサゾリジン派生物は、平衡から離れて蓄積される。さらに、グリセロニトリルから出発して第二段階反応が進むと、オキサゾリン派生物が形成される。

アセトアルデヒドがグリコールアルデヒドと同時に作られることは、非生物的アミノ酸合成にとって特別な重要である。というのは、アセトアルデヒドが、アラニン、セリン、そしてグリシンのストレッカー反応前駆物質であるからである。

ヘキサシアノ鉄酸塩のようなシアン金属複合体は光水和や光酸化を進めるが、光酸化還元サイクルについては効率的でない。したがって、シアン化派生物としての隔離なしでの糖の生成が可能であることを証明しなければならない。もし、そのような光化学反応がシアナミドとリン酸の存在下で進行するならば、Powner *et al.*（2008）が示した活性化されたピリミジンヌクレオチドの合成反応と合体が可能になる。

このように、水和電子との反応が生物始原分子同士の反応隘路を広げ、比較的少数の分子同士の反応系においても、相互触媒反応ネットワークの形成を可能とする。ここでは、紫外線の照射による金属シアン複合体の反応によって水和電子を形成しているが、紫外線の代わりに高エネルギー荷電粒子による電離放射線でも同様に水和電子が有効に供給できる。

（2014年7月14日）

参考文献

(1) Powner, M. W. *et al.*: Synthesis of activated pyrimidine ribonucleotides in prebiotically

plausible conditions, *Nature*, **459**, 239–242, 2009.

(2) Ritson, D. and Sutherland, J. D.: Prebiotic synthesis of simple sugars by photoredox systems chemisty, *Nature chemistry*, **4**, 895–899, 2012.

5-7 放射線により励起されたCO_2の還元反応

水中の二酸化炭素が2－10のpH範囲で、ガンマ線の照射下で、還元されることは1960年代に発見され報告されていた。この反応においては、水和電子が水中のCO_2の主要な還元剤である。メタノール、CO、O_2の他に、主要な最終生成物として、アルデヒド類、蟻酸、酢酸、グリコール酸、グリオキサール酸、蓚酸が作られる（Getoff 1994）。

まず、水の放射分解によりe_{aq}^-、H、OH、H_2、H_2O_2、H^+、OH^+が作られる。これらがCO_2と反応して

$CO_2 + e_{aq}^- \rightarrow \dot{C}O_2^-$

$CO_2 + H \rightarrow COOH$ or $HCOO$

さらに、

$2\dot{C}O_2^- \rightarrow (CO_2^-)_2$ 蓚酸塩

$2\dot{C}OOH \rightarrow (COOH)_2$ 蓚酸

$\rightarrow CO_2 + HCOOH$ 蟻酸

$2HCOO^{\cdot} \rightarrow 2H\dot{C}O + O_2$ (or $HCOOH + CO_2$)

$2H\dot{C}O \rightarrow CO + HCHO$ ホルムアルデヒド　(A)

$\rightarrow (HCO)_2$ グリオキサール

$H\dot{C}O + \dot{C}OOH \rightarrow HCO\dot{C}OOH$ グリオキザル酸

$\dot{C}OOH/HCOO^{\cdot} + HCO \rightarrow \dot{C}H_2OH + CO_2$

$2\dot{C}H_2OH \rightarrow (CH_2OH)_2$ グリコール

$\rightarrow CH_3OH + HCHO$

$\dot{C}H_2OH + \dot{C}OOH/HCOO^{\cdot} \rightarrow CH_3OH + CO_2$

$\dot{C}H_2OH + H\dot{C}O \rightarrow HCO\dot{C}H_2OH$ グリコールアルデヒド

などの反応が進む。

一方、pHが高い場合には、重炭酸イオンと炭酸イオンが炭素源になる。これらは、OHラジカルと反応して反応性の高い化合物に変化する。

$HCO_3^- + OH \rightarrow HCO_3^{\cdot} + OH^-$

$\rightarrow CO_3^{\cdot -} + H_2O$

$CO_3^{2-} + OH \rightarrow CO_3^{\cdot -} + OH^-$

$HCO_3^{\cdot}$と$CO_3^{\cdot -}$は、以下の反応により蓚酸塩類になる。

$2HCO_3^{\cdot} \rightarrow O_2 + (C.OOH)_2$ or $HCOOH + CO_2$ 蓚酸

$2CO_3^{\cdot} \rightarrow O_2 + (C^{\cdot}O_2^-)_2$ 蓚酸塩

さらに（A）の反応で作られたCOは、以下の反応に関与する。

$CO + OH \rightarrow C^{\cdot}OOH$

$CO + H \rightarrow HC^{\cdot}O$

$CO + e_{aq}^- \rightarrow CO_{aq}^{\cdot -}$

この生成物の$CO_{aq}^{\cdot -}$は$HCCOH^-$と等価である。

この反応は蟻酸塩を合成する連鎖反応をスタートする。

$HCOOH^- + OH^- \rightarrow HCOO^- + e_{aq}^-$ 蟻酸

（2014年11月24日）

参考文献

Getoff, N.: Possibilities on the radiation-induced incorporation of CO_2 and CO into organic compounds, *Int. J. Hydrogen Energy*, **19**, 667–672, 1994.

5-8 還元TCA回路の光触媒による駆動

Zhang and Martin（2006）によれば、還元TCA回路におけるオキザロ酢酸からリンゴ酸(1)、フマール酸からコハク酸(2)、コハク酸からオキソグルタル酸(3)、オキソグルタル酸からオキザロコハク酸(4)、オキザロコハク酸からイソクエン酸(5)の5つの還元反応が、硫化亜鉛（ZnS）のナノ粒子の光触媒効果による水和電子によって、駆動されることが分かった。反応を駆動する還元力は半導体であるZnSの伝導帯電子が供給する。伝導帯電子を作るために、3.6 eV（344 nm）以上の紫外線を必要とする。反応(3)と(4)では、CO_2分子が一個ずつ有機酸のなかに取り込まれる。

（2015年4月2日）

参考文献

Zhang, X. V. and Martin, S. T.: Driving Parts of Krebs Cycle in Reverse through Mineral Photochemistry, *J. Am. Chem. Soc.*, **128**, 16032-16033, 2006.

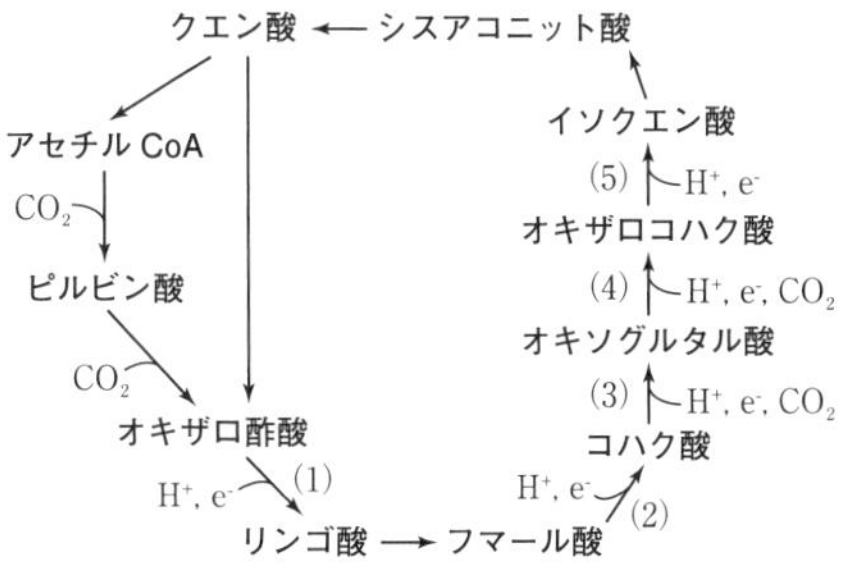

クエン酸 ← シスアコニット酸
アセチル CoA
CO_2
ピルビン酸
CO_2
オキザロ酢酸
H^+, e^- (1)
リンゴ酸 → フマール酸
H^+, e^- (2)
コハク酸
(3) H^+, e^-, CO_2
オキソグルタル酸
(4) H^+, e^-, CO_2
オキザロコハク酸
(5) H^+, e^-
イソクエン酸

図5-1 還元TCA回路が光触媒による水和電子によって駆動される（Zhang and Martin（2006）より作成）

5-9 鉱物の光触媒による太陽エネルギーを使った非光栄養微生物の増殖

化学独立栄養生物は、水素、アンモニア、亜硝酸塩などの無機化合物を酸化することによりエネルギーを得て二酸化炭素から有機化合物を作る。これまで、太陽光に依存した代謝の中で、これらの非光独立栄養生物の役割は考慮されてこなかった。彼らは光に感度を持つ化合物を持っていないからである。しかし、彼らが、半導体鉱物などの無機的な媒介物を通して太陽エネルギーを得ることは可能である。光独立栄養代謝の進化には金属と金属を含んだ鉱物の役割が重要であるように、鉱物は非光独立栄養生物に太陽エネルギーを提供するのに重要な役割をしている可能性がある。半導体鉱物であるルチル（TiO_2）、閃亜鉛鉱（ZnS）、ゲータイト（FeOOH）は自然界における光触媒反応に関与している。入射光の光子のエネルギーが、価電子帯と伝導帯の間の禁止帯のエネルギー間隔以上だと、光電子・正孔ペアがそれぞれ伝導帯と価電子帯に作られて、エネルギーを放出して還元反応を駆動する。このエネルギーは、間接的に非光独立栄養生物によって回収される可能性がある。

Lu et al.（2012）は、太陽エネルギーが光触媒半導体によって化学エネルギーに変換され非光独立栄養生物の成長を助長することを実験で確認した。微生物の増殖速度が、照射した光の強さと波長に依存することが示され、それが光触媒半導体の吸収スペクトルと一致することが確認された。光子から生体物質への変換効率は0.13–1.90‰で、

通常の光合成に比べてかなり非効率である。
（2015年4月14日）

参考文献

Lu, A. *et al.*: Growth of non-phototrophic microorganisms using solar energy through mineral photocatalysis, *Nature Communications*, **3**, 768, 2012.

5-10 生命起源の原子炉間欠泉モデル

ミラー・ユリーの実験（Miller and Urey 1959）以来、多くの化学進化実験が行われた。Ebisuzaki and Maruyama（2016）は、冥王代の地球表層にはたくさんあったはずの自然原子炉が生命構成分子を豊富に安定に供給する生命誕生の環境を作ったと考えている。1972年に自然原子炉の化石がアフリカのガボン共和国オクロで発見されている。それは、水を減速材として用いる核分裂原子炉であった。水が浸入して核分裂連鎖反応が臨界に達し、それによる熱の発生により水が蒸発してなくなると連鎖反応が停止する。このような周期的な原子核反応で駆動される間欠泉であった（Meshik *et al.* 2004）。核分裂の連鎖反応の燃料となる ^{235}U の半減期（7.1億年）は ^{238}U のそれ（45億年）よりも短いので、冥王代（40－46億年前）においては、^{235}U/^{238}U 比は20％を超えていたはずである。その結果、それほど品の高くないウラン鉱床でも、水が十分に得られれば臨界に達する可能性がある（Kuroda 1956）。冥王代にはこのような自然原子炉間欠泉が、大陸地殻表層にたくさんあったと考えられる。

原子炉から放射されるガンマ線（光子）、アルファ線（ヘリウム原子核）、ベータ線（電子）、中性子線などの電離放射線が水、二酸化炭素、メタンを解離・励起して多量の水和電子やラジカルと高反応性化合物を生産する。これにより HCN や HCHO がまず作られ、それが縮合して、グリセルアルデヒドやグリコルアルデヒドなどの重要な生

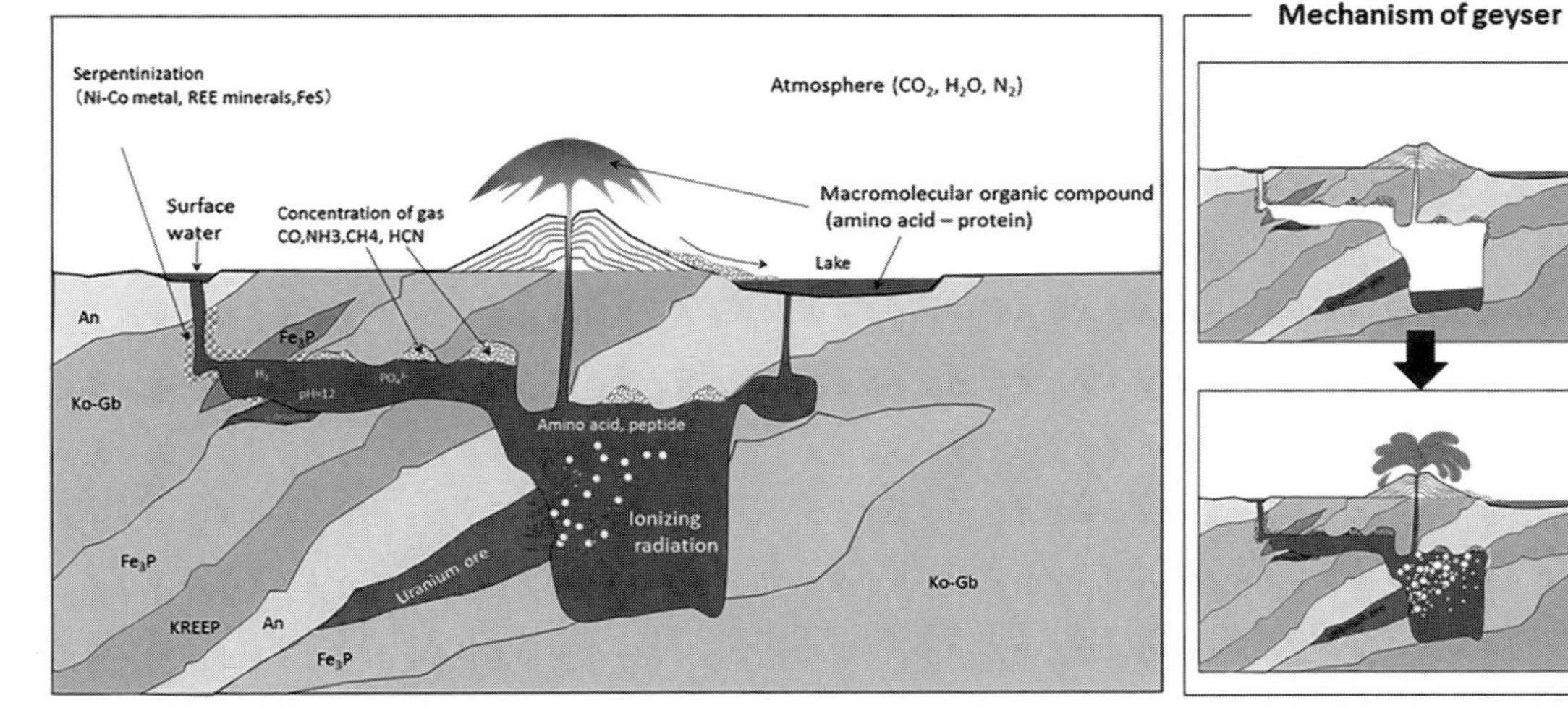

図5-2 Ebisuzaki and Maruyama, 2016, *Precambrian Research*, 277, 1–25.

自然原子炉は、地下にあって間欠泉を駆動していた。原子炉の炉心が水で満たされると連鎖反応が臨界に達し、膨大な熱を発生する。発生した熱により水が蒸発すると、連鎖反応が止まる。

化学中間体が、さらにプリンやピリミジンなどの核酸残基、リボースなどの糖、さらにアミノ酸や脂肪酸などが作られる（記事5－6）。

自然原子炉間欠泉は、生命の化学進化に理想的な環境を以下のように提供する。

1）高密度の電離放射線が、反応性の高い化学物質やラジカルを作り出し、水や二酸化炭素分子から、生体構成分子への化学反応を駆動する。

2）物質とエネルギーの循環と周期的な変動（熱サイクル、乾湿サイクル）を駆動する。

3）温度が水の沸騰で決まる100℃を超えず、生体構成分子が破壊されない。

4）原子炉壁を構成する橄欖石に富む岩石と水が反応する蛇紋岩化反応によって、H_2とブルース石（$Ma(OH)_2$）が形成されるので、局所的に還元的で強アルカリ（～pH 11）環境を提供する。

5）HCNやホルムアルデヒドのような揮発性の分子を地下の洞窟の天井などに閉じ込めることができる。

今のところ、生命の誕生場としては、干潟、深海底熱水孔、深宇宙、そして自然原子炉間欠泉の4つが考えられている（表5－1）。上記の条件を満たすのは原子炉間欠泉以外にない。まず、干潟に関しては、潮汐による物質循環が存在し、温度が100℃以下であることはよいが、電離放射線として、太陽紫外線、雷、銀河宇宙線を使わざるを得ない。ところが、それぞれユリー・ミラーの実験に比べて前者で3桁、5桁、9桁以上小さいので、縮合反応を進めるためのHCNやHCHOの臨界密度に遠く及ばない（Chyba and Sagan 1992）。さ

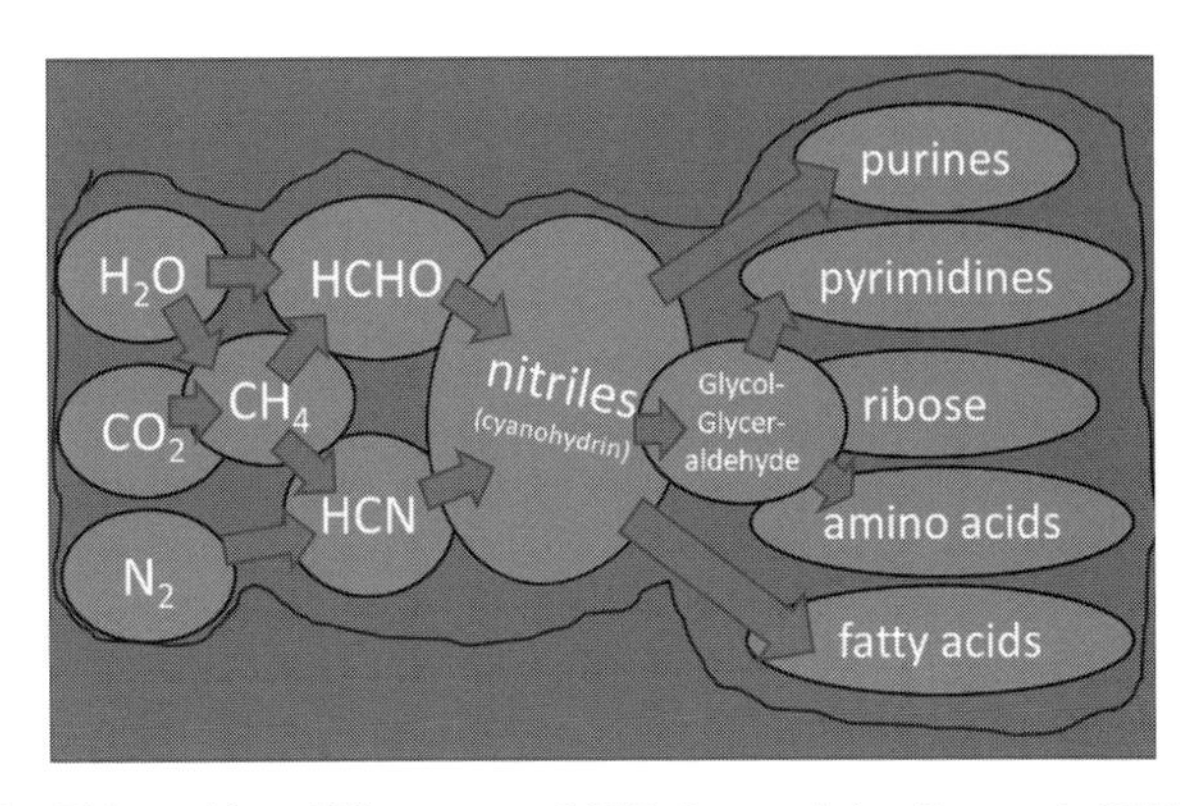

図5-3　Ebisuzaki and Maruyama, 2016, *Precambrian Research*, 277, 1–25.

電離放射線の存在下では、水（H_2O）、二酸化炭素（CO_2）、窒素（N_2）などの安定な分子が励起されて、メタン（CH_4）、ホルムアルデヒド（HCHO）、シアン化水素（HCN）が作られる。さらにそれらが重合して、生命構成分子が作られる。

表5-1　生命誕生場モデルの比較

生命誕生場	干潟	深海熱水孔	深宇宙	原子炉間欠泉
電離放射線（エネルギー密度）	No	No	Yes	Yes
物質・エネルギー循環	Yes/No	Yes	No	Yes
温度＜100℃	Yes	Yes	Yes/No	Yes
局所的還元場	No	Yes	Yes	Yes
栄養塩の供給	Yes	No	No	Yes
ガスの濃縮	No	No	No	Yes
地球への運搬	N/A	N/A	No	N/A

らには、酸化的な地球大気に対して完全に開いた環境であり、局所的に還元的な環境を維持し、揮発性ガスを濃縮することも非常に難しい。

次に、深海熱水孔は、熱水による物質・エネルギー循環があり、温度も100℃以下で、蛇紋岩化反応によって局所的に還元的な環境を作り得る。しかし、電離放射線が全くなく、さらには完全に水につかっている状態で、ガスの濃縮は難しい。また、深海ではリン酸や窒素（アンモニア）の供給が絶対的に不足する。

深宇宙は、銀河宇宙線による電離放射線があり、0℃以下の温度で有機物が長期にわたって保存され、還元的な環境にある。しかし、物質・エネルギー循環は全くなく、ガスの濃縮は不可能である。その上、作った有機物を地球表面に破壊することなく運ぶことが困難である。例えば、100m以上の隕石が地球に衝突すると、一瞬にして蒸発し、隕石中の有機物は酸素と結合して二酸化炭素や水に変わってしまう。逆に、10m程度以下の隕石として地球に降下した場合でも、その表面は焼け焦げるので有機物は存在しえない。隕石の内部ではある程度残るかもしれないが、それを隕石中から取り出し、海中に放出する機構が存在しない。深宇宙で作った有機物を大量に地球に持ち込んで生命の材料に使うというアイデアは、多くの天文学者や生物学者の希望的夢想に反してほとんど不可能である。

科学哲学者カール・ポパーの反証可能性の理論によれば、生命の起源のような多くの物理・化学過程が関与する複雑な現象に対しては、作業仮説を立ててその反証を試み、棄却を重ねることで科学的理解を漸近的に深める必要がある。その意味では、生命誕生場としての干潟、深海熱水孔、深宇宙説はそれぞれ一つ以上の棄却要因（表5−1

の濃灰色背景の部分）を抱えており、この時点で棄却するか、もしくは棄却要因を無効にする新しいモデルを構築するしかない事態にあると思われる。自然原子炉間欠泉については、今のところ致命的な棄却要因は見られないが、今後の新しい観測事実や理論に基づいて反証によるテストを繰り返すことが重要であることは言うまでもない。実際、東工大では自然原子炉間欠泉の示唆を受けて^{60}Coガンマ線照射施設を用いた化学進化実験が進行中である。核酸モノマーやアミノ酸を含む生体構成分子が効率よく生産される有望な結果を得ている。

（２０１７年１月29日）

参考文献

(1) Chyba, C. and Sagan, C.: Endogeneuous production, exogeneous delivery and impact-shock synthesis of organic molecules: an inventory for the origin of life, *Nature*, **355**, 125–132, 1992.

(2) Ebisuzaki, T. and Maruyama, S.: Nuclear geyser model of the origin of life: Driving force to promote the synthesis of building blocks of life, *Geoscience Frontiers*, **8**, 275–298, 2017.

(3) Kuroda, P. F.: On the nuclear physical stability in the uranium minerals, *The Journal of Chemical Physics*, **25**, 781-782, 1956.

(4) Meshik, A. P., Hohenberg, C. M. and Pravdivsteva, Q. V.: Record of Cycling Operation of the Natural Nuclear Reactor in the Oklo/Okelobondo Area in Gabon, *Physical Review Letters*, **93**, 182302-1-4, 2004.

(5) Miller, S. L. and Urey, H. C.: Organic compound synthesis on the primitive Earth, *Science*, **130**, 245-251, 1959.

(7) Ritson, D. J. and Sutherland, J. D.: Synthesis of aldehydic ribonucleotide and amino acid precursors by photoredox chemistry, *Angwandte Chemie-International Edition*, **52**, 5845–5847, 2013.

5-11 生命の初期進化における核酸様補酵素の役割

すべてのリボヌクレオチドもしくはヌクレオシド二／三リン酸は補酵素として、そしてアミノアシル基、リン酸基、グリコシル基、リン脂質前駆体のキャリアとしてさまざまな代謝反応に関与している。Kritsky and Telegina（2004）は、ヌクレオチドに似ているが少し違う化合物が補酵素としてさまざまな代謝経路で働いていることを指摘している。それらは、ヌクレオチドと同様に、正に帯電した複素環を持つ「頭」、中性の首、さらに負に帯電した尾が結合した構造をしていることを指摘している（図５－４）。これらには、フラビンモノヌクレオチド（FMN）、モリブドプテリン、ピリドキサール燐酸、チアミン二燐酸（TDP）、6，7－ジヒドロネオプテリン三燐酸（ビオプテリンの前駆体）、そして、ニコチン酸アミド一燐酸などがある。

ニコチン酸アミドとピリドキサール補酵素では、正に帯電した「頭」はピリミジン環であり、チアミン二燐酸補酵素では「頭」はチアゾール環と共役したピリミジン環である。FMNと他のフラビン類も複素環を持っている。プテリン補酵素は、ビオプテリンとモリブドプテリンや葉酸と同様、複環式塩基としてプテリンを持っている。

「首」は、ニコチンアミドモノヌクレオチド⁺とフラビンモノヌクレオチドの場合はリボースもしくはリビトールであり、チアミン二燐酸とピリドキサール燐酸の場合は、短い脂肪族鎖である。ビオプテリンのようなプテリンでは、水酸化された脂肪鎖構造が「首」に当たっている。モリブドプテリンでは、チオール化、水酸化されたブタン鎖が「頭」と燐酸基の「尾」をつないでいる。もっとも複雑な補酵素である葉酸では、プテリジン基が負に帯電したグルタミルもしくはオリゴグルタミルの「尾」をp-アミノ安息香酸（PAB）がつないでいる。

ニコチン酸アミドアデニンジヌクレオチド（NAD^+）、ニコチン酸アデニンジヌクレチド3′-燐酸、フラビンアデニンジヌクレオチド（FAD）、そしてモリブドプテリンを含むジヌクレオチドは、一つの補酵素が、普通のリボ核酸と結合したもので、ジヌクレオチドに準ずるものである。また、これらの補酵素は、RNA合成酵素などの働きで、RNAの端に共有結合されることがある。

ヌクレオチド様補酵素は、そのアポ酵素の中で、普通はあまり反応性が高くないが、光で励起されるとその反応性が高くなり、非常に多くの反応に参加するようになる。核酸塩基が吸収する250-280nmの紫外線の他に、フラビン、プテリンそして還元型ニコチン酸アミドは、300-400nmの紫外線を吸収する。フラビンはさらに、500nm付近の短波長可視光で励起される。励起された補酵素の一重項状態は、効率よく三重項状態に変換される。後者は、溶液中で他の分子と相互作用するので、前生物学的な化学の観点からより興味深い。フラビンとプテリンの三重項の寿命は0.1-1.0秒にまで達する。

フラビンの中間酸化還元電位E'_0は-0.22Vでありかなり強い還元剤としてふるまう。しかし、三重項状態に遷移したフラビンは、対応する酸化還元電位が+1.85Vに移る。つまり非常に求電的な性質を持ち、さまざまなかなり高い酸化還元電位を持っている物質からも電子を引き抜ける。その

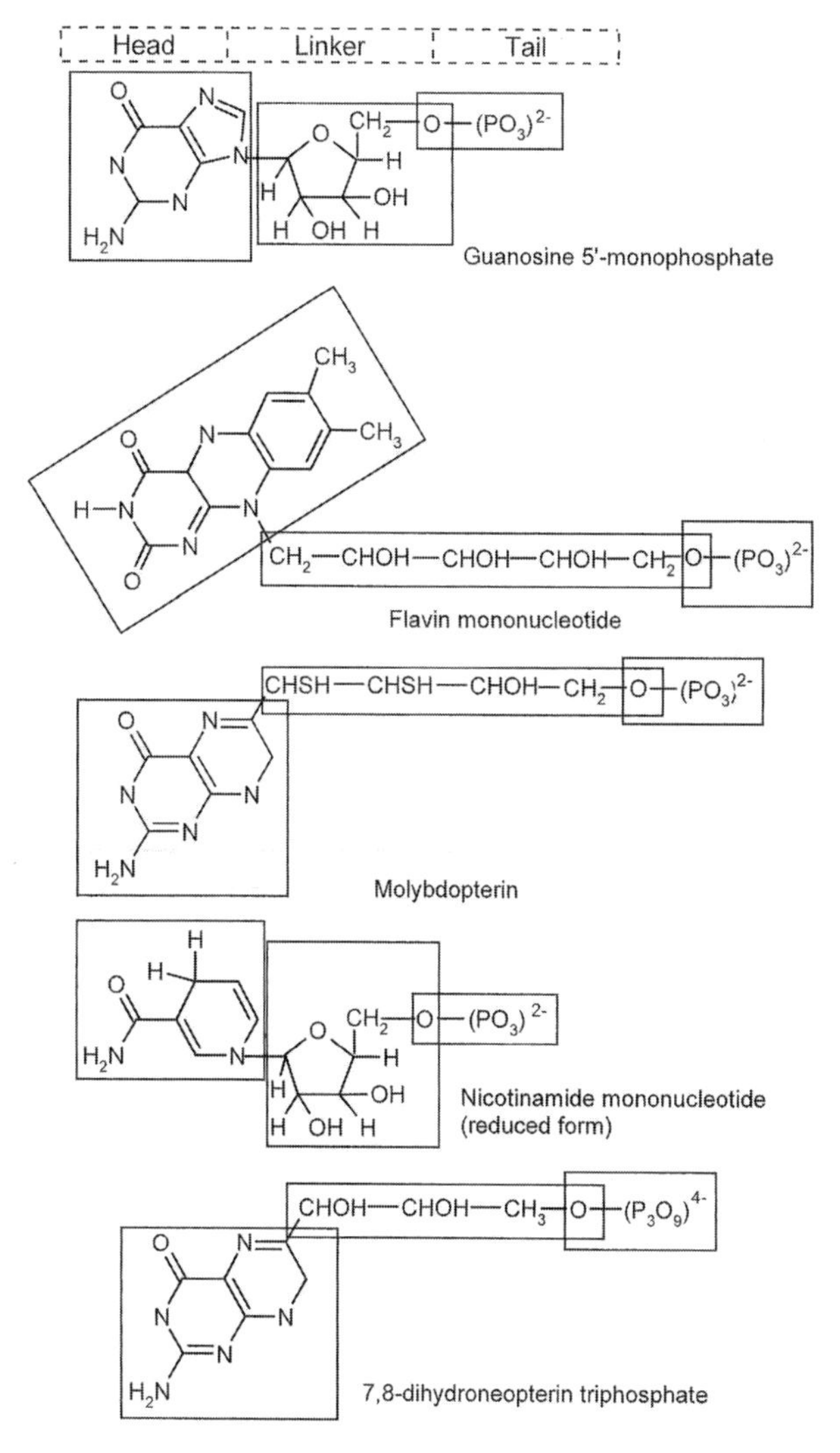

図5-4　核酸様分子の例
Kritsky and Telegina, 2004, Springer, 215–230.

ような反応は孤立ラジカル機構を含んでおり、反応性の高い代謝的生産物を形成する。それらは、ジヒドロフラビンやジヒドロプテリンもしくはテトラヒドロプテリンである。テトラヒドロプテリンは強い還元剤（$E'_0 = -0.5$ V）で、光子によって励起された三重項状態では、さらに電子に2.50 eVのエネルギーを獲得する。

　Fe^{3+}-チトクロームbのような電子受容体の存在下で、励起されたフラビンとプテリンは電子供与体から受容体への電子の受け渡しを触媒する。人工の脂質膜に埋め込まれた親油性リボフラビン派生物は、酸化還元透過物の膜を通した輸送を光を使って行う。

　還元された分子の光化学は酸化型の補酵素と違う。励起されたジヒドロプテリンは、電子受容体として機能し、テトラヒドロ形に変わる。還元型のジヒドロフラビン分子の励起された一重項状態は、DNAフォトリアーゼの中で、電子の供与体として働く。励起されたNADHとNADPHは強い還元剤として働く。無酸素化で、それらはフェロドキシンとメチルビオロゲンを還元する。非励起ニコチン酸アミドの酸化還元電位は、−0.32 Vでフェロドキシンのそれは −0.43 Vであり、メチルビオロゲンの還元の結果できるジヒドロピリジルのそれは −0.79 Vである。つまり、還元型ニコチンアミドは光を使って上向き電子移動を行っている。

　フラビンとプテリン補酵素は、生物の紫外線（UV-AとUV-B）および短波長可視光に対する生理学的反応を仲介する広い範囲の光子受容体の発色団として働いている。還元型のニコチンアミド補酵素は、ヒドロゲナーゼのような酵素の活動度を制御している。補酵素が結合した光センサーは構造的に異なった、四つの遺伝子族を構成している。最初のグループは、ＤＮＡ光修復酵素で、ＵＶで損傷を受けた核酸分子の修復を行う。隣り合った（ほとんどはピリミジン）塩基のくっついて二量体となってしまったシクロブタンを光のエネルギーを使って引き離す。その遺伝的相同体であるクリプトクロムは、植物と動物の発達を媒介する色素である。これらのタンパク分子は二つの発色団を含んでいる。最初の発色団は、酵素の活性中心に位置している還元型FAD（$FADH_2$）で、もう一つは光捕獲体である5，10－N－メチール－テトラヒドロ葉酸（MTHF）である。

第二のグループは、菌類の発生を支配するWhite Collar 1（WC-1）感光体や、植物の光制御体フォトトロピンのである。これらはFMNと結合するPASとLOV領域を持っている。フォトトロピンでは、イソアロキサジンの4位の炭素原子のLOV部のシステイン残基の一つへの付加反応への励起FMNの発色団としての関与が示されている。この付加反応が、タンパク質の構造変化を引き起こしている。これらのペプチド鎖は、励起フラビンが駆動する反応で制御されており酸化還元検出タンパクに起源していると考えられる。

第三のグループはLOV（PAS）部位を含むタンパクと同様に、真核生物の硝酸塩還元酵素は、FAD発色団の光化学励起によって制御されている。

最近になって発見された第四のグループは光によって活性化されるFMNを含んだアデニリルシクラーゼである。

これらの四つのグループには、基本構造に共通性がないので同一系統とは思えない。独立に多系統として成立したと考えられる。

プテリジン塩基はプリン塩基と構造が似ていて核酸の構造に取り込まれたときは、対合する塩基と水素結合を形成する。また、フラビンのケトン基とニコチン酸アミドのアミノ基も核酸塩基と対合して水素結合を形成することが報告されている。

生物の誕生時に最初に成立したと考えられるＲＮＡワールドでは、これらの補酵素もＲＮＡの一部として取り込まれＲＮＡの酵素活性の多様化に寄与していた可能性がある。

（２０１７年3月17日）

参考文献

Kritsky, M. S. and Telegina, T. A.: Role of Nucleotide-like coenzymes in primitive evolution, In *Origions: genesis, evolution, and diversity of life*, edited by Seckbach, J. Springer, 215–230, 2004.

5-12 原初的生命を育んだ「ゆりかご」としての自然原子炉

地球化学者、黒田和夫が地球に自然原子炉が存在する可能性があると予言したのは１９５６年のことだった。それから16年たった72年に中央アフリカのガボン共和国オクロで、約20億年前に活動していた自然原子炉の化石が発見された。高品位のウラン鉱床の一部に、核分裂するウラン235の濃度が特異的に少なく、核分裂生成物が存在する場所が発見されたのである。

その解析から、連鎖反応が30分維持され、２時間半ほど休止することを繰り返す活動を15万年ほど続けたらしい。同様の自然原子炉跡がその近くに16カ所見つかっている。現在、地球上に自然原子炉はない。それは、核分裂炉の燃料となるウラン235の濃度がウラン全体の約0.7％しかないからである。

核分裂の連鎖反応には、少なくともウラン235の濃度が１％以上ある必要があり、その人工的な実現には、それを濃縮する「マンハッタン計画」を必要とした。しかしウラン235の半減期は、核分裂しにくいウラン238より短いので、過去に遡(さかのぼ)るほどウラン235の濃度が高かったはずである。

オクロの自然原子炉跡が活動していた20億年前は、ウラン235の濃度が3.5％もあり、人工濃縮なしでも、高品位のウラン鉱床と減速材である水さえあれば、核分裂連鎖反応が可能だった。さらに遡って地球ができたばかりの「冥王代（40億－46億年前）」では、ウラン235の割合が20％を超えていた。自然原子炉によって駆動される間欠泉が現在の温泉並みに普通に存在していたと思われる。

われわれは、このような自然原子炉が原初的な生命を育んだ「ゆりかご」だったと考えている。生命構成分子であるアミノ酸や核酸塩基を無機物である水や二酸化炭素（CO_2）、リン酸などから「非生物的に」作るためには、非熱的なエネルギー源が必要である。

自然原子炉が放射する電離放射線は、強い化学作用を持っている。つまり、CO_2や水を、反応性の高い物質に変える。それらの反応によりシアン化水素やホルムアルデヒドが作られ、さらにグリセルアルデヒドなどを経由して、アミノ酸や核酸塩基などが非生物的に作られることが実験的に示されている。誕生直後の原初生命は、原子炉間欠泉から供給されるこれらの化学物質に依存していたと考えられる。

今思い返せば、世界で初めてアミノ酸を非生物的に合成した「ユーリー・ミラーの実験」は、高圧放電による大量の非熱的電子を用いた点で、原子炉からの電離放射線の効果を模したものだったと理解できる。原始大気における落雷や原始太陽からの紫外線のエネルギー密度は、ユリー・ミラーが用いた放電のエネルギー密度に遠く及ばない。それが実現できる環境は、地球冥王代の表層には普遍的に存在したはずの自然原子炉周辺のみである。

冥王代の原初地殻は、マグマ海から直接析出した。そこには地下深くにあるマントル物質に取り込まれにくいウラン、トリウム、カリウム、リンなどの元素が数千倍濃縮されていた。原初生命を生み出したスープは、ウランやトリウムの他にカリウムやリンを多く含んでいたはずである。現生生物の細胞質に、カリウムやリンが高濃度に含まれている事実は、この点を反映したものかもしれない。

自然原子炉が豊富に供給するグリセルアルデヒドにリン酸が結合したグリセルアルデヒドリン酸は、嫌気的解糖系の報酬期回路の出発物質である。この反応回路は、最終的にはアセチルＣｏＡを経由してクエン酸回路や脂質合成回路につながっており、すべての生化学反応の要となっている。また、植物では、グリセルアルデヒドリン酸が葉緑体における光合成でも生成され、糖などの代謝産物やエネルギーの合成に使われる。これらは、生命が自然原子炉に依存していた時代の名残なのかもしれない。

（２０１７年12月25日）

初出

戎崎俊一：高論卓説，フジサンケイビジネスアイ（FujiSankei Business i），２０１７年12月25日.

第 6 章

種の起源と生物進化

解説　第6章 種の起源と生物進化

「アフリカ地溝帯は、地質学的に見て何が特別なのですか？」

これは、2011年5月頃に、私が丸山茂徳先生に対して投げかけた質問です。丸山先生は、「あそこは、カーボナタイトマグマという特殊なマグマが噴出する、世界で唯一の場所だ。このマグマは、非常に高い放射能を含んでいる」と即座に答えてくれました。

この受け答えから、これからお話しする私たちの知的冒険が始まったのです。

丸山先生とのやりとりの少し前、人類の起源に興味を持っていた私は、人類発祥の地とされているオルドバイ渓谷のグーグルマップをぼんやりと眺めていました。ふと見ると、地図の西の端に「ビクトリア湖」の文字が見えるではありませんか。

確かに、ビクトリア湖は、オルドバイ渓谷から直線距離で北西に約100kmの位置にあります。そして、このビクトリア湖には、シクリッドという子育てをする川魚がおり、通常の100倍の速さで新種が誕生しています（記事6-2）。さらに、オルドバイ渓谷とビクトリア湖の間には、ライオン、キリン、サイ、ゾウ、カバ、チータなど、アフリカ固有の特異な野生動物で有名なセレンゲティ国立公園もあるのです。

このとき以来、「ここは、明らかに進化の特異点だ。新種の生物は、地球上でただ一点、ここでしか生まれていないのではないか？」と私は考え始めました。

なぜ、ビクトリア湖だけでシクリッドは次々と新種を胚胎するのでしょうか？　それまでの論文には、旱魃と洪水で頻繁に湖水面レベルが変化し、河川環境が繰り返し激変したことが理由であると書かれていました。しかし、私はそれでは納得できませんでした。そのような湖水面の変化は、日本の琵琶湖でも起こっているからです。それにもかかわらず、琵琶湖のフナは言ってみれば普通であって、シクリッドのように子育てをすることはありません。この両者の圧倒的な差を説明するためには、何か別の原因がなければならない、と私は考えました。そして、困り果てて丸山先生に冒頭の相談をしたというわけです。

折から、丸山先生と私は、福島第一原子炉事故がどのように推移するのかについて頻繁に議論していました（第1章参照）。カーボナタイトマグマが高い放射能を持つ、とのコメントが丸山先生からスラっと出てきたのは、放射能汚染を心配していた当時の我々の問題意識から考えれば当然のことだったのかもしれません。そこで私たちは、カーボナタイトマグマ噴火による天然の放射能汚染が、東アフリカ地溝帯で進化を加速しているという仮説を立て、本格的に検討を始めました。最初に二人の覚えとして作成した研究メモは、現在も私のブログで公開しています[1]。

私はまず、慢性的な放射線被曝（ひばく）が生物に与える影響について論文調査を開始しました。まず、放射線被曝を受けた個体の子孫のゲノムが不安定になる現象がみられ、そこにはエピジェネティック機構が関わっていることが示唆されています（記事6－4）。また、同様の機構が、非標的効果（被曝していない周りの細胞核や娘細胞にも放射線の影響が現れる）を引き起こしています（記事6－5）。実際に、チェルノブイリ原子炉事故の後、清掃作業に従事し低線量被曝した父親の子ども（記事6－7）や、22世代にわたり慢性的に放射線に暴露したチェルノブイリ汚染地帯の小動物（記事6－8）にも、ゲノムの不安定化が確認されています。その一方で、ストレスを受けた植物でも、レトロトランスポゾンの活性化が報告されています（記事6－10）。

また、ヒト、チンパンジー、ゴリラのゲノム比較から、これらの大型類人猿のゲノムでは、セグメントの重複の頻度が他の霊長類よりも4－10倍高いことが分かりました（記事6－3）。このセグメント重複バーストは、ヒト・チンパンジーの共通祖先とゴリラの分岐（600－800万年前頃）以後に起こっています。一方、東アフリカ大地溝帯の形成が約500－1千万年前に始まっていますから、この現象はカーボナタイトマグマによる放射能汚染が原因であると考えると調和的です。このようなセグメント重複による新規遺伝子の獲得が、ヒトの進化を加速した可能性があります。

さらに、脳を大きくする働きを持つＡＳＰＭという遺伝子が、放射線被曝により発現抑制されるという報告がありました（記事6－1）。カーボナタイトマグマ噴火による放射能汚染によって、ＡＳＰＭの発現が無理やり抑制されると、その生物の日々の生活に必要な脳の大きさを維持するために、脳を大きくする方向に強い淘汰圧がかかるはずです。

脳を大きくする方向に進化した個体群において、環境の回復、もしくは放射能汚染が軽微な場所へ移動したことにより放射能汚染の箍（たが）が外れると、急に脳のサイズが大きくなると思われます。人類の進化に見られる何度かの急速な脳の肥大化は、このようにして起きたのかもしれません。

このように、慢性的な放射線被曝によるゲノム不安定が、エピジェネテック機構によって世代を超えて蓄積し、遺伝子の変異率を増加させ、進化を加速するという考え方には、一定の実験的根拠がありそうでした。

次の課題は、新種の確立に必要な「生殖隔離」の成立です。生物学的な種の定義は、「同種内では子孫が繁殖力を持つが、異種間の雑種は繁殖力を持たない」ことであるとされています。交雑可能な亜種が、交雑不可能な新種となるには、両亜種の間の染色体変異が十分多くなり、生殖隔離（雑種が繁殖力を持たない）が確立する必要があるのです。

そのためには、一定の時間、両亜種が隔離されなければなりません。繁殖力のある雑種が生き残った場合には、離れつつある両種の間の染色体変異が、実質的に小さくなってしまうからです。アマゾンにおいても、気候変動による森林の減少に伴う生息域の縮小と孤立が新種の発生を促し、動物相の多様性を生み出しています（記事6－6）。

そこで、私は中立説に基づき、生殖隔離が成立するために必要な世代数を評価しました。中立説については、根井正利先生の集団遺伝学の教科書をボロボロになるほど読みこみ、自分のものとしました[2]。また、一部の重要な結論については、自分で書いたプログラムでシミュレーションを行い確認しています。

例えば、現生人類は約30万年前に現れたとされています。ここで、現生人類が成立するための孤立時間を、その30分の1の1万年と考えます。そして、生殖年齢に達するまでの時間を10年とすると、約1,000世代で生殖隔離が成立したことになります。この場合、有効個体数が30以下の小集団で孤立しており、かつ1世代1個人あたりの染色体変異率が0.001以上であった、という結論が引き出せます（記事6－9）。

また、この染色体変異率は、現生人類のものとしてはかなり高めの値ですから、放射能被曝によるゲノム不安定を被っていたと考えることができます。このことは、東アフリカ現生の大型類人猿（ヒト、チンパンジー、ゴリラ）にセグメント重複バーストが起こっている事実と整合的です（記事6－3）。

私は、現生人類の起源について、上記のような仮説を日本進化学会で提案させていただいたことがあります。その際には、「現生人類のボトルネック効果から、ボトルネック時の有効個体数は2，000程度と見積もられており、あなたの仮説は成り立たない。」と批判を受けました。

しかし、ボトルネック効果で決められるのは、必ず染色体の変異率μと有効個体数N_eの積μN_eなのです。通常の集団遺伝学では、μは一定で、1世代1個人あたり0.00001－0.001とされています。しかし、私たちはμが一定ではなく、慢性的に放射能被曝を受けた集団では0.001よりかなり大きくなると考えているので、有効個体数N_eが、それに逆比例して小さくなってよいことになります。上記の批判は、「変異率μを一定とする」という、特に根拠があるとは思えない仮定に立脚したものであり、反証にはあたらないと私は考えています。

逆に、これまで一定と「仮定」されてきた染色体の変異率μが、環境によって大きく変化する可能性を指摘し、その影響を調べたところに、私たちの破局進化仮説の新規性があると言えます。これは、地質学者（丸山先生）と天文学者（私）が協力して、進化学という異分野に挑戦したからこそ導き出された結果でした。集団遺伝学の分野で育った研究者では、「染色体変異率μは一定」という呪縛を破れなかったかもしれません。

もし、染色体変異率が1世代1個体あたり0.001以下のままであれば、1,000世代では新種の成立（生殖隔離）に至らないことを、遺伝子の中立説に基づいて示すことができます。しかし、これは人類の化石記録と矛盾します。もしくは、遺伝子の中立説の正しさを疑わなければならないでしょう。この矛盾を解消するためには、染色体変異率が大きかったと考える以外にはありません。

それでは、少数個体の集団が孤立し、しかも染色体変異率が高い状況とは、どのようなときに起こり得るのでしょうか？　それは、天変と地異による破局です（記事6-9）。天変においては、太陽系が銀河内の超新星残骸や暗黒星雲と衝突し、寒冷化とオゾン層の破壊、そして銀河宇宙線の100倍増という状況が、同時に、しかも長期間（数万年から数百万年）継続します。これらは、過去に地球で5回起こった大絶滅と、その回復期に起こった大進化と対応していると私たちは考えています。

また、地異は、現在の東アフリカ地溝帯で起こっている、カーボナタイトマグマ噴火による局所的な破局です。東アフリカ地溝帯以外にも、北アメリカのリオ・グランデ渓谷、西アフリカのベヌエトラフなどは現在も活動しています。また、ガラパゴス諸島、カナリヤ諸島、ハワイ諸島はホットスポット火山でできており、かつて地溝帯に位置していました。こうした地域には、その大進化の名残があるはずです。そして、これらの地域は固有種が多いことで有名でもあります。

さらに、カンブリアの進化大爆発は、この天変と地異が同時に襲った破局の連続が作り出しました。

エディアカラ紀からカンブリア紀にかけての約1億年の間に、大絶滅に相当する気候変動が7回も起きています（カンブリア紀以後の4億年間には5回しか起こっていません）。その上、当時は超大陸ロディニアの分裂期にあたっており、四分五裂しつつあった超大陸の地溝帯が活発に活動していました。そのような地溝帯の湖や浅く細い海で、多細胞生物が大進化を遂げました。

天変と地異による破局で種の誕生と大進化が、特定の場所と期間に集中して起こるという私たちの仮説（生物の破局進化仮説）は、グールドとエルドリッジ（Gould, S. J. and Eldridge, N.）が提唱した種の断続平衡説[3]に理論的根拠を与えるものです。また、現在の地球環境は、生物にとって条件がよいので破局状態ではなく、新種は生まれません。

地球には、確認されているだけで200万を超える種が存在していると言われています。その大部分はカンブリア紀（約5億年前）以降に誕生しています。ダーウィンが唱えた系統漸進説に従って、種が一様な割合で生まれているとすれば、250年に一種の割合で新種が生まれていなければなりません。しかし、人類の約2,000年の文書記録を見ても、新種が生まれたという明らかな証拠は見つかりません[4]。

この事実は、生物進化（系統漸近説）に対する明らかな反証であり、頑固に生物進化を否定する人々に、論拠を与えていると私は考えています。そして、生物進化と、有史以来新種誕生の報告がないという事実が矛盾なく整合するためには、種の断続平衡説、ひいては生物の破局進化仮説を導入する必要があると私は考えています。

それでは、破局進化仮説の研究は、今後どのように進めればいいでしょうか？　この仮説の最も弱い点は、慢性的な放射能被曝や環境の激変（気温低下、乾燥、食物不足など）の状況に置かれると、染色体異常やタンデム重複が増加することや、トランスポゾン活性化によりゲノム不安定が惹起することの、実験的確認と分子機構の解明がまだ手つかずであることです。

本稿で紹介した観察事実は、破局進化仮説を示唆するものですが、確定的なものではありません。その確定のためには、慢性的な放射線被曝実験を1、000世代以上にわたって行う実験が必要です。そして、これは予算と時間がかかる気の遠くなるような実験計画です。また、チェルノブイリや福島の放射能汚染地域における生物の生態とゲノムの、長期にわたる網羅的調査も必要となるでしょう。

注

(1) https://science.gakuji-tosho.jp/data/upfile/10-2.pdf

(2) 根井正利著，五條堀孝，斎藤成也共訳：分子進化遺伝学，培風館，1990.

(3) Niles Eldredge and Stephen Jay Gould: Punctuated equilibria: an alternative to phyletic gradualism. In *Models in Paleobiology*, T. J. M. Schopf, ed., Freeman Cooper, San Francisco, 82-115, 1972.

(4) 本章で議論した、アフリカ地溝帯の進化ホットスポットでの進化研究の歴史は、たかだか最近の数十年であり、新種の発生イベントが確認されているわけではありません。

6-1 人類の起源：放射線被曝と脳容積拡大

人類の脳のサイズを決める最も重要な遺伝子は、ＡＳＰＭ（Abnormal Spindle Microcephaly related gene）である。この遺伝子に異常が起きると脳の発達が正常に行われなくなって小頭症（Microcephaly）になりやすい（Bond *et al.* 2002）。ＡＳＰＭタンパクは、体細胞分裂のときに紡錘体の形成と安定化の役割を果たしているらしい。ＡＳＰＭタンパクが異常でも普通の体細胞の分裂は正常に行われるが、神経細胞の分裂が阻害されて、正常な大脳皮質を作れなくなる。ＡＳＰＭタンパクは、マイクロチューブリン結合部位、カルポニン類似部位、カルモジュリン結合部位を持っていて、線虫から哺乳類までよく保存されている。ただし、カルモジュリン結合部位にあるＩＱモチーフの繰り返し数が生物種によって違い、その数は神経組織の複雑さによく相関している。たとえば、人間は74個、マウスが61個、ショウジョウバエ28個、線虫と植物は1－8個である。

ＡＳＰＭ遺伝子の発現は、放射線被曝によって阻害される（Fujimori *et al.* 2008）。強い放射線を浴びた胎児が小頭症になりやすいのはこのせいと考えられる。人類の祖先が、放射線被曝量が高い環境で暮らしていたとする。その中では、放射線被曝にもかかわらず小頭症にならないよう、ＡＳＰＭ遺伝子の機能強化に強い選択圧がかかったと考えられる。その結果、たとえばＩＱモチーフの数が増えるなどの分子的な適応が起こったのかもしれない。その後、何らかの理由で自然放射線のフラックスが減少したか、放射線被曝が少ない環境に移動したと仮定する。すると、放射線によるＡＳＰＭ遺伝子の阻害機構が働かなくなり、その後の胎児は脳の肥大が加速したと考えられる。

この放射線被曝は、アフリカ大型類人猿で起こっているＤＮＡセグメントの複製バーストも引き起こしたのかもしれない（記事６－３）。

（２０１１年5月30日）

参考文献

(1) Bond *et al.*: ASPM is a major determinant of cerebral cortica size, *Nature genetics*, **32**, 316, 2002.

(2) Fujimori *et al.*: Ionizing radiation downregulates ASPM, a gene responsible for microcephaly in humans, *Biochemical and Biophysical Research Communications*, **369**, 953-957, 2008.

6-2

大地溝帯でなぜ新種が生まれるのか？

アフリカ大地溝帯はその特異な地形的な景観だけでなく人類発祥の地としても有名である。更に、生物学的な興味を持つ人には、陸上のガラパゴスとして有名なビクトリア湖（タンザニア）を知っている人も多いだろう。ビクトリア湖では過去1万5千年の間にシクリッド（淡水魚の一種）が500種に分化している（Mzighani *et al.* 2010)。東南太平洋のガラパゴス島のフィンチ（鳥）が約10種類に進化していることを発見したダーウイン は自然環境がゆっくりと変化するとそれに応じてゆっくりと生物も適応進化すると着想した (Darwin 1959)。ここで、多くの疑問がわき出てくる。ビクトリア湖でもゆっくりと環境が変化したのであろうか。この変化は大地溝帯の中に無数にある湖では常に同様なことが起きたのであろうか。更に人類がなぜ地溝帯の中でだけ生まれ、地溝帯の外や、ほかの大陸でなぜ誕生しなかったのであろうか？

（２０１１年6月1日）

参考文献

(1) Darwin, C.: *Origin of species*, 1959.

(2) Mzighani, S. I. *et al.*: Genetic variation and demographic history of the haplochromis laparogramma group of Lake Victoria-An analysis based on SINEs and mitochondrial DNA, *Gene*, **450**, 39-47, 2010.

6-3 大型類人猿の祖先におけるセグメント重複バースト

全ゲノムの比較から、大型類人猿においては、塩基配列セグメントの重複の頻度が他の霊長類よりも４－10倍高いことが分かった（Johnson *et al.* 2006; Marques-Bonet *et al.* 2009; Marques-Bonet *et al.* 2009）。このセグメント重複バーストは、人類・チンパンジーの共通祖先とゴリラの分岐（600－800万年前頃）以後に起こっている。これは、東アフリカ大地溝帯の形成が約500－１千万年前に始まったことと調和的である。

セグメント重複は、放射線その他の理由で起こったＤＮＡの二重鎖切断の修復の際に、よく似た別の場所の配列同士を間違えてつなげてしまう修復エラーによって起こる。この後、減数分裂時に片方に同じ遺伝子配列の繰り返し（一対の対抗する配列：タンデムコピー）、もう一方はその分の欠失が起こる。遺伝子が欠失したゲノムを持った方の胚はその発生の初期の段階で死亡する確率が高い。重要遺伝子の欠失は致命的になることが多いからである。このため、次の世代では平均的にはコピー数が増えることになる。

セグメント重複バーストにより、類人猿では、

1）新規遺伝子が誕生する（重複→配列置換により一方が新規機能を獲得）
2）ゲノム内の同じ遺伝子の数が増加する（これで大型化を可能にしたのかもしれない）
3）ますますゲノムが不安定になる（コピーが増えると遺伝子修復エラーが増加）

などの複合効果で急速な進化が起こっていると考えられる。

セグメント重複バーストの原因は、まだ上記の論文でも議論されていない。ＤＮＡ二重鎖切断が頻繁に起こればいいことを考えると、環境放射線の増加が一つの候補である。チェルノブイリ近傍の放射線汚染地帯でも小型げっ歯類において遺伝子の不安定化が観測されている（記事６－４）。このような、環境放射線増加は、東アフリカ大地溝帯の形成によるカーボナタイト火山の噴火のせいかもしれない。カーボナタイトマグマの放射線同位元素濃度は一般に高い。人類進化に関する分子遺伝学的なレビューは、Bradley（2008）に与えられている。

（２０１２年１月２日）

参考文献

(1) Bradley, B. J.: Reconstructing phylogenies and phenotypes: a molecular view of human evolution, *J. Anat.*, **212**, 337–353, 2008.

(2) Johnson, M. E. *et al.*: Recurrent duplication-driven transposition of DNA during hominoid evolution, *PNAS*, **47**, 17626–17631, 2006.

(3) Marques-Bonet, T. *et al.*: A burst of segmental duplications in the genome of the African great ape ancestor, *Nature*, **457**, 877–881. 2009.

(4) Marques-Bonet, T. *et al.*: The origins and impact of primate segmental duplications, *Trends in Genetics*, **25**, 443–454, 2009.

6-4 放射線被曝を受けた親の子孫の細胞におけるゲノム不安定について

Dubrova（2006）は、放射線被曝した親の子孫におけるゲノム不安定について調べた。放射線被曝した動物の子孫に、癌疾病の増加と体細胞および生殖細胞の両方のゲノムの不安定が示された。変異率の有意な増加が、最初の放射被曝から少なくとも20－40回の分裂後まで見られる。この不安定性には、エピジェネテックス機構が関与しているようだ。

親のDNAのメチル化がこの不安定を子孫に伝達していると考えられる。多くの研究が、DNAのメチル化がエピジェネテックな変化の鍵を握る機構であることを示している（Baulech2001; Vance 2002; Harrouk 2000; Nomura 2004）。多くの遺伝子のメチル化された配列が、精原化の間、保存されることが分かっている。構造遺伝子のプロモータ部分のメチル化がその転写を抑制し、その結果その遺伝子の発現や抑制を起こす。いくつかの遺伝子の発現の変化が、放射被曝した親の数世代の子孫まで継続することが分かっている。

放射能被曝直後と被曝後6－8週間後のオスのマウスとラットの子孫に遺伝子不安定がみられるので、エピジェネテックな変化が生まれる時期についてはよく考える必要がある。被曝後6－8週間でオスに交尾させる実験においては、転写的に活動的だった時期に被曝した精原細胞からできた精子が受精している。このような転写的に活動的な精原細胞は、すべてのDNA損傷を認識し、修復する能力を持っている。その認識・修復過程で放射能被曝した親の生殖細胞にエピジェネテックな変化が生まれたのかもしれない。

精原化の後期では、すべての修復過程は不活性化されるので、すべてのＤＮＡ修復はこの過程では修復されないで残る。このため、被曝から数週間以内に交尾したオスの精子では、多くの放射性のＤＮＡ損傷をそのまま受精に至る。このような損傷は、卵子の受精時に認識され修復される。つまり、上に述べた親のゲノムのエピジェネテックな変化は受精時に起こったことになる。

この観点から、Shimura（2002）らの結果は特に興味深い。彼らは、たくさんの放射線起源のＤＮＡ損傷を持った精子による受精がＤＮＡ損傷認識と修復のシステム（p53タンパク質のリン酸化など）を父系だけでなく未損傷の母系の原核にも起動させることを示した。このような機構の起動が、発生中の胎児における放射線によるゲノム不安定の出発点として働くのかもしれない。

一方で、放射線被曝を受けたオスのマウスの子孫の細胞において、単鎖切断と複鎖切断の発生数が2倍以上増加している。これは、染色体異常（ＤＮＡ二重鎖切断）と遺伝子変異（ＤＮＡ単鎖切断と二重鎖切断）の増加を説明する。つまり、放射線被曝を受けた親の子孫における遺伝子の不安定には、個々の損傷というよりも、細胞にあるＤＮＡ損傷全体が関係しているようだ。

放射線誘起のゲノム不安定による偶発的なＤＮＡ損傷の増加の原因は、たとえば慢性炎症による酸化ストレスと同根かもしれない。酸化ストレスを受けている細胞では、フリーラジカルが鋭く上昇し、それがＤＮＡの単鎖および二重鎖切断を含む多くのＤＮＡ変化の原因になる。このＤＮＡの酸化損傷は塩基異常修復（ＢＥＲ）によって修復される（Reardon 1997）。そのとき、周りのヌクレオゾームの位置やヒストン修飾を含むクロマンチン構造の変化が要求される。DNA修復後は、DNAのメチル化が再構築されなければならない（O'Hagan 2011）。

トランスポゾンの活動は、このようなエピジェネティック機構によって抑制されているので、放射線被曝がトランスポゾンの活動を活性化し、その結果として子孫のゲノムの不安定の発生に貢献している可能性がある。

偶発的なDNA損傷の多くは、DNA複製時に起こる。最も危険なのは、DNA複製の遅れである。それは、DNA構造的な損傷もしくは細胞周期制御の効果による。癌化の初期においては、細胞周期の制御の失敗がDNA複製過程を乱して多数のDNA損傷の原因となる。Breger *et al.* (2004) は放射線誘起染色体不安定と体細胞の複製の遅れの相関を見出している。マウスにおけるDNA繰り返し配列における変異は、複製の失敗によって生まれている。したがって、放射線被曝した親の子孫におけるDNA複製の失敗は、これらの場所における安定性に、その他の遺伝子配列と同様に影響を与えている。

（2012年2月19日）

参考文献

(1) Baulch, J. E. *et al.*: Heritable effects of paternal irradiation in mice on signaling protein kinase activities in F-3 offspring, **16**, 17–23, 2001.

(2) Breger, K. S. *et al.*: Ionizing radiation induces frequent translocations with delayed replication and condensation, *Cancer Res.*, **64**, 8231–8238, 2004.

(3) Dubrova, Y. E.: Genomic instability in the offspring of irradiated parents: facts and interpretations,

Russian Journal of Genetics, **42**, 1116–1126, 2006.

(4) Harrouk, W. *et al.*: Paternal exposure to cyclophosphamide induces DNA damage and alters the expression of DNA repair genes in the rat preimplantation embryo, *Mutat. Res.*, **461**, 229–241, 2000.

(5) Nomura, T. *et al.*: Transgenerational transmission of radiation- and chemically induced tumors and congenital anomalies in mice: studies of their possible relationship to induced chromosomal and molecular changes, *Cytogenet. Genome Res.*, **104**, 252–260, 2004.

(6) O'Hagen, H. M. *et al.*: Oxidative damage targets complexes containing DNA methyltransferases, SIRT1, and polycomb members to promoter CpG Islands, *Cancer Cell*, **20**, 606–619, 2011.

(7) Reardon, J. T. *et al.*: In vitro repair of oxidative DNA damage by human nucleotide excision repair system: Possible explanation for neurodegeneration in Xeroderma pigmentosum patients, *Proc. Natl. Acad. Sci. U.S.A.*, **94**, 9463–9468, 1997.

(8) Shimura, T. *et al.*: p53-dependent S-phase damage checkpoint and pronuclear cross talk in mouse zygotes with X-irradiated sperm, *Mo. Cell Biol.*, **22**, 2220–2228, 2002.

(9) Vance, M. M. *et al.*: Cellular reprogramming in the F-3 mouse with paternal F-0 radiation history, *Int. J. Radiat. Biol.*, **78**, 513–526, 2002.

6-5 放射線の非標的効果

放射線に被曝した細胞核のみではなく、被曝していない周りの細胞核や娘細胞にも放射線の影響が現れる。これを放射線の非標的効果と呼ぶ(Ilnytskky and Kovalchuk 2011)。放射線損傷の記憶は、被曝した細胞の子孫にもゲノム不安定になりやすい形質として保存される。同様の形質が被曝した生殖細胞からできた胚においても発現し、それが大人になっても維持される。

非標的効果には、ＤＮＡメチル化、ヒストン修飾、そして小ＲＮＡ分子に媒介された遺伝子発現抑制の3つのエピジェネティック機構が関与していると考えられている。オスとメスのマウスにおいては、0.5–5 Gyの被曝によりＤＮＡメチル化の減少とＤＮＡメチル基転位酵素、メチル−ＣｐＧ結合たんぱく質の発現が抑制される。これにより、メチル化で発現が抑制されていた遺伝子、特にトランスポゾンが活性化する。また、ＤＮＡの二重鎖切断のすぐそばでは、ヒストン修飾とクロマチン構造が変化している。さらには、放射線被曝後には小ＲＮＡ分子の発現パターンも、大きく変わる。

（２０１２年３月29日）

参考文献

Ilnytskyy, Y. and Kovalchuk, O.: Non-targeted radiation effects—An epigenetic connection, *Mutation Research/Fundamentaland Molecular Mechanisms of Mutagenesis*, **714**, 113–125, 2011.

6-6　アマゾン熱帯雨林の動物相の多様性の起源

地球上で最も多様性豊かな動物相が、中央南アメリカの熱帯低地にみられる。この動物相は、アマゾン川流域を中心とし、西はアンデス山麓、東は大西洋岸、北はギニア高地、南はブラジル楯状地まで広がっている。Haffer（1969）は、このアマゾン熱帯雨林の鳥類の多様性は、更新世とその後に起こった何度かの乾燥期にアマゾン熱帯雨林が、小さな森に分割されたことに起因していると提案した。これらの小さな森は、サバンナに囲まれてお互いに孤立してしまったものの、森林動物の「避難所」として機能した。湿潤な気候が戻ると、これらの孤立した森は、また拡大して再結合し、森林動物も同様にその生息域を拡大した。このような、分裂と再結合が第四紀中に幾度も繰り返されて、地質学的には短い時間でアマゾン動物相の急激な種分化を導いたと考えられる。

現在のアマゾン熱帯雨林地帯でも降雨量は一様でない。年間2,500㎜以上の雨が降る地域は(1)ジュルア川、オリノコ川上流からアンデス山麓にかけての地域、(2)マデイラ川上流からタパジョス川にかけての地域、(3)南ギニアからアマゾン川河口にかけての地域である。領域(1)(2)と領域(3)は、ネグロ川、プルス川、ジュルア川流域の少し乾燥した地域に隔てられている。

現在より乾燥していた時期も、この降雨パターンがあまり変わらなかったとすると、降雨量の少ない地域では森林が消滅してサバンナに覆われ、熱帯雨林は上記の降雨量の多い三つの地域に後退したと考えられる。この乾燥期には、現在ブラジル中央部に住んでいる非森林性の動物が北上し、ボリビア東部、アンデス山麓にまで到達したと考えられる。実際、非森林性の鳥類が、現在も森林内に残る孤立したサバンナの残骸に生息している。

逆に今より湿潤な時期は、アマゾン熱帯森林は、ブラジル中部（現在は非森林化している）を通してブラジル南東部の森と繰り返し結合した。このような森の橋を伝って、多くの植物種と動物種が交換された。これらの森林の残骸は、小さな湿潤ポケットに今でも残っていて、そこにはアマゾン動物が孤立して生息している。

乾燥期の後湿潤な気候が戻ると、熱帯雨林が拡大し、避難所の動物相も生息域を拡大して、かつて同種であった兄弟種と再接触する。種分化の進展状況により以下の三つの場合がある。

(1) 地理的同居

地理的な隔離中における種分化が完全で、二つの兄弟種は、生殖隔離と生態学的にも非競合となった。この結果、二つの兄弟種は平和裏に同居し、生息域はある程度重なり合う。

(2) 地理的排他

地理的な隔離中における種分化が不完全で、生殖隔離は成立したが、生態学的にはまだ競合している。この場合は、生態学的な競争により、雑種を作らない地理的な排他生息状態に至る。

(3) 雑種化

生殖隔離も成立していない場合は、再接触領域に沿って雑種が生まれる。雑種化は、遺伝子プールの不適合性によりかなり狭くなる。雑種化域が広い極端な場合は、完全に再融合することもある。
Haffer（1969）によれば、アマゾンに現在生息する鳥類の分布から乾燥期における避難所として9つの場所が想定されている（図6－1）。主な鳥類の分布は、このような「避難所仮説」でほぼうまく説明できる（Haffer 1969; Haffer 2008：図6－2）。

アマゾンの森林動物相は第三紀後期には、今ほどは多様性に富んでいなかったようだ。第四紀に入って、気候変動が激しくなり、その生息域が大きく脈動した。乾燥期には森林が縮小し、その結果、森林動物相の生息域は分裂して孤立し、ほとんどの種は絶滅に瀕し、実際に多くの種が絶滅したが、一方で新種も多く誕生した。この繰り返しにより、急速な進化を遂げて現在の豊かな動植物相が作られたと考えられる。

（2012年7月25日）

参考文献

(1) Haffer, J.: Speciation in Amazonian Forest Birds, *Science*, **165**, 131-137, 1969.
(2) Haffer, J.: Hypothesis to explain the origin of species in Amazonia, *Braz. J. Biol.*, **68** (4, suppl), 917-947, 2008.

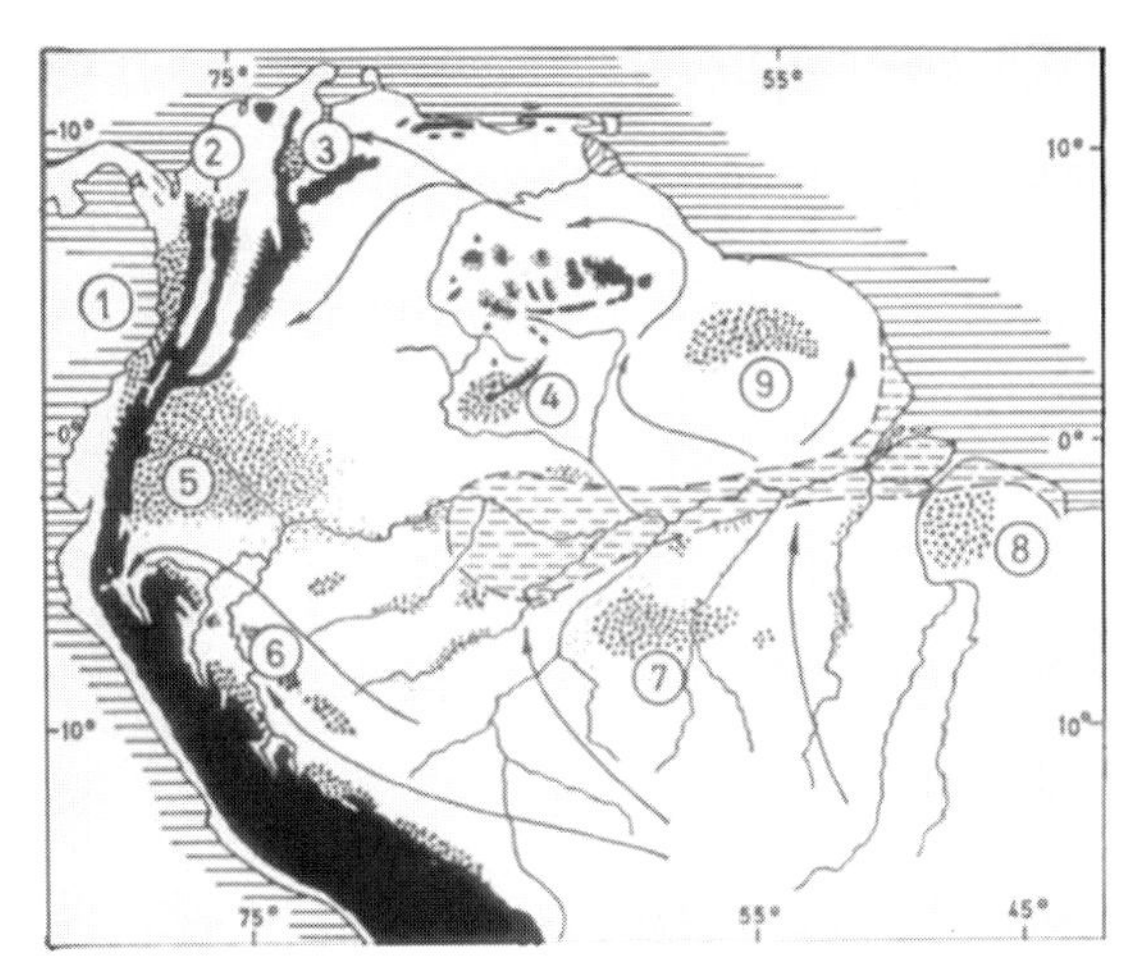

図6-1 Haffer *et al.*, 1969, *Science*, **165**, 131–137.

南米のアマゾンは現在全面が熱帯雨林で覆われているが、過去の乾燥期では熱帯雨林領域が縮小し、9つの領域に分裂していた。それぞれに孤立した亜種はそれぞれ独自に進化して別種になった。

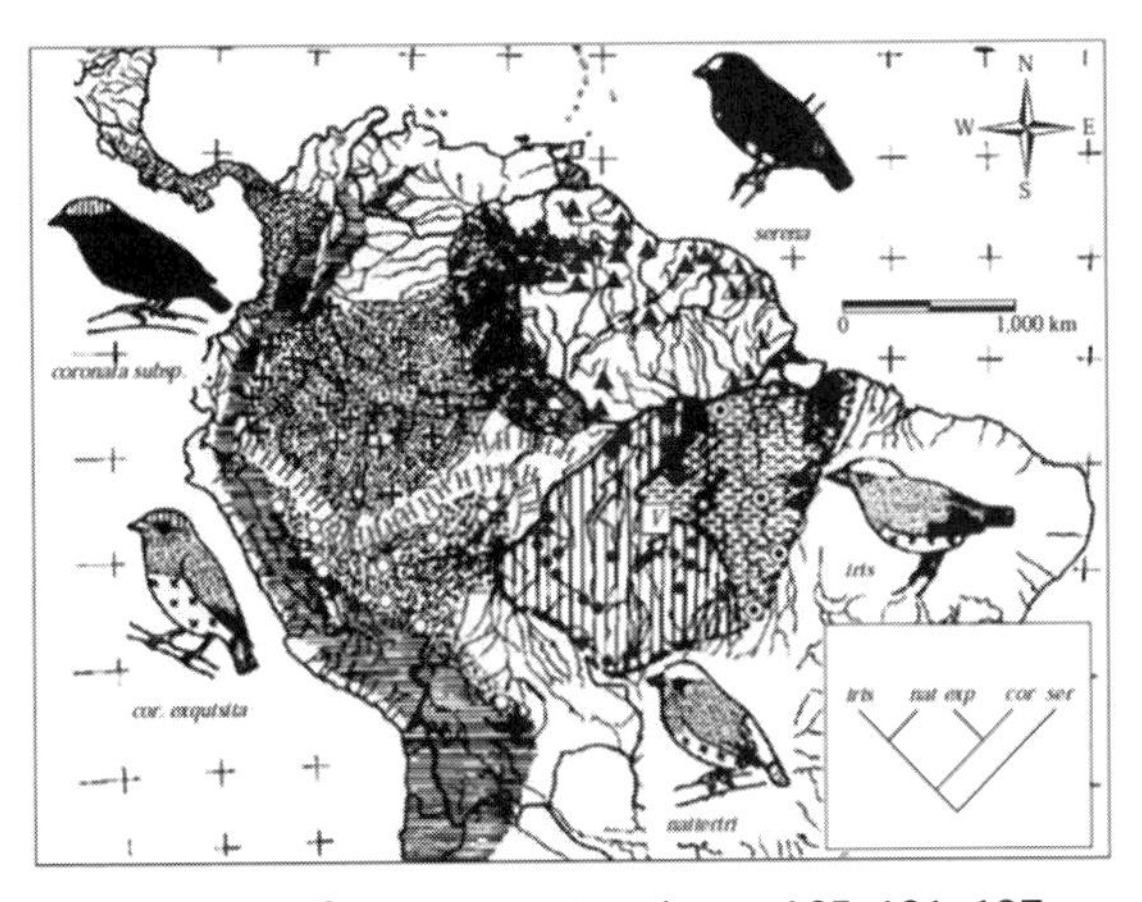

図6-2 Haffer *et al.*, 1969, *Science*, **165**, 131–137.

現在のアマゾンにおける鳥類の分布は、避難所仮説で説明できる。

6-7 低線量率被曝した父親（チェルノブイリ清掃作業従事者）の子どもにおけるゲノム不安定の解析

Aghajanyan *et al.*（2011）は、イオン化放射線に対する低線量被曝した父親（チェルノブイリ事故の清掃労働者）と被曝していない母親の間に生まれた、被曝していない子どもの、ゲノム不安定を調べた。父親たちの清掃従事時間は2－6か月にわたり、その平均被曝線量は226mSvだった。異常細胞頻度、染色体型異常頻度、そして染色体切断頻度は、清掃労働者の父親とその子どもにおいて、コントロールよりも有意に（2－3倍）高かった。染色体切断頻度（100細胞に4－5個）は、父親の被曝と妊娠の時間とは無関係だった。平均異常染色体頻度は、子どもと父親で変わらなかったが、母親とは有意に違っていた。これは、低線量被曝が父親にゲノム不安定を誘導したこと、さらにそれが子どもにもゲノム不安定を誘導したことを示唆している。したがって、ゲノム不安定がこれらの子どもの生涯にわたる疾病率の増加に寄与している可能性がある。

（2012年8月10日）

参考文献

Aghajanyan, A. *et al.*: Analysis of genomic instability in the offspring of fathers exposed to low doses of ionizing radiation, *Enviromental and Molecular Mutagenesis*, **52**, 538–546, 2011.

6-8
世代を超えて蓄積される放射線損傷：チェルノブイリ降下物に慢性的に曝露された小動物

Nadezhda *et al.*（2006）は、チェルノブイリ事故から10年、22世代にわたり慢性的に放射線に曝露されたハタネズミ（bank vole）野生の個体群の生物学的損傷の蓄積の解析を行った。骨髄細胞における染色体異常と胎児死亡率が、ベラルーシのさまざまな放射性核種の地上堆積条件における監視領域の個体群の全身吸収放射線量率の時間変化と比較された。低線量率での長期にわたる生物学的損傷は、22世代にわたって蓄積され、染色体異常の増加と胎児の死亡率の永久的な増加を引き起こしている。これは、全身吸収線量率の2.5－３年の半減期で減少するのにともなって、生物学的な損傷も消えるとする仮定と際立った対照をなしている。しかも、捕獲されたメスからの、汚染がない実験室条件下で生まれ育てられた、子どもでも同じ染色体異常が同様に高かった。したがって、祖先における慢性的な低線量率被曝による生物学的な損傷が、遺伝的、もしくはエピジェネテック的な過程を通して世代を超えて伝えられ、これらの高い染色体異常率と胎児の死亡率に寄与したと考えられる。

（２０１２年９月19日）

参考文献

Nadezhda, I., Ryabokon, R. and Goncharova, I.: Transgenerational accumulation of radiation damage in small mammals chronically exposed to Chernobyl fallout, *Radiation Environ Biophys,* **45**, 167–177, 2006.

6-9 生命進化の統一理論：超新星、放射性火山灰降下、ゲノム不安定、大絶滅による進化

大災害による生命進化の一般的な理論的な枠組みを提案する。その枠組みは、ダーウィンの系統漸進説、エルドリッジ・グールドの断続平衡説を包含し、さらに、大絶滅による大進化、そして異所性、側所性、同所性種分化の理論を包含している。それは、超新星遭遇による全球的大災害、もしくは大陸性アルカリ火山による放射性の火山灰降下による局所的大災害によって、種同士の生殖隔離が、どのように確立するかを記述している。

この新しい進化モデルは、大災害によって強制された種分化が、高い放射線レベルによる高い染色体変異率、小さな個体数、そして、生息域の収縮による孤立、の3つの要因で駆動されることを指摘している。半孤立したグループの母集団からの種分化を記述する簡単な数値モデルを構築し、種分化に必要な世代数を評価した。それは観察例から得られる値と整合的である。例えば、変異率が1世代1個体あたり1、000分の1から10万分の1と小さい場合は、種分化には少なくとも10万世代かかる。しかし、それが0.1近くまで大きいと、側所的な場合に、それよりもずっと早く1、000世代くらいで種分化する。さらに、変異率が1世代1個体あたり1近くまで大きくて、有効個体数が20−30位まで少ない場合は、同所的であっても、種分化が起きる。

超新星遭遇による全球的な大災害や放射性火山灰降下による局所的な大災害時は、高い放射線レベルのために、染色体変異率が非常に高くなる。

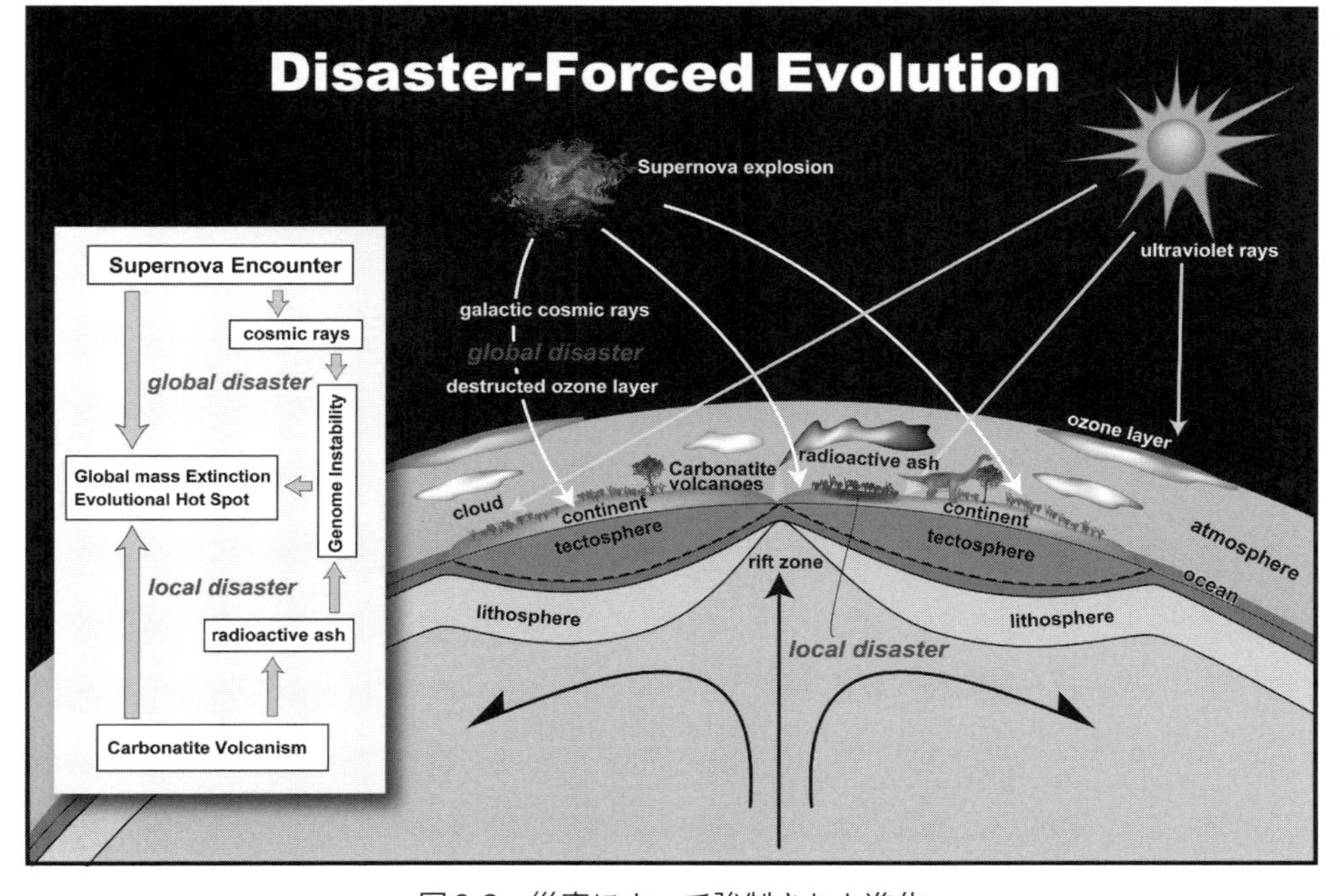

図6-3　災害によって強制された進化
Ebisuzaki and Maruyama, 2014, *Geoscience Frontiers*, 6, 103–119.

このような、急速な種分化は、カンブリアの生命多様性の大進化のような大絶滅に伴う大進化も説明する。同じような急速な進化は、小規模ではあるが、現在のアフリカ大地溝帯におけるシクリッドや人類を含む大型類人猿の進化に見られる。これらは、大陸性アルカリ火山による放射性火山灰降下によるものと考えられる。

（２０１５年3月1日）

参考文献

Ebisuzaki, T. and Maruyama, S.: United theory of biological evolution: Disaster-forced evolution through Supernova, radioactive ash fall-outs, genome instability, and mass extinctions, *Geoscience Frontiers*, 6, 103–119, 2015.

6-10
ストレスを受けた植物の世代をまたいだレトロ転移をｓｉＲＮＡが妨げている

真核生物のゲノムは、かなりの割合をレトロトランスポゾンで占められている。ただし、その活動は宿主のエピゲノム機構で制御され、不必要な場合は抑制されている。しかし、この抑制機構の詳細は分かっていない。Ito *et al.*（2011）は、熱ストレスをかけたArabidopsisの実生苗において、ONSENという名前を付けたレトロポゾンの転写が活性化し、染色体外ＤＮＡコピーとして、細胞内に存在することを示した。小型干渉性ＲＮＡ（siRNA）遺伝子が発現しないような変異株の場合、転写産物量と、染色体外コピー数がさらに増加した。熱ストレス後、ONSENの転写と染色体外ＤＮＡは、次第に減少し、20－30日後には検出できなくなるが、siRNAが欠失した変異体では、その子孫のゲノムにONSENの新しい挿入が高い頻度で観測された。挿入パターンの解析から、世代を超えたレトロ転移が花芽の分化時の配偶子形成以前に起こっていることが分かった。したがって、siRNA生合成不全のArabidopsisにおいては、生殖細胞の分化の際にONSENが転移でき、ストレスの記憶が分化の際に維持されることを可能にしている。その結果子孫が、新たな遺伝子型のバリエーション（子孫同士の遺伝子型も異なる）を持つことになる。

ストレスをかけた野生型の植物体の子孫にもストレスをかけなかったコントロールの植物体にも、レトロ転移は観察されなかった。これはsiRNAが、環境ストレスによって誘導されるトランスポゾンの転移を制限していることを示している。Ito *et al.*（2011）は、天然でも、あるいは変異株で誘導された場合でも、ONSEN のエクソン内への挿入変異体が生じ、熱応答に貢献していることを見出した。このことは、トランスポゾンの誘導と、それによる転移の爆発的な増加が、新規なストレス応答性の遺伝子制御ネットワークの構築に貢献していることを示しているのかもしれない。

（一部、奈良先端大、大島氏の協力を得た）

（２０１６年３月７日）

参考文献

Ito, H. *et al.*: An siRNA pathway prevents transgenerational retrotransposition in plants subjected to stress, *Nature*, **472**, 115–120, 2011.

第7章

科学論

解説　第7章 科学論

この章では、自分が職業としている科学について、一人の科学者として論評しました。

最初に、京都にある佐久間象山、大山益次郎遭難碑の写真を掲載しました（記事7－1）。二人とも前半生は学者でしたが、勇気をもって発言し、行動した人物です。時代は違いますが、自分もこうありたいと私は思っています。

記事7－2は、科学の学問分野には大きく分けて「名前がYで終わる、探索と発見の学問」と「名前がSで終わる、整理と体系化の学問」の二種類があることを説明しています。この二種類の学問では、その研究手法がかなり異なります。多くの場合、学問分野はY学問として出発し、S学問としてその体系化を終えるのです。その学問分野の発展段階を意識する必要があることを、この記事では述べました。

記事7－3では、科学における「反証可能性」の重要性を述べました。科学的仮説は「もし条件Pが真であるならば、観察可能なQが生じる」という条件命題の形をとっています。しかし、Qが観察されたからと言って、その仮説が正しいとは言えません。Qを生じる別の条件が存在してもいいからです。しかし、Pが成立したにもかかわらずQが生じなかった場合には、この仮説は一義的に否定されます。したがって、ある作業仮説について反証が成立すれば、その支持者はその事実を真剣に受け止めて、(1)反証の不成立を主張する（反証反論）、(2)反証を認めて仮説を完全に撤回する（仮説棄却）、(3)反証を認めて仮説に修正を加える（仮説修正）、のいずれかの行動をとる必要があります（図7－1）。一方、コンピュータプログラムの発達によって、カメレオンモデルができやすく反証が難しい場合があることをこの記事では指摘しています。

さて、反証反論の場合は、反証提示者との間で激しい討論が起こることは言うまでもありません。また、仮説修正においては、まずは新しいパラメータを導入するなどにより提示された反証の解消を目指

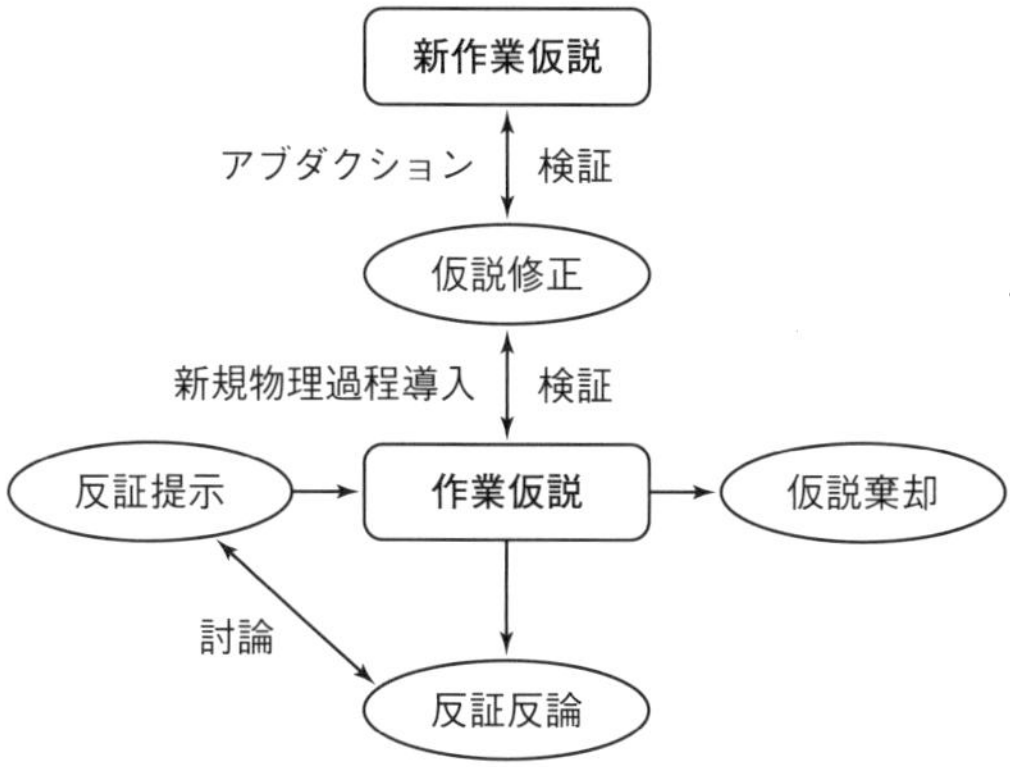

新作業仮説
アブダクション
検証
仮説修正
新規物理過程導入
検証
反証提示
作業仮説
仮説棄却
討論
反証反論

図7-1　作業仮説の進化

します。本書でも、気候変動（第4章）、生命の起源（第5章）、種の起源と生物進化（第6章）において、巷に流布する仮説に対して反証を示しました。そして、それぞれ電離放射線による海上低層雲の増加、有機物の非生物的合成、ゲノム不安定というこれまで考慮されていなかった物理過程を導入することで、反証の解消が可能であることを指摘しています。修正された仮説は検証に付され、本当に反証を解消したか、仮説の他の部分に悪い影響がないかが評価されます。その結果、さらに修正が行われることになります。修正部分があまりに多くなると、仮説の論理構造を根底から見直されて、新しい作業仮説が生まれることになります。いわゆるパラダイムシフトが起きるわけです。それには長い時間がかかり、ときには世代をこえて議論が続きます。地動説から天動説へのコペルニクス的転回は、約140年、5世代にわたっていたことは、第8章の記事8－5が紹介しています。

この仮説の修正作業と新作業仮説の創出には、アブダクション（abduction）という「個別の事象を最も適切に説明しうる仮説を導出する論理的推論」を行う能力を必要とします。深層学習技術の発達で人工知能は、原因から起こりうる結果を予測する（インダクション）の能力を持つようになりました。しかし逆に、望ましい結果からそれを実現する原因を推定するアブダクションについては、やっとそれを実現する理論的な枠組みができたばかりとされています[1]。アブダクション能力を持つ人工知能の登場には、まだ時間がかかりそうですから、それまで人間が頑張るしかありません。

また、記事7－4では、科学者にとっての論文を書くことの意味について解説しました。逆に、論文を読み続けることは、科学者としての生命線であり、それを保証するための図書館の重要性を、記事7－

8で指摘しています。

記事7－5においては、言論の自由が科学の発展に不可欠の栄養素であることを主張しています。また、米国科学財団（National Science Foundation）のビルにある、トーマス・ジェファーソンの言葉を刻んだ銘板を紹介しました。

記事7－6では、国際プロジェクトにおける日本の科学者の活躍と、その理由を考察しました。

記事7－7では、母親との韓国旅行（第9章）で見つけた、農村衛生研究所初代所長・李永春博士が起草した設立趣旨文を紹介しています。

また、記事7－9でキャプテン・クック（Cook, J., イギリス）、記事7－10でH．A．ローレンツ（Lorentz, H. A., オランダ）、記事7－11で伊能忠敬（日本）、記事7－12でジェラール・ムルー（Mourou, G. A., フランス）の業績を、科学の発展の観点から紹介しました。

最後に、記事7－13では、21世紀科学が直面する「複雑な系」の理解を、どのように進めればよいかについての試論を披露しています。

今回、改めてこれらの科学に関する記事を読み返してみて、私はカール・セーガン（Sagan, C. E.）著"The Demon-Haunted World"を思い出しました。[2] この彼の最後の科学解説本において、彼は現代が「悪魔が吠える世界」であるとします。「悪魔が吠える」とは、似非科学やカルト宗教、都市伝説が、確たる根拠もなく主張され、多くの同調者を得ていることを指しています。セーガンはその危険性を指摘するとともに、反証可能性を手掛かりとして認識を修正しつつ、より確かな世界の描像を得る科学の方法論こそが、真偽を明らかにして「暗闇を照らす一本の蝋燭」のような存在であり、唯一頼れるものであると説いています。

この本の出版から四半世紀以上が過ぎた今、私たちの周りを見渡してみてどうでしょうか？　依然として、似非科学的カルト宗教が蔓延(はびこ)り、都市伝説や反ワクチン論、陰謀論がまことしやかに語られ、それらがあまつさえ、一国の指導者の口からすら聞こえてくる始末です。また、真摯な科学者の研究結果が、一般に流布する「常識」に反すると、そこに至る過程を確かめることもせずに「非科学」「似非科学」と科学の素人から決めつけられる事態すら見かけるようになりました。

科学も研究分野の細分化が一層進み、その分野の外からの真摯な批判や反証は無視され、細分化された学会の中で自分の主張を繰り返すことで、無力化し、大衆の信頼を失いつつあるように私には思えます。「暗闇を照らすべき蝋燭」である科学そのものが、「悪魔吠える世界」の闇に侵食されているのです。科学者は、広く世界を俯瞰して諸科学を再統合し、人類的な課題に勇気をもって発言する必要がある、と私は考えています。

注

(1) Judia Pearl and Dana Mackenzie: *The Book of Why: The New Science of Cause and Effect*, Basic Books, 2018.

(2) Carl Sagan and Ann Druyan: *The Demon-Haunted World: Science as a Candle in the Dark*, Ballantine Books, 1997 (1995).

7-1 佐久間象山、大山益次郎遭難碑

佐久間象山と大山益次郎の遭難碑。京都木屋通り三条の高瀬川のほとりにある。どちらもまず学者として身を起こしたが、国難に際して奔走して、回天の業の先駆けと完成をなした。先見の明により勇気ある発言をしたが、それが災いして非業の死に倒れた。学者たるもの、勇気を持つべし。合掌。

写真7-1　遭難碑

7-2 S学問とY学問の興亡

学問の名前にはYで終わるものとSで終わるものがある[1]。前者はAstronomy（天文学）、Geology（地質学）、Biology（生物学）、Chemistry（化学）、Phylogeny（進化学）、Geography（地理学）、History（歴史）などであり、後者はPhysics（物理学）、Mathematics（数学）、Genetics（遺伝学）、Statistics（統計学）、Dynamics（動力学）などである。前者は、発見の学問であり、対象物を分類し記載する。新種を発見し記載することが最も称賛される。Y学問の研究者は、他との違いを強調する傾向があり、体系化を本能的に嫌う。アーネスト・ラザフォードが「切手蒐集」と揶揄したように[2]、趣味の世界との境界は曖昧である。

一方、S学問は、体系化の学問であり、対象物の性質を少数の仮定と方程式により説明することを目標とし、数学との相性がよい。S学問の研究者は、対象物同士の小異を捨て大同を大事にする要素還元主義者である。一方、Y学者からは、「無味乾燥」、「帝国主義」、「単色の世界」と批判される。確かに、S学問が確立してしまった分野は、変化は簡単ではなく、しばらく学問の進歩は止まってしまう。むしろ産業への応用が大事になってゆく。

学問分野は、Y学問により探検、開拓され、S学問によって体系化されて完成を見るという発展形態をとることが多い。20世紀の前半は、19世紀後半に得られたY学問的知見をもとに、天文学と化学の物理学による体系化が進行した。一方で、物理を応用した観測・測定手段が天文学と化学のフロンティアを広げた。分光、電波や紫外線、エックス線などの新しい測定手段により、新種の天体、化合物、反応経路が発見され、Y学問としての側面も活発だったのが化学と天文学だった。これは、S学問たる物理学が周辺のY学問である天文学と化学を侵略したと見えなくもない。「物理帝国主義」とはまさにこの現象を意味したと思われる。

一方、生物学と地球科学の体系化は20世紀の間は進行しなかった。20世紀後半には、天文学、化学における変化はひと段落したこともあって、物理学は停滞した。代わって生物学が分子生物学を中心に華やかに進歩した。

しかし、21世紀になって、状況が次第に変わりつつある。まず、生物や地球は諸量が非線形に強度に相関する系であり、そのようないわゆる複雑系を記述する手法が20世紀中はまだ未発達だった。ところが、20世紀後半に、それらを取り扱う手法が複雑系科学や非線形物理、素粒子物理学の分野で急速に発達し、コンピュータの発達で大規模なシミュレーションが可能になった。それらを適用することにより、非線形な系のふるまいを曲りなりに理解し、記述することが可能になりつつある。また、地球に関しては、20世紀後半になって、人工衛星を用いた全球スケールの観測が行われ、数十年の蓄積を得た。さらに、生物に関しては、主なモデル生物の全ゲノム配列が解読されて、種同士の関係や、遺伝子（群）の進化が定量的に議論されるようになった。もちろん、これらの新データの蓄積は、物理学から派生した各種のセンサーの発達による。約50年の手法開発とデータ蓄積の準備期間を得て、21世紀前半は、物理学（Physics）と遺伝学（Genetics）をはじめとする

S学問が、地球科学と生物学を体系化するかもしれない。

（2014年5月11日）

注

(1) このことを私に教えたのは小平圭一だった。

(2) Ernest Rutherford, "All science is either physics or stamp collecting"

7-3 反証可能性とカメレオン

科学的仮説は「もし条件Pが真であるならば、観察可能なQが生じる」という条件命題の形をとっている。しかし、Qが観察されたからと言って、Pが正しいとは言えない。Qを生じる別の仮定が存在してもいいからである。しかし、Qが生じなかった場合には、その仮説は一義的に否定できる。カール・ポパーはこのことに目をつけて、「反証」という手続きを受け入れるかどうかが、「科学」と「非科学」を分かつ境界線であると考えた。ポパーによれば科学の歴史は「仮説の提起とその反証」という試行錯誤のプロセスであり、競合する諸理論は、反証による自然淘汰のふるいにかけられ、やがては無限遠点にある「真理」に漸近してゆく（以上、野家啓一著『科学の解釈学』p. 166から抜粋）。

ここに示されるポパーの考え方は、科学者たちの実感にあっている。科学哲学者がいかに美しい理論を展開しようと、このポパーの手法だけが唯一、確実な前進を約束していることは科学者は皆知っている。

さて、このポパーの反証を手掛かりとする手法にも、問題がある。いわゆるカメレオンモデルである。カメレオンモデルは、多くのパラメータを包含しており、観測されたほとんどあらゆる現象に対して適合することが可能だ。一般に、観測量の数と同程度、もしくはそれよりも多いパラメーターを内在しておけば、それは不可能ではない、その中で動いている論理が本当の論理と違っている場合でも。したがって、その予言が正確である必然性はないので見分けないと判断を間違える。

コンピュータプログラムがこの問題を深刻にしている。カメレオンは古いプログラムに保護されて生き残るのだ。コンピュータプログラムが科学に使われるようになって50年がたち、3世代を経たものがある。このような古いプログラムの多くは、誰も中身が分からなくなってブラックボックス化している。書いた本人でさえ、詳細は忘れている。それでも、それを世代を超えて継承し、実態と合わなくなった部分は適当にパラメータフィッティングをして使いまわしている場合がある。多くの場合、このような古いプログラムはアドホックなわけの分からないパラメータの宝庫である。また、初期のプログラム者が設定した適用範囲を超えて使っている可能性があるので信頼性に問題がある。

では、どうやったらカメレオンをあぶり出せるのか？　一般的な処方箋はないが、見分けるためのポイントはいくつかある。まず、カメレオンは後知は完全だが、予知は苦手だ。新しい観測・実験事実が出たときに馬脚を現すことが多い。ただし、その馬脚は新しいちょっとしたパラメーターの導入か変更で消えてしまう。そういうことを繰り返しているモデルは、カメレオン注意であろう。

次に、上に述べたように、古いブラックボックス化したプログラムに頼っているモデルもカメレオン注意である。こういうプログラムが生き残っている分野は、諸量が複雑に相互作用している系を対象にしている場合が多い。現実に合わせるために、非常に多くのパラメーターを導入し、見かけのパラメータ数を減らすため、それらの間にアドホックな関係を仮定している場合がある。こうなると中で何が起こっているか本当に分からなくなる。

そのようにして、古い旅館のように建て増し建て増ししてわけが分からなくなって来たときに、さすがにこれではだめだと考える個人やグループが現れて、一から直截に考え直して、科学革命が進行する。クーンの科学革命の実態はこういうところにあるかもしれない。

多くの場合、観測・測定精度が向上して、空間分解能や時間分解能が格段に進歩してしまうと、対象の形や変化がつぶさに見えてしまうことで、カメレオンがばれてしまうことが多い。あーだ、コーダ議論している前に、さっさと測ってしまう実験家の精神は、常に大事である。

（2014年5月11日）

参考文献

野家啓一：科学の解釈学，筑摩書房，2007（新曜社，1993）.

7-4 科学における論文の重要性

科学者にとって論文を書くことは最も重要な仕事である。科学研究の主要な最終生産物は論文である。それは、論文を書いて出版することにより、多分に属人的な発見や発明が、社会全体の知恵に昇華するからである。論文を読めば、誰でも（一定以上の技量と設備を持っていれば）発見された現象を再現し、自分のものとすることができる。それは、改めて試行錯誤して再発見するよりずっと短時間ででき、しかも簡単で経費もかからない。

このように貴重な発見・発明を公表することの代償として、科学者たちは自分の論文の中でその論文を引用し、その発見に対して敬意を表す。このようにして発見や発明が論文を単位として、科学界に流通する仕組みになっている。多数の科学者の仕事がネットワークを形成し、総体として理解が進んでいくのだ。たとえば、ノーベル賞は出版された科学成果のみを対象としているのも、その表れである。いかにすごい発明をしても、論文として書いて、出版して世の中に公表しなかったものは、科学界では評価されない。

また、単純な事実としての発明や発見は、それだけではその価値の一部でしかない。それを整理し、過去の結果と比較することにより、研究史上に正しく位置付けられることが、それにもまして重要だ。それは論文を書く過程で得られる。何か重要そうな事実を発見したとき、その意味がはっきりしていないことが多い。自分のデータを整理し、過去のデータ（論文で得た他人のデータと研究室内にある未発表のデータ）と比較し、仲間と議論することにより、その意味と研究史上の位置づけがだんだんと明らかになってくるのである。それは、属人的な発見・発明を、流通可能な社会知にする知的で創造性を要求する重要な作業である。その過程で得られた俯瞰的な描像は、論文の著者と読者に研究の次の方向に関する貴重な示唆を与える。

さらに、論文は時を超える。科学者は論文の書き方に関しては極めて保守的で、その基本形式はガリレオ以来、ほとんど変わっていない。ガリレオと我々は論文を通して400年もの時を超えて語り合えるのだ。逆にいえば、今我々が書いている論文は400年後の後輩科学者への手紙でもあるのだ。私はこんな風に研究して、こんな結果を得たよ、という。私の10世代後の研究者が、私の論文を読んで、「よくぞこんなマイナーな研究を400年前にやっておいてくれた。助かった。」と感謝されるかもしれない。そんなことを想像するだけで楽しい。実際、私は、自分が生まれた頃の論文を読んでは、感謝しきりの毎日だ。

最後に、いったん出版されれば、全世界にコピーが存在することになるので、そこに書かれた発明・発見は、国家レベルの事故や災害でも失われることがなくなることも指摘しておこう。

したがって、論文は科学者にとって「お金」と同等の意味を持つ。多くの引用があり、誰もが知っているいい論文を書いた著者は、尊敬され、信用される。研究費も集めやすい。したがって、論文に不正があるということは、経済行為でいえば、贋金を作ったり、借金を返さないで平気でいるというような行為と同等な悪いことであると科学者は考えている。

繰り返すが、論文は科学研究の主要な最終成果物である。科学者の給料は、この論文を書くという行為に対して払われていると私は思っている。

（2015年2月7日）

7-5 「言論の自由」は科学の必須栄養素

米国National Science Foundation（全米科学財団）のワシントン本部のビルの銘板には、以下の言葉が刻まれている。

Liberty is the great parent of science and of virtue; and a nation will be great in both in proportion as it is free.

Thomas Jefferson 1743-1826

自由は科学と美徳の偉大な源である。そして、その自由に比例して、国家は科学と美徳の両方で偉大になる。

トーマス・ジェファーソン（1743－1826）

（翻訳は筆者）

科学と自由は不可分であるという強い主張が読み取れる。実際、科学は言論の自由がない場所では根づかない。科学者は真実を求めて研究を続けている。ときに、大きな発見を成し遂げる。その発見が偉大であればあるほど、第一発見者の孤独は深い。どんな発見も、常にたった一人の主張から始まるからである。

誰も言っていないことをただ一人主張し始めることは怖い、たとえそれがちょっとした少人数の会議であっても。それを全世界の口うるさい専門家たちに向かって言い始めるのだ。「間違っていたらどうしよう」「何かの勘違いではないか？」「馬鹿にされるかな。もうすでに誰かが言っていて、当たり前のことなのではないか」「変なことをいうやつとのレッテルを張られて予算が来なくなったらどうしよう」などなど、心配すればきりがない。

だからこそ、第一発見者は、繰り返し、繰り返し、繰り返し、結果をチェックし、式を見直す。夜中に飛び起きてノートをチェックし、間違いを見つけて消沈し、解決法を脳から絞り出して、もう一度最初から論理を組み立てなおす。この自分一人で揉み込んでいる時間は、本当につらい。生みの苦しみとはこのことをいうのだと思う。

日本では少ないが、海外ではさらに同僚やボスにアイデアを盗まれる心配もしなければならない。その上、「宗教上の教義に違反している」とか、「ある団体が押しかけてきて公衆の前で土下座させられる」とか、「社会を乱すとかスパイの罪で逮捕される」とか、「複数の分野で業績を上げたという理由だけで、精神科病院に強制入院させられる」とかの心配をしなければならないとしたら、発見の発表どころではなくなるし、そもそも生みの苦しみに耐えるのが馬鹿馬鹿しくなると、小心な私はつい考えてしまう。心から思う、ガリレオ・ガリレイは偉大だったと。

孤独な第一発見者は、身近の信頼できて有能な科学者にまず話をして、意見や批判をもらいつつ議論することから始める。この最初に話を聞く科学者から、納得してくれないまでも、健康な批判精神にのっとって建設的な意見をもらい、「自分もよく分からないからぜひ頑張ってもう少し調べてみるといい」と言ってもらえるだけでどんなに孤独感が安らぐかしれない。そういう友達はとても大事だ。自由のない国や地域では、この最初の相談者にも、先に指摘したような問題が発生すると思う。

このように「言論の自由」は、科学がその国や地域に根づいて自律的に成長するために必要な空気や水のようなものと私は考える。自由のない国が一時的に伸びることはあっても、科学技術によった近代国家として自立できるとは私は思わない。

（２０１５年２月13日）

初出

戎崎俊一：高論卓説，フジサンケイビジネスアイ（FujiSankei Business i），２０１５年２月13日．

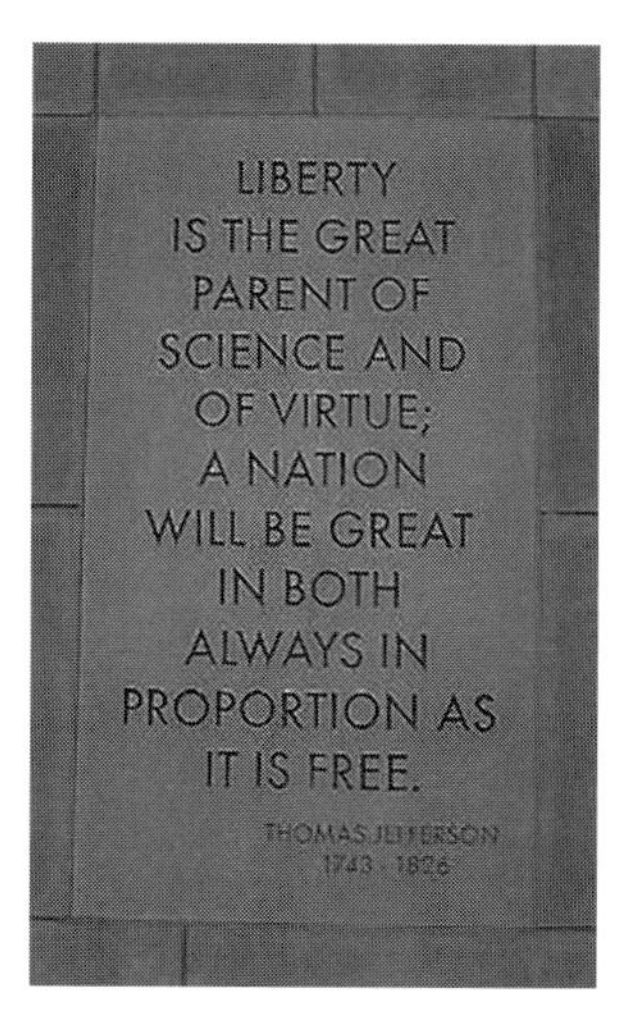

写真7-2　米国 NSF 玄関前の銘板

7-6 国際プロジェクトで活躍する日本人

最近、科学プロジェクトの多くが大型化して一国では賄うのが不可能になってきた。その結果、複数の国が協力し合って計画を推進する国際プロジェクトが増えている。その多くが、費用の50%近くを出す「主幹国」が存在しない「真の国際プロジェクト」となっている。

こうしたプロジェクトの運営は複雑だ。半年に1回程度回り持ちで、コラボレーション会議を行い、そこで主要な成果を報告し、重要な案件を協議して決定するようにしている。コラボレーションの代表者は、主要な指導者で組織する運営会議でお互い話し合って選び、彼（または彼女）を補佐するさまざまな役割を分担する。当然、何かにつけて意見が分かれる。いくつかある技術的オプションの中でどれを、いつ、どのような手順で選択し、決定するかなど議論をすればきりがない。

指導者同士で激論が続くこともある。その議論の中で、今まで分からなかった問題点が次第に明確になり、その解決策を見つけて実効性を確認する過程が進行し、議論が収束してゆく。一方、両者が意地になって感情的な水掛け論が続き、議論がかみ合わなくなって、コラボレーションの運営に支障をきたす場合も少なくない。

多くの日本人科学者が、このような国際プロジェクトに参加している。私が知っているのは天文と宇宙物理関係のほんの一握りの例であるが、地味ながら重要な部分を任されてコラボレーション全体から頼りにされている例が多いように見受けられる。少々、不思議に思い、自分の経験にも照らして考えた結果、多くの日本人科学者が、国際プロジェクトの成功になくてはならない資質を備えているのかもしれないと考えるようになった。それは、自分の名誉や利益よりも、プロジェクトへの忠誠心が高いことである。

国際プロジェクトでリーダーシップを発揮するには、単に「よいアイデア」を持っているだけでは不十分だ。議論が暗礁に乗り上げたとき、対立する主張のよいところを取って、みんなが賛成できなくもない「落としどころ」を探る必要がある。それには、対立する両派の間で、右往左往するだけではうまくいかない。現状の問題点を正確に把握して、第3案を構築し、その確立に向けて静かに行動し、自分の技術と経験でそれを実証して見せる能力が必要だ。また、無視されがちな小国の不満も聞いて代弁する必要もある。本質的に重要な事項に関しては、万難を排して死守することも重要だ。

日本人は小さな島国で資源を分け合って暮らしてきた。日本の中で「勝者がすべてを取る」という論理では、社会がうまく回らないことを肌で知っている。だから、争いを好まず「喧嘩(けんか)両成敗」を心がけ、「落としどころ」を探し、平和裏に折り合いをつけるよう努力を惜しまない。

科学の世界だけではない。新興国の台頭など国際関係が複雑化する中で、圧倒的な軍事力を誇る超大国でも、それだけではリーダーシップを発揮できず、問題を解決できなくなっている。いわば「世界が日本化している」ともいえ、日本人が培ってきた特質が必要とされるのは当然のことかもしれない。

侍は「奉仕する者」という意味であるという。そんな「サムライ精神」を持った日本人は、今後ますます世界で活躍するに違いない。

（２０１５年5月19日）

初出

戎崎俊一，高論卓説，フジサンケイビジネスアイ（FujiSankei Business i），２０１５年5月19日.

7-7 農村衛生研究所設立趣旨文

韓国のシュバイツアーと称される李永春（イ・ヨンチュン）博士の手による農村衛生研究所設立趣旨文。２０１３年５月に母とその故郷である韓国の群山を訪ねた折に、李永春家屋を訪問し、そこに展示されていた本文の写真を撮影し、その翻訳を同行してくれた金允智（キム・ユンジ）さんにお願いしていた。翻訳されてきた文章は、国民の困難に立ち向かう高潔な博士の人柄を反映し、素晴らしいものだった。特に、最後の「態度」の部分は、そのまま理化学研究所のモットーにしたいほどのものだ。

母は帰国後、あの建物と風景は見覚えがあると言い出した。小学校のときにアデノイドの切除手術のために入院したという。その執刀は、李永春博士ご自身だったかもしれない。

李永春家屋は、当時この周辺の大地主だった熊本利平が建てた別荘だった。日本の京大に入学して韓国最初の医学博士となった李永春博士は、熊本農園で医者として働く傍ら、韓国農村部の衛生状態の改善のため、農村衛生研究所の設立を志した。熊本氏は、その意義を認め、熊本農場の利益で農村衛生研究所の運営費を支弁することに合意したが、日本の敗戦でそれがご破算になったという。その後、李永春博士は大変な苦労をして、農村の衛生状態の改善に努力し、韓国のシュバイツアーと称されるほどの業績を残した。

農村衛生研究所設立趣旨文

研究所の目的と態度

個人の一生に長短と盛衰があるように、民族においても盛衰興亡がある。

人類史上、輝かしい文化を作り上げたローマとギリシア民族は、都市の文化生活の産物である贅沢と享楽、堕胎の流行と健康の衰微により、民族生物学的退行現象の現れとともに、異民族による置換で衰亡した事実は、歴史的文化民族と現代の文化国家でも、事実として立証されつつある。民族の将来は、まさに、その民族の健康（質）と人口の増加（量）にかかっていることが分かる。

我々は、過去40年間異民族の統治下で苦しみながらも、民族の純粋性と固有文化を確保しつつ、現代文明を吸収し、社会の各方面で多くの発展を成し遂げた。しかし、このような発展は都市部に集中していて、我等の農村は40年前とあまり変わらず、むしろ、農村の核となるべき人物のほとんどが都市に移住してしまっている。まるで、活気を失った去勢者のようだ。

我等の人口の7割は農民で構成されている。それは、農民の健康な農村文化の発達の可否が、民族と国家の運命を決定するということであろう。都市の文化だけ高度発達を遂げたとしても、半身不随的な役割に過ぎないということを、識者たる者は厳粛に省察するべきである。

私は過去15年間、農村医生活での体験と調査を通して、民族退化という逆現象が展開されていることを切実に感じている。この状態が放置されると、将来的に歴史的な衰亡を繰り返すしかない運命であると痛感している。

結核病は年々蔓延し、農民の1割5分は暫定性梅毒患者である。また、9割内外が寄生虫の宿主で、そのうち十二指腸虫と肝臓ディストマのように、命に危険を及ぼす寄生虫が、地域的な差はあるものの、徐々に増加しつつある。以上の三大疾患は、民族毒の代表者である。尚、世界最高位の乳幼児死亡率、各種急性伝染病は、文明国では珍しい疾病である。多くの疾病、飲料水と衣・食・住の不完全、不健全な生活環境など、農村は一般の想像を超える健康を妨げる条件で充満している。

このような状況を対処する現代医療施設、公衆衛生と生活指導は、ほとんど行なわれておらず、命の保護を訴えることもできない。原始的な民間療法と漢方治療に頼り、または、巫女の祈りに命を託すなど、貧困と疾病の二重苦で苦しむのが農村民の実情である。

1646年、国際連合は、世界保健機構規約で、健康というものは完全な身体、精神及び社会的福祉を受けられる状態を言うものであり、決して、疾病が無く、弱くない状態であることだけを言っているわけではないとしている。最高水準の健康を享有することは、人種、宗教、政治、経済、社会の情勢に関係なく、全人類に与えられた権利であり、安全保障の基礎である。一つの国家の健康増進保護の達成は、一般市民、多くの国家の利益になるため、各国の政府は、国民健康確保に重大な責任があると宣言した。

新生大韓民国が国際舞台の一員として登場するようになった今日、政治家と医学者、すべての指導層が、民族の健康動向を正確に把握、認識し、確固たる国策の樹立と実践をすることで、民族の進路に希望と光明が見えてくることを期待してやまない。

農村に居住し、農村の現実に関心を持っている私は、世界保健機構創立精神に順応しながら、過去の農村医療事業を基礎とし、農村衛生研究所を創立、健康な農民を育成することで農村文化発展を図りたいのである。

1948年11月
研究所長　李永春

目的

1．民族の永遠な発展は、健全な農村にその源泉があることを確信し、医学上合理的に擁護したく、研究、努力する。（農村衛生）
2．現代公衆衛生学の理論と指導原理を応用し、農村社会と農民生活を究明批判して、健康を妨げ、体力を消耗させる生活条件とその内容を改善、革新する。（調査研究と衛生指導）
3．農村の現実は、医療施設を至急求めている。したがって、医療施設の普及、促進とともに、公衆衛生指導の実践をすることで、医学の両面活動を展開する。（医療施設の普及）

態度

1．祖国文化建設の目的達成は、知識と技術だけでは到達できないと信じている。真理を探究する科学者には、奉仕の道徳と人格の修練が求められる。我等は、知識技術の練磨とともに、人格の修練を、この研究所の基本的態度として定めたい。（奉仕の道徳、人格の修練）
2．我等の農村の現実は、あまりにも難関が多すぎる。しかし、その難関を解決しなければならない現実と向き合っている。そのため、研究者は、多大な忍耐と努力が求められることを覚悟し、それを勇敢に突破して行こうとする。（忍耐と努力）
3．我等の事業は、国家と社会の絶対的な理解と協調を要求する。特に、青年医学生の奮発と協調で、使命を完遂していく。（協調精神）

翻訳：金允智

（2015年5月29日）

写真7-3　農村衛生研究所設立趣旨文

7-8 研究者の生命線としての図書館

研究の進歩が加速している。ちょっと前までは一つの方法論を武器に20年は世界の一線で戦えた。つまり、大学院の頃、習い覚えた学問体系と手法で50歳前後まで頑張り、後は若い研究者を指導（搾取）しつつ、学会や組織間の利害の調整に時間を使って60歳の定年を迎えるというのが研究者の典型的なライフサイクルだった。

ところがいまや、世界中の研究者との競争のため、ちょっとした手法の有利は5－10年で陳腐化してしまう。優秀な若手研究者が頑張って定職に就いて、40代になった頃に、彼（彼女）を支えていた手法が賞味期限を過ぎ、定職に就いた安心感と雑用の嵐に埋もれて、一気に保守化して研究者としては脱落していく例をよく見る。定年はどんどん伸びている。せっかく博士号を取得したのに、実質的には10年しか研究者として活動しないのは、もったいない気がする。

近年進歩の著しいＩＴは、中年・初老の研究者に福音をもたらしている。ほとんどの研究誌が電子化されたので、研究室にいながらにして、多くの論文のコピーを集めて一気に読めるようになった。また、必要な情報（研究論文の書誌情報を含め）はインターネットで検索をかけ瞬時に得られる。これらを駆使すれば、衰えがちな体力（集中力）と記憶力を補って、研究に必要な情報を一気に頭の中に詰め込むことができるのだ。

私が学生の頃は、大学の図書館に籠もって、書庫の中を這(は)いずって目的の雑誌を見つけ、せっせと自分でコピーしなければならなかった。この作業だけで小一時間はかかり、せっかく頭の中に蓄積しつつあった研究情報も消えて、一から考え直しとなっていた。

ここ10年、私は自分が博士号を取った天体物理学の分野を超えていろいろな分野で論文を書くようになった。それは、周辺領域の計算科学、プラズマ物理、放射線科学さえも超えて、宇宙工学、惑星科学、放射線生物学、さらには地球科学、分子生物学、生物進化などに広がっている。それぞれユニークな視点を与えるオリジナリティーの高い仕事と自負している、その評価が定まるのは20年後だろうが。

それを可能にしたのは、図書館だ。研究所や大学の図書館は、書籍の所蔵もさることながら、研究誌の購読が大きな任務となっている。私が勤務する理研の図書館は「日本で唯一の自然科学の総合研究所」と謳うだけあって、多くの分野の雑誌を購読し、比較的早期に電子版購入に踏み切った。また、理研が購読していない雑誌については、全国の大学・研究所の図書館が連携して運用している文献コピーサービスを愛用させてもらっている。1週間程度の遅れはあるが、ほとんどの研究雑誌のコピーを手にすることができる。大変ありがたいことだ。

現在、学際研究の必要性が叫ばれている。私の経験では、異分野の研究者の講演を聴いたり、一緒に談笑するだけでは、学際研究はその端緒さえにも至らない。講演に先立って関係する論文を読んで、自分なりに論点を予習しておくことが肝要だ。さらに、本番で講演者との真剣勝負の議論を重ね、講演後にも新たに見いだした論点に関する論文を読んで、引き続き復習するという努力が必要だ。予習と復習が重要なのは受験生だけではない。それを可能にするインフラストラクチャーの一つが、図書館をはじめとする充実した研究情報環境だ。

図書館は研究者が研究者であり続けるための生命線である。

（2016年3月9日）

初出

戎崎俊一：高論卓説，フジサンケイビジネスアイ（FujiSankei Business i），2016年3月9日．

7-9 ジェームズ・クック航海の偉業——天文学から航海術へ

ジェームズ・クックの航海日誌を読了した。これは、エンデバー号による1768年から71年の足かけ3年にわたる第1回の太平洋航海に関するものである。航海の目的は69年6月3日に起こると予測された金星の日面通過の観測による金星・太陽間の距離の測定だったという。このために天文学者のチャールズ・グリーンが航海に同行した。日誌の過半は、その日の天候、風向き、天測による緯度・経度の記述で占められている。当時の風帆船の航海日誌としては当然である。

さて、天測による経度・緯度の決定はどのように行うものだろうか。まず緯度は、太陽や星の南中高度（南半球では北中高度）を測定すれば、比較的正確に決めることができる。一方、問題は経度だ。正確な時計があれば天体の南中時刻から決めることができるが、温度とゼンマイの巻きの強さについての補償機構を持ち、ゼンマイを巻く間も時を正確に刻み続ける工夫をしたクロノメーターは、まだ実績がなかった。

時間測定1秒の誤差がおおむね200㎞（赤道上）の誤差に対応する。59年に製作されたクロノメーターH4は、イギリス・ジャマイカ間の航海の81日間で8.1秒しか狂わなかったという記録があるから、次第に精度が上がってきたとはいえ、クロノメーターに全幅の信頼をおけなかったに違いない。

クックが信頼を置いたのは、月と太陽、もしくは月と星の相対角距離の測定による経度決定法だった。月までの距離は38万4、000㎞であるから、

0.1秒角程度の精度で月と他の天体の間の角距離を測って、理論的に求めた月の位置と比較すれば、船が地球上のどのあたりにいるかが200㎞程度の精度で決まることになる。

72年に始まる第2回航海ではクックもクロノメーターを採用している。多分、条件のよいときに天測をしてクロノメーターの誤差を補正しつつ両者を併用して用いたに違いない。

それにしても常に揺動（ようどう）する船上での天測は困難を極めたことは容易に想像できる。同乗した天文学者のチャールズ・グリーンが天測に専従し、航海士らに懇切に教えたおかげで、天体位置表などを駆使した天測からの経度の決定法を航海士らが身に着けた。

その結果、航海の必要上十分な0.5度以下の精度での経度決定が日常的に達成されるようになったという。この天文学から航海術への「技術移転」により、英国海軍および商船隊は他国に比べて格段の有利さを持ったに違いない。これが、「太陽が沈まない世界帝国」を築き維持するのにどれだけ役に立ったか想像に難くない。このように考えると、当時、天文学は非常に重要な実学だったことになる。英国ではどの大学でも天文学の講座があって幅を利かせているが、その起源はこの辺にあったのかもしれない。

航海日誌では、目印となる主要な岬や山頂の形と見える方角を、それを観察した経度・緯度とともに、綿々と記している。これらの情報があれば、続く航海者が経度・緯度を測定しつつその近くに来たときに見上げれば、目標の岬や山頂が見えるという具合になるはずだ。

こうなると手探りで進むよりずっと効率がよくなる。実際、クック自身かつて訪れた場所を再訪するときには、経度・緯度からそろそろあの山がこの方角に見えるはずとあたりをつけて船員をマストに登らせている。
このクックの航海で冒険の時代は終わったということもうなずける。航海が命がけの「冒険」から、ある程度計算できる「ビジネス」に変わった。その変化を導いたのが、天測による経度・緯度決定技術だったということになる。

（2017年2月9日）

初出

戎崎俊一：高論卓説，フジサンケイビジネスアイ（FujiSankei Business i），2017年2月9日．

7-10 オランダ・ローレンツ委員会、水害を根絶する

オランダは国土の4分の1が海面より低い干拓地である。常に水害に悩まされてきた。1916年には、北海の暴風雨に伴う高潮で、首都アムステルダムの北方の北ホラント州の大部分が浸水した。これに懲りたオランダ政府は、アムステルダムの北東に広がるゾイデル海の入り口を堤防で閉鎖して北海の高潮による水害を根絶する計画を立てた。

一方、ゾイデル海の入り口を閉鎖した場合、北海との境界にあるワッデン諸島と堤防の間の海域での干満差の拡大に懸念があった。それを考慮して、この部分の防潮堤をかさ上げしなければならない。問題は、その高さが分からないことだった。そこで政府はこの問題を研究する特別な委員会を組織し、その委員長にH・A・ローレンツ氏（1902年ゼーマン効果の発見とその理論的解釈により第2回ノーベル賞受賞）を指名した。国運をかけた巨大プロジェクトの命運を、海洋学者でも土木工学者でもない理論物理学者に委ねた。

8年にわたるローレンツ氏と委員会の苦闘が始まった。委員会はまず、検潮計をさまざまな場所に設置することから始めた。次の課題は、複雑に入り組んだ水路を流れる潮流と干満差を正確に評価することだった。委員会は、摩擦を考慮した「潮汐理論」を新規に構築し、スエズ運河やブリストル湾の潮位変化に適用して良好な結果を得た。

このような周到な検証を経て、ゾイデル海沿岸の干満差評価に取り組んだ。その結果、ワッデン

海沿岸の干満差は閉鎖前の約2倍になることがはっきりした。また、潮汐波の締め切り堤防における反射で定在波ができる。ワッデン諸島はその節（振幅がゼロになる）に近いので、干満差があまり大きくならないことも分かった。このおかげで、大幅な経費節減ができたという。最後に北海の暴風高潮の高さの評価を行った。過去に起こった高潮水害のデータを再現し、同等の高潮が発生しても浸水に至らないように防潮堤の高さが決められた。

報告書は1926年11月にオランダ女王に提出された。それは345ページに及び、半分はローレンツ氏自身によるものだった。この報告書を基に締め切り堤防の工事が27年1月に始まった。当初計画から3年以上短縮し、32年5月に完成した。工期短縮には、ローレンツ氏の潮汐理論が役立った。建設中の堤防が耐えるべき潮流の強さが評価され、あらかじめ周到な準備がなされたからだという。また、ローレンツ委員会が行った暴風高潮の評価は、その後の観測データと比べても驚くほど正確だった。オランダは53年に再び大水害に見舞われ、ロッテルダムを中心とした南オランダが大被害を受けたが、ワッデン海沿岸は被害を免れた。

さらに、封鎖されたゾイデル海は淡水化され、アイセル湖となり、夏の乾燥期の灌漑（かんがい）用水の供給が万全となった。一部は干拓されて農地となった。その総面積は1，650㎢に及ぶ。オランダ国土の3.9％に達する膨大なものである。

ローレンツ氏のこの業績は、朝永振一郎氏によって科学雑誌『自然』（中央公論社）の60年1月号で紹介されている。朝永氏は「近道をとらず、精密科学のように順を追って問題と取り組んだ」と高く評価している。また、「この大事業を科学的なやり方で出発させたオランダの政治家の識見に敬意を表さざるを得ない。ローレンツ氏を起用したのは彼らの大きな手柄である。８年もの検討をローレンツ氏に許した度量と科学者に対する信頼は範とすべきだ」と結んでいる。

（２０１７年８月22日）

初出

戎崎俊一：高論卓説，フジサンケイビジネスアイ（FujiSankei Business i），２０１７年８月22日．

7-11 伊能忠敬の挑戦

伊能忠敬は１７９５年に佐原から江戸に出て幕府天文方の高橋至時に入門し、天文学を本格的に始めた。当時彼は50歳だった。測量においては天測が重要である。例えば、現在のカーナビはＧＰＳ衛星を「天測」して自分の位置を割り出す。天文学と測量学、そして暦学は本来一体のものである。

至時らは、最新の天体力学理論を考慮した「寛政暦」を１７９７年に完成させるが、さらに精度の高い暦を作るためには、地球の半径を知る必要があることに気づいた。例えば、地球の半径は子午線1度の弧長から計算できるが、当時日本で知られていた値には1割以上の差があって信用できなかった。

そこで、至時と忠敬は子午線１度の弧長を自ら実測することを計画する。できるだけ長い子午線弧長と対応する場所の北極星の高度差を測る必要がある。幸いなことに東北日本はほぼ南北に伸びていて、東京と札幌で約8度の緯度差がある。東京から測量と天測をしつつ北海道まで行けばよい。

二人は幕府への働きかけを開始する。折から、帝政ロシアの北海道へ訪問が頻繁になり緊張が高まっていた。北海道の正確な測量と地図作成は、幕府の意図と一致していた。困難な交渉の末、１８００年4月に北海道への第一次測量隊が出発した。その後の15年間、忠敬は日本全国にわたる9回の測量遠征を行い、日本の科学史に大きな足跡を残した。

至時と忠敬の目論見どおり、地図作成の副産物として、子午線１度の弧長も約１１０・７㎞と決められた。現在、緯度35－41度の子午線１度の弧長は１１０・９㎞とされている（地球の形が真球ではないので、場所によって違う）。一方、至時と忠敬が幕府と交渉を始めた頃、フランスでは１ｍの定義のための子午線長測定が進行中だった（１７９８年完遂）。もともとのメートルの定義にしたがい、地球が完全な球であれば、この値は10000／90≒111.1㎞となる。これと現在の値との差（0.2㎞）を１８００年頃の世界最先端の測量精度と考えてもいいだろう。忠敬の測定精度が当時の世界標準から見て遜色のないものだったことが分かる。

忠敬は17歳で利発さを見込まれて伊能家に婿入りし、佐原村の世話役として村内や幕府との困難な交渉にあたった苦労人だった。また、天明の大飢饉（１７８２－１７８８）を乗り越えて、家業を大きくした有能な実業家だった。

彼の偉業は、その前半生で培った経済力、交渉力、統率力と、高橋至時門下で培った測量と天測の最新技術が結合し始めて実行できたものだった。まず、経済力だ。忠敬は第一次測量遠征の費用の約３分の2を個人で支弁している。これを現在の貨幣価値に換算すると2千万円を超えるという。九次にわたる測量遠征は、「隠居の趣味」というには膨大すぎる資金を要したはずだ。次に、交渉能力である。彼の測量日記を読むと、幕府役人との交渉に始まって、旅先での現地役人との馬や人足、隊員のわらじの手配についての交渉経緯が細々と記載されている。苦労が偲ばれる。最後に統率力である。測量は1日40㎞も移動しつつ、夜はデータ整理、晴れれば天測を行うという強行日程で行われた。その中で隊員の士気と健康を保つのは容易ではなかったろう。逆に、忠敬が若年時に測量隊長に抜擢されても史実のように測量遠征を実行できたとは思えない。プロジェクト遂行には老獪さも必要なのだ。

いまや、50代は思い切った攻めの人生を始めるよい機会である。30、40代は家族に対する責任が重いので、なかなか思い切った決断ができない。ところがいまや寿命が延びて、病気にさえならなければ80歳に近くまで元気で仕事ができそうだ。60歳から数えても20年もある。それならもう一仕事できる。一方、ＩＴ技術の発達で、新分野の勉強も以前に比べて遥かに容易になった。逆に、世の中の進歩が加速して、たとえ同じ仕事を続けてもかなりの量の勉強を続けなければ、自分の専門知識が陳腐化してしまう。どうせやるなら、世の中で本当に重要だと自分が思うことを正面から攻めてみたいものだ。

（２０１８年8月24日）

初出

戎崎俊一：高論卓説，フジサンケイビジネスアイ（FujiSankei Business i），２０１８年8月24日．

7-12

ジェラール・ムルー氏のノーベル物理学賞受賞を祝う

今秋、ジェラール・ムルー氏がノーベル物理学賞を受賞された。受賞理由は、レーザーのチャープパルス増幅法の発明である。この手法を使うことにより、レーザーパルスの継続時間を圧縮し、高強度（ペタワット＝10の15乗ワット）を作ることが可能になった。

ペタワットの強度の実現は、レーザー航跡場加速に道を開いた。ペタワットレーザーパルスの中の電子は、レーザーの横向き電場による運動が相対論的に、つまり速度がほぼ光速になる。このことによる非線形効果のために、高強度パルスがプラズマ中を伝搬すると、強い航跡場がその周りに作られて荷電粒子が効率的に加速される。

この機構は田島俊樹氏とドーソン氏が１９７９年に提案したものだったが、それが必要とする高強度パルスを作るすべがなかった。85年のチャープパルス増幅法の開発によりそれが可能になったのだ。

従来の粒子加速器はマイクロ波と電磁石で作られているために、非常にかさばるもの（数㎞サイズ）になっている。レーザー航跡場が作る加速電場は、従来のものに比べて桁違いに大きくできるので、従来の限界を超える粒子加速器を作れる可能性がある。素粒子物理学や相対論などの基礎物理に留まらず、コンパクトな中性子発生源による無侵襲計測や、イメージング、新規な医療用放射性同位元素の製造手法の開発にいたる広範な技術革新の可能性が議論されている。

ムルー氏は、2012年に米カリフォルニア大アーバイン校の田島氏と協力して、仏パリ工科大学内にIZEST（国際ゼタ・エクサ科学技術センター）を設立し、世界中に存在する高出力レーザー装置に高度な圧縮技術を適用し10の18乗（エクサ）、10の21乗（ゼタ）ワットの超高強度を実現する運動を進めている。また、ヨーロッパにおいては、欧州委員会がチェコ、ルーマニア、ハンガリーの3カ所にExtreme Light Infrastructure（ELI）と称する巨大な高強度レーザー施設を建設中である。この計画の主導者もムルー氏だ。

東欧に西欧の資金を投入して最先端科学技術の拠点を作り、それをイノベーションの核にして東欧の経済発展を支える。欧州の政治的・経済的要請に自分の夢を重ね合わせるムルー氏の戦略眼とそれを実現するバイタリティーに、敬服するばかりである。

私がムルー氏にお会いしたのはIZESTの会合でだった。そのとき、宇宙線観測用に長年開発してきた広角望遠鏡技術の宇宙デブリ問題への適用について悩んでいた。広角望遠鏡でセンチサイズのデブリを発見できるが、十分強いレーザーがなければ、手も足もでない。この悩みをムルー氏にお話ししたところ、「そのレーザーは私が開発する」と即答なさった。一方、ムルー氏の方は、強いレーザーは作れるが宇宙デブリの位置が分からないという悩みを持っておられた。「両者が組めばうまくいく。宇宙デブリ除去ができる」と勇んで共著論文を書いたというわけだ。それ以来とても親しくお付き合いさせていただいている。今回の受賞は本当にうれしい。ムルー氏はノーベル賞にふさわしい真の科学者である。

（2018年10月24日）

初出

戎崎俊一：高論卓説，フジサンケイビジネスアイ（FujiSankei Business i），２０１８年10月24日．

7-13 「複雑な系」への挑戦

17世紀後半のニュートンによる現代科学の創始から現在まで約350年の間、近代科学の発展に伴いさまざまな物理系の仕組みが解明された。太陽系や理想気体など単純な系に適用されて大きな成果を上げた。しかし、20世紀も後半になると単純な系の研究はほぼ終わり、単純でない系、つまり複雑な系が未解明で残った。

現代科学が今直面している複雑な系には、相変化を伴うガスや凝集系、生命体（脳や身体運動、個体発生を含む）、生態系、気候システム、プラズマ、自己重力天体（星、星団、銀河、そして宇宙全体）などが含まれる。これらの複雑な系に共通の特徴がある。まず、非常にたくさんの要素が関係する多変数系である。次に、それらの要素同士が相互作用し合い、その影響が元に戻ってくるといった意味で、強い非線形性を示す。この結果、因果関係が複雑にもつれ合っている。

また、秩序を壊す熱エネルギーに対して、相互作用エネルギーが優位（強結合）で、秩序や構造が勝手に生まれる。その結果、不安定性が引き起こされ、激しく変動している（非定常）ことが多い。さらに長距離・長時間の相関が見られる（強相関）。

これらの特徴のために、物理で用いられる一般的な分析手法、線形理論や、摂動法、局所近似、定常解の適用などのほとんどが使えない。また、各要素の振る舞いの因果を一つ一つたどっても、全体としてみたときには、非線形なフィードバックの嵐の中に、因果関係が雲散霧消してしまう。一時期、複雑系の科学としてカオス理論がもてはやされたこともあったが、予測不可能に見える複雑な系の実態に切り込むことはできなかった。

これらの問題を克服するため、20世紀後半から大規模な数値シミュレーションが行われるようになった。たくさんの要素の間の相互作用をできるだけ忠実に与えて、全体の動きを追いかけ、実験・観測事実と直接比較すればいいというわけだ。確かに、10億個以上の粒子を入れた銀河シミュレーションを行うと実際の矮小銀河の形がかなりよく再現されることが分かった。銀河系のような普通の銀河（約1、000億個の星でできている）を再現するのに、もう一息だ。

また、粉体のシミュレーションでも10億個の粒子（つまり縦・横・奥行きにそれぞれ1、000個の粒子を配置できる）を用いれば、実際の粉体系で見られるような流体的な振る舞いをかなりよく再現することが分かった。このまま進めば、約1、000億個のニューロンでできた人間の脳の再現も近い将来可能かもしれない。力任せで押し切れるなら、全脳シミュレーションに邁進すればいいと思う。

ただし、大規模シミュレーションも万能ではない。まず、要素の間の相互作用については個別の実験事実に基づき、本質をよく理解して取り入れる必要がある。数値シミュレーションをするときは、既存の分析手法で押せるだけ押して、どのような相互作用を正しく再現しなければならないかをよく理解して行う必要がある。また、多変量を扱うので、比較に用いる測定・観測量もそれに匹敵するほど多い必要がある。少数の測定点ならば、多変数のパラメータを組み合わせることで、どうとでも合わせられることがある。いわゆるカメレオンモデルになるからだ。

大規模シミュレーションは大規模計測技術とともに、21世紀の科学を牽引（けんいん）するだろう。

（2020年10月30日）

初出

戎崎俊一：高論卓説，フジサンケイビジネスアイ（FujiSankei Business i），2020年10月30日．

第 8 章
書評

解説　第8章 書評

この12年間、たくさんの本を読んできました。その中でも特に強い印象を受けたものを本章で紹介します。

記事8－1では、ソ連の水爆とペレストロイカの父と言われるサハロフ博士の回想録を取り上げました。彼は、科学者の良心に従い意思を曲げなかった、不屈の人でした。

記事8－2は、明治維新の思想的柱であった、吉田松陰の著作選の書評です。私は彼の著作を読み、改めてその偉大さを認識しました。ひとつ例を挙げれば、彼は、後に明治政府が作る国立大学を先んじて構想していたのです。現在の大学人は、彼にもっと感謝すべきではないでしょうか。吉田松陰を批判したい人は、まずは彼の著作を読んでからにするべきだと私は思います。

記事8－3は、黒海大洪水をきっかけとした民族大移動と農業・牧畜の伝搬、およびインドヨーロッパ語族の起源などに関する解説した“Noah's Flood”の書評です。

記事8－4では、ジャレド・ダイアモンド（Diamond, J. M.）による、文明の興亡に関する科学解説を取り上げました。人類の今後を考える上で、必読の書と思われます。

記事8－5は、天動説から地動説へのいわゆるコペルニクス転回がいかに起こったかを丁寧に説明した『世界の見方の転換』（全三巻）を取り上げています。コペルニクス的転回は一日にしてならず、なんと140年近くもの年月がかかっています。また、この間に五つの段階があり、各段階にほぼ一世代、つまり数十年ずつかかっていることが印象的でした。人間は極めて保守的で、革新的なアイデアは一生に一つしか受け入れられない、ということのようです。

記事８－６は、音信号が耳で受信された際、脳でいかに解析され、音楽として認識されるかを丁寧に説明した"This Is Your Brain on Music"の書評です。異色の経歴を持つ研究者による、脳の活動の解説書です。

記事８－７には、ダニエル・リーバーマン（Lieberman, D. E.）による進化医学の解説書"The Story of the Human Body"を取り上げました。同書では、現代人が抱える生活習慣病が何に起因しているかを説明し、どのようにそれらを回避すべきかが説明されています。

8-1 サハロフ回想録

アンドレイ・サハロフ著、金光不二夫・木村晃三訳
『サハロフ回想録』（上・下巻）
中央公論新社、2002年（読売新聞社、1990年）

ロシア水爆の父の回想録。まずは生い立ちから、大学、大学院での研究生活。水爆開発への参加、その成功とアカデミー会員への特進などが語られる。私としては、論文や教科書でおなじみのロシアの物理学者が、生身の人間として登場し、そのエピソードが語られているのが興味深かった。

ゼルドビッチ相似解やスニアエフ・ゼルドビッチ効果で天文学者には有名なゼルドビッチ博士は、恋多き男で多くの女性と関係を持ち、子どもをなしたそうだ。著者との関係は複雑で、多くの共同研究をともにした「親友」ではあるが、著者の反体制化に応じて彼との関係も変化したという。ゼルドビッチの相似解が、水爆のモデル化の努力から生まれたこともよく分かった。

ランダウ・ポメランチューク・ミグダル（LPM）効果で有名なポメランチューク博士とミグダル博士は著者の学位論文の試問担当者だったが、ミグダル博士が当時車を買ったばかりでその運転の練習に夢中で、なかなか審査書類を書いてくれなくて困ったそうだ。ポメランチューク博士の方は学位審査の当日の朝に自宅でやっと捕まえて、審査書類を書いてもらったとか。博士候補者は何処でもどの時代でも大変である。博士の審査に哲学（マルクス・スターリン主義）の審査があり、著者が

その試問に落ちて、学位授与が半年遅れたのもこの当時のソビエト連邦ならではのエピソードだろう。

水爆開発の功績で、著者はアカデミー正会員になり、三度の社会主義労働英雄受賞を受賞するなど、学者としての地位をのぼりつめてゆく。一方で、科学アカデミーにおけるルイセンコ学派との対決、核実験の禁止に関するフルシチョフ首相との衝突などを通じて、次第に政治的な発言を強めてゆく。同時に、宇宙論への興味を深め、バリオン数生成の理論を作っている。

１９６５年ぐらいから著者は、次第に人権運動に力を入れるようになっていく。ソビエトロシアにおいては、反体制派は懲役や流刑などの迫害を受けた。その大きな特徴は、精神病院への監禁である。たとえば、ジョレス・メドベージェフは、精神病院に監禁された。医師の診断は潜伏性精神分裂病で、生物学と政治学という二つの異なる領域での業績は、分裂した性格の証拠とみなされ、彼の行動は社会的不適応の兆候を示したとされたという。著者によると、これはルイセンコ派を彼の著作で批判した報復であったという。複数の領域での業績が原因で精神病と診断されるとは恐ろしいことだ。私は最近、もともと専攻である天文学を飛び出して、地球科学や生物学の分野で論文を書き始めた。きっと私は、ソビエトロシアでは生きていけない。

精神面で異常のある犯罪者のための特別精神病院での管理は過酷だったという。既刑者が看護人になり、殴打は毎度のことだった。治療効果のない、大きな苦痛を伴う薬が、収容者を静かにさせるときや、懲罰の目的で投与される。収容期間は無期だ。これらの病院の実態は、精神病刑務所で、その収容者が正常であろうとなかろうと、通常の監獄よりはるかに恐ろしい存在であると著者は言う。また、著者はいう、「当局が政治目的で精神医学を乱用するのは、被害者の精神に対する直接の攻撃であるゆえに特に危険である。精神病の宣言は、被疑者の気力をくじき、評判を落とし、威厳を傷つける。しかも反駁(はんばく)することは極めて難しい」と。全く同感だ。

著者は人権委員会に参加し、本格的に政治犯の釈放を中心としたソビエトロシアの人権問題にかかわるようになってゆく。その中で有名な「ブレジネフへの手紙」が書かれた。私は大学で第二外国語としてロシア語をとった。阪大のロシア語の先生が、その教材として選んだのは、このサハロフの「ブレジネフへの手紙」だった。ロシア語の辞書を引き引きやっとの思いで読んだが、その文章の簡潔さと、頑健な論理は印象に残った。

その後、著者はノーベル平和賞を受賞するが、ロシア国内における変化はなく、KGBの悪質な嫌がらせとの長くつらい戦いが続く。家族を含めたいやがらせ、特に子どもの大学への進学の道を閉ざされたのは、とてもいやだったろうし、孫が命の危険にさらされたこともあったようだ。ついには、すべての国家賞がはく奪され、ゴーリキへの流刑となった。KGBの迫害は、ゴルバチョフからの電話までしつこく続いた。この本をシェレメチボ空港の待ち合わせ時間に読んでいた私は、少々薄気味悪くなって、周りをそっと見た。

その戦いの遍歴をみると、サハロフは、まことにペレストロイカの父というにふさわしい人物である。科学者の良心に従って、原理原則を曲げなかった不屈の人だ。

（2015年1月7日）

8-2 吉田松陰著作選　留魂録・幽囚録・回顧録

吉田松陰 著、奈良本辰也 編訳
『吉田松陰著作選　留魂録・幽囚録・回顧録』
講談社、2013年〔筑摩書房、1969年〕

明治維新の思想的柱となった吉田松陰の著作集。松陰は、明治維新とその後の日本を語るには欠かせない思想家だ。当時、西欧諸国のアジア進出が進み、すでに清は蚕食されて国の体をなしておらず、日本も遠からず同じ運命を辿る危機にあった。どうやって日本の独立を守るか。彼の思考はその一点に集中する。彼の出した処方箋は、以下の3つに集約されると思う。

1）鎖国をやめ開国して、諸外国と対等に付き合う。
2）海外の進んだ科学技術を学んで、殖産興業、富国強兵に努める。
3）天皇の直下に大学を作り、教員も学生も身分によらずに集めて、上記の核とする。

この処方箋は、今から見ても基本線として正しい（今でも小国が独立を維持するためには同じことをしないといけない）。針穴を通してみる様にしか海外の情報を得られなかった彼の状況を考えると、この正しさは奇跡的であると私は思う。しかし、より具体的な策を立てるためには、この情報の少なさを打開しなければならない。そこで彼は、ペリー艦隊を頼って米国への密航を企てる。彼の思考は常に枝葉を切り捨てて根幹をとらえる。行動はまっすぐその延長線上に置く。すべての些末（自分の命も含めて）は切り捨ててしまう。

密航に失敗した彼は、自首して獄に下った。毛利藩預かりとなった後は、野山獄および松下村塾で教育にまい進する。その中から明治維新の原動力となった若者が輩出する。まことに明治政府はほぼ彼の処方箋に従って行動し、日本の独立を確保した。一方、針穴を通してみた世界の知識で作った彼の思想は、古事記・日本書紀に書かれた古代日本を理想とし、それを彼の思想の裏づけとした（そうせざるを得なかった）。この偏狭さは、明治・大正・昭和前半の日本政府の指導原理に限界を与えたと思う。

歴史にIfは禁物だが、彼の米国密航が成功し、この大秀才が世界を自分の目で見たら何が起こっていたかを、私は夢想せざるを得ない。勉強家の彼は、1年もたたないうちに、世界の歴史とその変動原理の本質を理解し、さらに高い観点から日本を導く指導原理を構築したに違いない。ペリー提督は日本の開国に成功したかもしれないが、大きな誤りを犯したと思う。彼がもし松陰を受け入れていたら、その後の日米関係は、全く違ったものになったはずだ。ここが、歴史の転換点だった。

（2015年1月7日）

8-3

Noah's Flood: The New Scientific Discoveries about the Event That Changed History

William Ryan, Walter Pitman: Noah's Flood: *The New Scientific Discoveries about the Event That Changed History*, Simon & Schuster; Touchstone版, 2000.

ノアの箱船の伝説は、約7、800年前に黒海領域に現実に起こった海水流入による大洪水を元にしているとの仮説検証を記述している。まず、彼らが展開した仮説の概略を述べよう。

最終氷期が約1万2、000年前に最大を迎え、その後地球は急速に温暖化した。北欧、シベリア北部を広く覆っていた氷床が溶け始めた。シベリア氷床の雪解け水の大部分は、内陸に向かい現在の黒海、カスピ海、アラル海の領域に流れ込み、巨大な湖を形成した。当時、海面は現在に比べると130m低く、これらは内陸の湖として独立の水圏を維持していた。1万2、500年前になると寒の戻りのヤンガードリアス期に入り、中央アジアは乾燥化してこれらの湖の湖面は下がり、縮小した。1万1、400年前になると再び温暖化が始まった。このときは、氷床の縮小により雪解け水が内陸ではなく、バルト海、北海方面に流れるようになり、「黒海湖」の水面はあまり上昇せず、海面のみが上昇するようになった。約8、200年前頃には、もう一度弱い寒の戻りがあり、中東が乾燥したため、農民が暖かくて水がある黒海湖周辺に住むようになった。彼らは「黒海湖」周辺の川沿いの谷やデルタを耕し、一部では灌漑を行っていた。彼らは黒海をボートで行き来し、交易したので語彙や技術、そして概念を緩く共有し、先進的な農耕文化圏を形成していた。

ところが、7、800年前に温暖化が再開し、海面がさらに上昇してとうとうボスポラス海峡の最高地点を越え、地中海の海水黒海に突入した。このとき、「黒海湖」の湖面は、海面の180m下にあり、滝のように流れる海水により湖面は一日に約2m上昇し、湖岸は1km も後退した。この大洪水により黒海周辺に住んでいた住民たちは周辺への避難を余儀なくされた。

黒海大洪水による民族大移動は以下のように起こったと考えられる。西岸に住んでいた住民はドナウ川を伝って西行してブルガリア方面、南西岸に住んでいた住民はボスポラス海峡を南下してアドリア海へ、北西岸の住民は、ドニエステル川に沿って北欧方面へ、北岸と北西岸の住民は、ドニエプル川とドン川に沿って南東ヨーロッパとカスピ海方面へ、最後に南岸の住民はアナトリア高原に上った後、さらに南下してエジプト、南東に向かってメソポタミア、さらにはインダス方面へ逃れた。彼らは先進的な農業技術（灌漑と土器の使用、家畜の利用）を持っており、それぞれの土地に定着した。北から西の方向に逃げたグループが後のヨーロッパを、南から東に逃げたグループが後の中東（エジプト、メソポタミア、インダスの三大文明を含む）を形作った。彼らは全体に語彙と概念を緩く共有していたので、これらをまとめてインド・ヨーロッパ語族と分類されるようになったと思われる。

インド・ヨーロッパ語族の起源については、クルガン仮説とアナトリア説が長く並立してきたが、前者が、黒海領域から北西方向の民族移動を、後者が南東方向の民族移動を表現していると考えると、全体として辻褄が合った統一理論に発展する可能性がある。印欧語族を話す民族には共通して、洪水伝説が残っている。言語や音楽の系譜やゲノム解析の結果も上記の民族移動を支持する。

また、民族大移動したグループの一つがずっと東進して、タリム盆地に入って定住した。当時はタリム盆地に大きな湖が残っており、黒海周辺と同様の灌漑農業が可能だった。ここで話されていたトカラ語はインド・ヨーロッパ語族に属する。

上記仮説は説得力があるし、印欧語族の起源や農業の発達の観点でも魅力的であると私は思う。黒海大洪水は地質学的には、否定しようがない。最近の発掘やゲノム解析の結果とも整合性がある。栽培作物の多く（小麦、大麦、蕪、玉葱、大蒜（にんにく）など）が、中央アジア（アナトリア高原からイラン高原）原産とされている。当時はまだ現在よりも平均気温で2度程度低く、当時の黒海沿岸部の平均気温は、現在の高原地帯のものとほぼ一致する。黒海沿岸に野生で生えていた、これらの植物の原種が栽培化された。その後の温暖化で、これらの野生種の生息域は、高原地帯に移ったものと考えられる。

さて、7,800年前というと日本では縄文初期（1万－6,000年前）に位置づけられる。焼き畑による植物栽培と漁撈（ぎょろう）が確認されているのは、約6,000年前から始まる前期縄文期である。黒海大洪水の避難者が遙か東行し、タミル高原を越えて6,000年前頃に日本に到達し、日本に農業を伝えたという可能性はあるかもしれない。ヨーロッパには、球状アンフォラ文化（5,400－4,800年前）、縄目文土器文化（4,900－4,400年前）、鐘状ビーカー文化（4,600－3,900年前）などが存在しており、時期的に重なる日本の縄文文化（前期開始が6,000年前で後期終了が3,000年前頃）との技術的、文化的比較が待ち望まれる。

（2020年4月30日）

8-4 Collapse: How Societies Choose to Fail or Succeed

Jared Diamond: *Collapse: How Societies Choose to Fail or Succeed*, Penguin Books, 2011.

著者が生まれた米国モンタナ州から議論を始め、イースター島、ピトケアン島、ヘンダーソン島、グリーンランドのバイキング入植地、メキシコ・チャコ渓谷、マヤなどの、社会が崩壊してしまった例を調べ、その経緯と原因を明らかにした。一方で、ハイチ、日本などの孤立しながらも危機を脱した社会の例を挙げて、違いが何かを探っている。著者は、社会の存続に重要な因子として、気候変動、敵対する近隣者、不可欠な交易相手の消滅、そして上記四つの問題に対する社会の反応の五つをあげている。

さらに、これを現在の我々の地球サイズに広がった文明の状況に照らし、以下の12の問題点を指摘している。

1）森林破壊
2）土壌破壊（浸食、塩類集積、地力劣化など）
3）水質管理
4）乱獲（陸上生物）
5）乱獲（水生生物）
6）外国種の導入による固有種エコシステムへの影響
7）人口過多
8）一人が使う資源の増大
9）人工効果による気候変動

10）環境への毒の蓄積
11）エネルギー不足
12）人類がほとんどの光合成生産物を独占する

まず、地球全体が一つの経済圏に包まれようとしている今、交易により必要資源をその外から手に入れることができなくなっている。つまり、実質的に独立な交易相手がいなくなってしまった。つまり不安定要因が増大している。すべては、この地球上で処理しなければならない。また、過去の社会が崩壊してしまった例を見ると、常に森林破壊がその前兆として起こっている。現在、全球的に進行中の森林破壊は危険なシグナルである。

その認識の元に上記の12個の因子を私なりに評価してみると、7番目にあげられた「人口過多」が根本原因で、残りの因子の大部分は、それから導かれる二次的な要因であることが分かる。要するに増え続ける人口で増大する食糧需要に対応するために、1、2、3、4、5、6、10が進行中なのだ。

先進国として唯一森林破壊が17世紀以降進行していない国として著者に止揚されている日本で、徳川政権によるトップダウン政策として森林が保護され、ボトムアップ手段として樹木を大事にする日本人の固有の文化と宗教が働いたことは重要であった。一方で、それを実現するための負の部分として、嬰児の間引きや老親の姨捨などによる人口抑制があったことに、著者は気づいていないようだ。

著者が述べているように、農業に立脚している社会の場合、一人あたりの平均耕地が10アールを切ると、過半の生活が不可能になり、激しい虐殺や内戦が起こって人口が減少し、その結果なんとなく社会が落ち着く（ルワンダの場合）か、もしくは、その後も内戦が続いてほとんど人口がなくなるまで殺し合い、社会が完全に崩壊する（イースター島やチャコ渓谷などの場合）。

虐殺や戦争を避けるためには、何とかして世界人口を平和的に、モラルに反しないで抑制しつつ、緩やかな経済成長を持続しなければならない。12個もある因子に惑わされてはいけない。問題は一つだ。ただし、その解決は、生物としての本能に逆らわなければならないだけに、大変難しい。

（2020年4月30日）

8-5 世界の見方の転換

山本義隆
『世界の見方の転換』（全3巻）
みすず書房、2014年

天動説から地動説へのいわゆるコペルニクス的転回がいかにして起こったのかを詳細に記述する労作である。結論から言うと、コペルニクス的転回は一日にしてなったわけではない。コペルニクスの前に、地動説を構成可能にした多くの努力があり、さらに惑星運動論を超えて、天体力学に昇華させるためにさらに数段の飛躍が必要だった。

西洋における天体の運動を理解しようとする学問的な試みは、15世紀にプトレマイオスの著作の翻訳から始まった。ハプスブルク家が設立したウィーン大学の教授となったポイルバッハは、プトレマイオスの「数学集成」をほとんど暗記するまで読みこなし、惑星の運動に関する一連の講義を行った。彼の死後1472年に、彼の弟子のレギオモンダヌスが自分の講義ノートを元にドイツ語で「惑星の新理論」と題して出版する。これは1653年までに56版を重ねイタリア語、フランス語、スペイン語、ヘブライ語にも翻訳されたほど多くの読者を持った教科書となった。これには、惑星や月・太陽の軌道についての木版の図版が付されていた。全く同一の図が付された書籍が数百の単位で発行できるようになったことは大きい。それまでの手写本では写本の度に必ず変形や過誤が加わって劣化していた。ドイツで発明された印刷術は、この意味で学問の発展に大きな貢献をしている。

プトレマイオスの惑星運動論のほぼ完全な理解が得られると、その問題点が見えてくる。ポイルバッハとレギオモンダヌスの師弟は、それを指摘し始めた。また、その解決のため、より正確な惑星の位置の観測を行う努力を始めた。当時、主流であったスコラ学徒やルネサンスの人文学者は、学問を進歩するものとは考えておらず、いにしえの哲学者、具体的にはアリストテレスの主張を無批判に受け入れていた。一方、ポイルバッハとレギオモンダヌスは、むしろ現実の観測との一致によってのみ理論の正しさが検証されること、理論の改良と観測の検証の繰り返しにより学問が先人の到達点を超えること、つまり「科学革命」が可能であると考えた。

レギオモンダヌスは、ニュルンベルグに移動し、天体観測と出版事業に乗り出した。当時ニュルンベルグは、精密機械製作の技術が高く、高精度を要する観測装置の製作に便利だった。ここでレギオモンダヌスは、自ら観測製作にあたり観測も行った。また、自分自身の「エフェメリデス（天体位置表）」、プトレマイオスの「数学集成」や「地理学」の新訳、ユークリッドの「原論」、アポロニウスの「円錐曲線論」の正確な図を付しての出版を企画していた。さらに、印刷術そのものの革新にも貢献していたと言われる。早世したレギオモンダヌスの衣鉢を継いだのは、彼の弟子であり共同研究者のヴォルターだった。彼はニュルンベルグの商人であり、商人らしい几帳面さで、正確な観測を行い記録した。このように、書籍を前に思索にふけるだけでなく、自ら手を動かす実際家が、学問の進歩の最前線に現れるようになった。

1472年レギオモンダヌスが「惑星の新理

論」を出版した年に生まれたコペルニクスは、上記の書籍を読んで学者として成長し、その上に自分の新しい理論を作った。彼の主著である「回転論」は１５４３年に出版されている。彼が問題とした点は、プトレマイオスが複雑な惑星の運動を表現するために導入した周転円パラメータの非独立性である。各惑星のパラメータは本来独立であるべきなのに、太陽のパラメータと同じとしなければならないものが一部存在する。コペルニクスは、これは観測者が乗っている地球の運動パラメータが、各惑星の動きに見かけ上反映されているだけで、視点を不動点である太陽に移せば、地球を含めた各惑星が完全に独立なパラメータで記述できることに気づいた。これがコペルニクスの地動説である。地動説のよいところはもう一つある。太陽を中心として公転する水、金、地、火、木、土の六惑星の公転周期が明らかになり、公転周期の短い順に太陽から近い軌道をとるとされたことだ。水星と金星が太陽に近い軌道を持っているからである。これにより、現在まで続くほぼ正しい太陽系の描像が固まった。

一方、彼は、惑星の運動を円軌道の重ね合わせで表現することに固執した。神が作った天上の動きは円でなければならないという、アリストテレス以来のスコラ哲学の常識にとらわれていたのだ。この時代、各惑星が透明な地球儀のような剛体の中に埋まっていて、それが一つ軸の周りに回転しているという思い込みがあった。天体が地上に落ちてこないのかが不思議だったのだろう。この固執が彼の理論の精度を制限した。

天上は、地上とは全く違った神の法則で支配され、永劫不変であるというアリストテレス学の体系は、その後発見された天体現象で否定された。まず、１５３１年に現れた彗星である。これは後にハレー彗星と名づけられた。この彗星が遠隔地点でほぼ同方向に見えたことから、アリストテレスが言うような大気内の現象ではないことが分かった。さらに1577年に現れた彗星の詳細な観測が後述のチコにより行われ、それが少なくとも月よりも遠い天体現象であることがはっきりした。また、彗星の尾が常に太陽と反対方向に伸びていること、彗星の動きが、惑星のような黄道面近くの円軌道から全く違うことが明らかになった。これらにより、上記のような惑星が埋まった剛体回転球は存在しないのではないかとの見方が広まった。

次に、1572年の新星（現在はチコの超新星といわれている）が周りの恒星と全く同じ日周運動を示し、全く視差がなかったことから恒星界の現象と考えざるを得なくなった。さらに追い打ちをかけるように、1604年の新星（ケプラーの超新星）も同様だった。天上の世界の最たるものである恒星天でも星が生まれたり消えたりするという発見は、アリストテレス的世界観を根底から破壊した。

このような天界の新現象の観測を主導したのはデンマークのチコだった。彼は、デンマーク国王の援助を受けて、ヴェーン島に二つの観測塔、居住空間、図書館、実験室、観測機器製作のための工房、印刷工房や製紙工場を備えた観測基地で1572年から1597年まで20年余に渡って観測に没頭した。大型の観測装置を用い、新しい観測方法を工夫した彼の観測位置精度は裸眼のものとしては限界に近いまでに向上した。そこで得られた惑星の位置情報の膨大なデータが、次世代のケプラーの飛躍をもたらした。また、太陽が水星と金星を従えて、静止した地球を中心に公転しているとする独自の太陽系モデルを提案している。この場合、金星の軌道と火星の軌道がどうしても交錯してしまうので、剛体が回転する球殻が重なった宇宙モデルには無理があるとの結論に至っている。

このようにして、アリストテレスの呪縛から解き放されたケプラーは、チコが観測した火星の位置の解析から、惑星の軌道が円でも円と周転円・離心円の組み合わせでもなく、太陽を一つの焦点として持つ楕円であることを導き出した。さらに、太陽を中心として面積速度一定の法則（ケプラーの法則）を発見した。これらの結果は１６０９年に「新天文学」として出版された。１４７２年のポイルバッハの「惑星の新理論」出版からケプラーの「新天文学」の出版までの137年は、アリストテレス的な体系の呪縛から脱出するのに必要な時間だったということになる。

なお、面積速度一定の法則は、太陽に最も近い地点で惑星の速度が最大になることを意味しており、惑星は何もない空間の中で太陽からの何かの影響力が惑星の運動を駆動されているという見方に力を与えることになった。この問題は、万有引力を仮定したニュートンによって最終的に解決されることになる。

以上をまとめると、コペルニクス的転回は以下の５段階を経て行われた。

１）プトレマイオス理論の受容（ポイルバッハ）
２）上記理論への批判とそれを補うための観測（レギオモンダヌスとヴォルター）
３）地動説の提案（コペルニクス）
４）高精度で包括的な観測によるアリストテレス的世界観の崩壊（チコ）
５）天体力学の構築（ケプラー）

つまり、コペルニクス的転回は、ほぼ一世代（約30年）に一回のブレークスルーが五つ重なってようやく得られたものだ。その間当事者たちの煩悶（キリスト教の分裂と争いがそれを増大した）とそれを克服するための努力は並大抵ではない。そこで得られた新しい情報の迅速で正確な伝搬と議論するコミュニティの形成を、出版事業が支援した。

著者は膨大な量の文献を読み、上記過程の一々を検証しつつ再構成している。良著だ。この本はぜひ高校物理の先生に読んでほしいと思う。三部構成の本書は、付録として主要な結論の証明が付置されている。それらは中学で習うユークリット幾何学で理解できる。コンピュータで武装した現在の高校生が、上記過程の一部でも追体験できるような教材を是非作っていただきたい。

（２０２０年5月4日）

8-6 This Is Your Brain on Music: The Science of a Human Obsession

Daniel J. Levitin: This Is Your Brain on Music: *The Science of a Human Obsession*, Dutton, 2006.

音楽が人間の脳の中でどう処理されて認識に至るかに関する良著。著者は、大学を中退の後、カリフォルニアでロックバンドに参加した。バンドの崩壊の後、録音技師やプロデューサーとしてスティービー・ワンダーなどの有名なアーチストとして仕事をした。音楽アーチストの創造の現場を間近に見た経験を基に、音楽が人間の耳と脳でどのように処理されるのかを理解するためにスタンフォード大学に入学して大脳生理学の研究を始めた異色の経歴を持っている。

まず、著者は音楽の構成要素の議論から始める。まず音が持つ性質として、音程（pitch）、リズム（rhythm）、テンポ（tempo）、音色（timbre）、音量（loudness）、反響（reverberation）が説明される。さらに、それらを基に脳が作り上げる高次の概念として韻律（meter）、キー（key）、旋律（melody）、和音（harmony）の意味が記述される。確かこういう話は高校の音楽の時間で習ったような気がするが、すっかり忘れていた。当時はイメージが湧かなかったので授業が苦痛でしかなかったが、今は分かるような気がする。そして、音が人間の耳と脳の中でどのように処理され、構成要素に分解され、高次概念に統合されているかが説明される。

音楽では1オクターブ（周波数で2倍）離れると、同じ名前の音に戻るが、その理由が初めて分かった。すべての楽器が出す音は、基本周波数だけでなくその倍音を含んでいる。したがって、ある音程、例えば「ド」の音を弾くと、周波数で2倍、3倍、4倍の倍波が必ず混ざる。それらは区別できないし、区別する必要がない。つまり、同じ名前で呼ぶ方が便利なのだと。また、西洋音楽では、1オクターブの中の12音のうち（普通の人間が区別できる限界）、7音（つまりドレミファソラシ）しか使わないのも、混じると変な感じの唸りがする音の組み合わせを避けているのではないだろうか。

著者は、音楽形式に則った脳による予測に対して、微妙にタイミングや音程をずらすことが音楽の妙味であると主張する。それにより脳は驚き、それが適度な場合はそれを好む。一世を風靡（ふうび）した歌や長年演奏されている音楽は何らかの意味でそのような驚きが隠されていて、大きな効果を上げていると言う。著者の同時代の歌や音楽を例にしてのこの主張には説得力があった。

では著者は、どんな研究をしたのだろうか？録音技師の経験を基に以下のような実験を行った。特別な音楽の訓練を受けていない人々に、自分の最も好きな（したがって何度も聞いて覚えている）歌を、そらでどれくらい正確に再現できるかを実験で確認してみた。驚くべきことに、彼らの大部分はリズムも音程もほぼ正確に再現したのだ。この事実を日本人は、納得できると思う。十八番は、カラオケなしでも再現性高く歌う人が多い。では、脳はテープレコーダーを持っているのだろうか。どうもそうではない。脳は歌を早送りすることができる。つまり、アルファベットの文字の順番を思い出すときに、アルファベットの歌を心の中で早回しで歌うことがある。テープレコーダーを早回しすると音程が上がるが、脳の早回しは音程が変わらない（早回し歌を声に出して歌ってみると分かる）。人間の脳は器用にも、それぞれの音程を覚えていて、それを順々に正確なタイミングで出力しているのだ。

脳の中でこれができるのはどこか？　著者らは、小脳に着目する。小脳は運動時のタイミングを記憶して必要なときに出力している。これが音楽でも働いていると十分考えられることだ。そこで、著者らは、ｆＭＲＩを用いて音楽を聴いている脳内の活動度を撮像してみた。その結果、耳で電気信号に変えられた音信号は、まず聴覚皮質で前処理を行った後に、前頭葉のＢＡ44とＢＡ47（音楽の構造と予想処理を行っている）を経由して、中脳辺縁系に送られていることが分かった。この間、小脳と大脳基底核はずっと高い活動度を示し、リズムと韻律の処理をサポートしていると思われる。中脳辺縁系は、覚醒、喜びを司っており、特に側坐核は励起されるとドーパミンを分泌する。このようにして音楽を聞くことは、側坐核の放出するドーパミンにより報酬が与えられ、関与する神経回路が強化されていると考えられる。

上に述べたように、音楽処理機能は人間の脳の基幹的な部分に組み込まれていることが分かる。また、地球上のすべての現生人類のコミュニティで、音楽とダンスはその生活と文化に深く根ざしている。また、5万年前の遺跡から動物の骨で作られた笛、つまり楽器が出土している。これは、音楽が現生人類の進化のかなり根元から重要であったことを示している。なぜ、人にとって音楽がこんなに重要なのだろうか？　著者は、二つの理由を挙げている。まず、ダーウィンが最初に言ったように、性淘汰である。歌や演奏、ダンスがうまいことは、強いセックスアピールとなる。それは身体が健康で心が活発であることを示しており、生存能力が高い子孫を残すための重要な指標だというわけだ。著者が実例としてあげるロックスターたちの異様なモテ方は性淘汰説を裏書きしているのかもしれない。もう一つの可能性は、コミュニティへの求心力の維持である。メンバー全員が集まっての歌え踊れの大騒ぎは、娯楽が少ない中で頭が真っ白になるぐらい楽しかったはずだ。それはコミュニティへの求心力と忠誠心の核になるだろう。それは社会生活を生き残り戦略の一つとしてしまった現生人類の重要なツールだったに違いない。

高校時代、手先が不器用で楽器をうまく操れない私には、音楽の授業は苦痛でしかなかった。こういう内容の授業だったら、もう少し音楽の授業に興味を持てたのになあと率直に思う。で、著者の生年をみると、私の一つ上でしかない。同時代人だ。彼が例に挙げるビートルズ、ローリングストーンズ、カーペンターズ、ルイ・アームストロング、コルトレーン、スティービー・ワンダー、レッド・ツェッペリン、その他たくさんの例は、私の中学から高校にかけて最も音楽に興味を持っていた時代にラジオから聞こえてきた音楽だった。したがって、当時高校生だった著者はまだこんな研究を将来するなんて想像していなかったに違いない。今の高校生に脱線話で聞かせてあげるときっと喜ぶに違いない。

さて、いまやパソコンが速くなって、音源のスペクトル解析が実時間でできるようになった。シンセサイザーもＰＣプログラムで簡単にできる。こうなれば、同じ高校の軽音楽部とかブラスバンド部と組んで科学部が、いろんな解析や音楽作りに挑戦してみるのは楽しいかもしれない。

（２０２０年5月12日）

8-7 The Story of the Human Body: Evolution, Health and Disease

Daniel Lieberman: The Story of the Human Body: *Evolution, Health and Disease*, Pantheon Books, 2013.

進化人類学者の著者は、現生人類に蔓延する生活習慣病の原因が、狩猟採集生活に適応してきた人類の体と現代的な生活との不整合にあると主張する。本書はまず人類の進化の道筋をたどる。

人類は約９百万年前に、ゴリラ、チンパンジーとの共通祖先から別れた。三者の共通祖先は、アフリカの熱帯雨林の樹上生活者で、そこに一年中実る果物を食べて生きていた。東アフリカでは大陸が分裂するリフト活動が始まった結果、高原化して乾燥し、密林が疎林・草原に変わった。人類はそれに適応して直立二足歩行を始め、独自の進化を始める。果実が得られない時期には、植物の葉や茎、地下茎や動物を食べるようになった。二足歩行で開放された上肢を使って簡単な石器を作り、堅い食物（地下茎や動物の肉）を切断・破砕した。完全な直立歩行（走行）はエネルギー効率が高く、食物の採集のための長距離の移動が可能となった。

動物の肉は、死肉漁りの他に、持久狩猟によって得た。この狩猟法は現在でも熱帯の採集・狩猟民族の間で広く行われている。狩猟者は炎天下に大量の水を飲んで準備をしておく。獲物を見つけると、隠れ家から追い出し後を追跡することを延々と数時間繰り返す。獲物は炎天下で常に走らされ続けた結果、熱中症に陥って動けなったところに止めを刺される。この方法により、敏捷性や力に劣り、まだ武器を発明していない初期人類が、高エネルギーの肉を得ていた。炎天下に数時間走り回る持久力を得るために、毛が退化し、汗腺を発達させて水の蒸発による冷却を可能とした。いったんは視界から消えてしまった獲物を見つけるための追跡には、二足歩行による視点の高さと大きな脳による推論能力が貢献した。

この間、脳は大幅に肥大した。現生人類の脳は体の基礎代謝量の20％を消費する高価な装置で、唯一のエネルギー源であるブドウ糖の供給が一瞬でも止まると回復不可能な損傷を受ける。持久狩猟中や不幸にして食物が得られない時期でも脳を維持するために、食物があるときに食べられるだけ食べて、脂肪にしてエネルギーを蓄えるように進化した。特に、育児中の雌は、自分と胎児もしくは哺乳中の乳児に与えるエネルギーを確保するために、脂肪の蓄積能力が高くなった。それでも育児中の雌が単独でこれらのエネルギーを賄うことが困難なので、連れ合いと両親が不足分を彼女に供給するようになり、食物を分け合って助け合う家族の原型ができあがった。

現生人類は約20万年前に誕生した。石器、火の利用と言語による高度な相互協力の実現などのイノベーションを背景に、狩猟採集者としてさまざまな環境に進出を始める。彼らは、1日に女子で平均9㎞、男子で15㎞も移動し、広範囲から食料を得ていた。人体は、このような数百万年におよぶ狩猟採集生活で問題が少ないように進化適応してきた。その後起こった農業革命と産業革命により人類の生活様式が激変した結果、人体とそれを取り巻く環境の間に大きな不整合が生じるようになった。

麦、米などの穀物の栽培は約1万年前頃から世界の各地で始まった。また同時期に、羊、山羊、牛、豚、牛、馬、犬の家畜化が進んだ。1カ所に定住し集落に集まって住む農民が生まれる。彼らの食物は、糖質主体のものとなり、ビタミンの不足による病気、すなわち壊血病（ビタミンCの不足）、ペラグラ（ビタミンB3の不足）、脚気（ビタミンB1の不足）に悩まされるようになった。また、穀物からの糖質中心の食事により、虫歯が発生するようになった。さらに、人口密度の増加により衛生環境が悪化し、家畜起源の伝染病が蔓延するようになった。その例は、腺ペスト、腸チフス、ラサ熱、マラリア、麻疹、結核などである。これらは、多様な食物を食べ、離れて暮らす狩猟採集民にはあまり見られない病気である。

約250年前に始まった産業革命で、人口の都市への集中がさらに進み、労働環境と公衆衛生環境の極端な悪化から、感染症と栄養の偏りによる病気が激増した。しかし、それぞれの原因が特定されれ、労働・公衆衛生環境が整えられるにつれて克服されていった。ただし、虫歯については、現代的な歯科治療により対症療法は進んだが、克服には至っていない。

しかし、それらに代わって二型糖尿病、心臓病などの慢性的な肥満による病気、免疫不全に関係した病気が増加している。これらの真の原因は、狩猟採集生活に適応した人体と現代人の生活環境の不整合にあると著者は主張する。

著者によれば、両者の不整合による健康問題は以下のようなものがある。まず、二型糖尿病と動脈硬化は糖質（特に果糖を半分含む砂糖が大量に入った）主体の高度に加工された食物・飲料の大量摂取による慢性的な肥満に原因がある。繊維質がほとんどないこれらの食物・飲料を摂取すると、急速に血中濃度が上がる。それは、インシュリンの大量放出と脂質の蓄積につながり、それらの相乗効果でインシュリン不感症と高血圧、動脈硬化を進行させてしまう（いわゆるメタボリックシンドローム）。その対処法は、それぞれの対症療法のみではなくて、真の原因である人体と生活環境の不整合に着目して、砂糖が大量に入った食物・飲料を避ける、暴飲・暴食を避け、適度な運動でエネルギーバランスを中立に保つなどであるべきだと著者は主張する。また、骨粗鬆（そしょう）症は運動不足により筋肉骨に十分な負荷がかかっていないこと、親知らずの異常伸張は柔らかいものばかりを食べることによる顎の骨の成長不良、アレルギー症は公衆衛生の行き過ぎにより人体の免疫システムに十分な負荷がかかっていないことが原因であるとしている。

　その他、ジョガーに見られる足の故障は厚い靴底による過保護、近視は屋内で書物やコンピュータスクリーンを長時間凝視しすぎ、腰痛は柔らかい椅子での長時間作業などが原因であり、人体と環境の不整合による問題としている。これらについても、対症療法に頼るだけでなく、真の原因に着目した予防的な対策を推奨している。つまりそれぞれ、できるだけ薄い靴底を使うか裸足で歩く、アウトドア活動を奨励する（特に成長期）、適切な間隔でのストレッチと適度な運動を行う、などである。

　豊富な人類学の知識を駆使した著者の議論は大変説得力がある。特に、著者の持論である初期人類の持久狩猟戦略とそれに有利なように進化した人体との特徴の議論は、大変興味深い。コロナウイルス禍による巣ごもり状態の自分を省みるに、耳の痛い話ばかりである。人類の進化と生活習慣病に興味ある人は是非読むことをお勧めする。著者が言うように、いろいろ試しながら反応を見つつ、自分の体をよく耕していっそうの長寿を手に入れようではないか。

（2020年5月22日）

第9章
ルーツと青春

解説　第9章 ルーツと青春

この章では、私のルーツと青春時代の記事をまとめてあります。

私の母方の曾祖父である金谷萬六は、家財を整理して朝鮮の群山に渡り、群山鉄工所を設立しました。記事9－6では、彼の事蹟を紹介します。また、私の母は、群山鉄工所のお嬢様として幸せに成長しましたが、終戦ですべてを失って本土に引き上げた後は、苦労の多い人生を送りました。記事9－1と9－2には、母と二人で彼女の故郷である群山を訪ねたときのことをまとめています。

私は、山口県下関市で生まれ、育ち、小学校に入学しました。母によると、私は何でもかんでも納得いくまで質問し続ける、非常に理屈っぽい子どもだったそうです。小学校の最初の担任だった梶永富子先生は、そんな私に「私には、あなたの質問に答えるほどの知識はない。あなたは、自分で図鑑や本を読んで、自分で勉強しなさい。それでも満足できなかったら、小学校を卒業し、中学、高校、大学を経て、さらに上の大学院に行かなければならないだろう。そこまでいけば、きっとあなたの質問に答えてくれる先生がいるだろう。それでも満足できなかったら、自分で研究して自分で答えを見つけるんだよ。あなたは、きっと凄い科学者になるだろう」と私に諭しました。そして私は、梶永先生の言ったとおりの人生を歩むことになるのでした。凄い科学者になったかどうかは分かりませんが。

母は、私が欲しいといった本は必ず買ってくれました。家計は決して楽ではなかったと思いますが、ありがたいことでした。また、学校の図書館にも入り浸って色々な本を読んでいました。そんな中で特に心に残っているのが『ファーブル昆虫記』です。そこには、身近な昆虫の生態について、仮説を立て、観察や実験でその仮説を検証し、その結果を整理してさらに新しい仮説に至る、科学の方法の基本が書かれていました。

中学に入ると、私は母にせがんで、総合科学雑誌『自然』の定期購読を始めます。この雑誌には、折から、「かに星雲物語」が連載されていました。そこでは、小田稔先生や森本正樹先生が、彼ら自身が切り開いた、X線や電波を使った新しい天文学について語っていました。また、私はこの連載から、天体では粒子が加速されて高エネルギー現象が起きていること、星も進化し最後には爆発して死ぬということを知りました。私は当時、「宇宙では凄いことが起きているんだ」と、わくわくして読み漁っていたものです。後に、小田先生や森本先生の謦咳（けいがい）に接することになったのは、私にとって大変光栄なことでした。その他にも、ロゲルギストの持ち回り連載「物理の散歩道」では、身近なちょっとした現象を物理で解明してゆく楽しさを教えてもらいました。

記事9-3では、そんな中学時代のエピソードを紹介しています。また、高校に入ると、私は「ファーブル昆虫記」を真似て、自分でも研究を実践してみました。その経緯が、記事9-4には書かれています。

そして、高校を卒業した私は、大阪大学理学部に入学しました。大学入学後、初めての下宿生活での猫との共同生活について書かれたのが、記事9-5です。

また、大学入学後の私は、記事9－7にあるように、戦前の高専柔道の流れをくむ寝技重視の七大学柔道にどっぷり浸った学生生活を送りました。七大学柔道優勝大会は、いつでも寝技に入れる独特のルールのもと、15人勝ち抜き戦で行われます。何よりも豊富な練習量を重視し、どんなに強い相手に対しても果敢に挑み、「負けない」ために最善を尽くすことが、この七大学柔道の特徴です。

残念ながら、私は大事なところでけがに泣き、大した戦績を残すことはできませんでした。しかし、この4年間で得たものは大きかったと思います。その後の人生で、逆境にはまって動きが取れない局面に遭遇したことが、私には何度もありました。そういうときに、次の展開を信じて運動量を維持したまま耐え忍ぶ精神力は、この学生時代に培われたと思っています。

その後、卒業研究の際には、X線天文学研究を精力的に進めておられた宮本重徳先生の研究室に入りました。これはおそらく、中学生の頃に科学雑誌『自然』で読んだ「かに星雲物語」に影響を受けたためでしょう。あれは確か大学4年の夏でしたが、同連載の筆者であった小田稔先生が、京都で講演をなさるという話を私は耳にしました。そこで、卒業研究を一緒に進めていた私を含む3人の学生は、連れだって大阪から京都までの自転車旅行を敢行し、小田先生の講演を聞きに行きました。今でも強く記憶に残っている、楽しい思い出です。

9-1 母の故郷訪問

母を韓国の群山に連れて行きました。私の母の明美は、群山で生まれました。小学校6年のときに終戦を迎え、家族とともに着の身着のままで追われるように帰国し、そのまま70年近くが経ってしまいました。この年に祖母は病死したので、年若の4人兄弟姉妹を母親代わりに育て上げ、さらに結婚後は私と妹を育てるという人生を送ったのでした。その中で、群山時代は比較的平穏で懐かしい思い出がある半面、それが突然奪われ、その後悲しい経験をしたので、群山に対しては愛憎半ばする複雑な思いがあったようです。

群山鉄工所跡地

母の家族は、曾祖父の金谷萬六が設立した「群山鉄工所」を経営していました。この鉄工所は、当時の住所で「栄町65－3」にありました。「群山駅を出て左まっすぐのところに家があった。近くに川があり、その向こうに市場があった」というのが母の記憶でした。まず、市役所にでかけ旧住所が現在の住所の何処に対応するのかを調べてもらいました。Ｙｕさんという市役所の職員に対応していただきました。確認が済み、彼の車でその場所に連れて言っていただきました。廃線の後がありました。また、川があった場所は埋め立てられて今は道路になっていました。群山鉄工所の跡地は、現在は市場の一部になっており、魚の干物と、豚の臓物を使った腸詰のようなもの（いずれも群山の名物とされている）の店がありました。

群山小学校

帰り道の車内で、母が通っていた群山小学校の校歌を母が突然歌い始めました。「小学校の門前は坂になっていた。冬は凍りつくので滑って大変だった」ということも思い出しました。群山小学校ならばすぐそばだということで、連れて行っていただきました。そこには、ちょっと急な坂がありました。確かに小学生にとっては、登るのは大変だったかもしれません。校舎は建て替えられており、母の記憶を刺激するものは、残念ながらありませんでした。ただし、門柱はかつての面影があるらしいです（写真9－1）。

群山鉄工所

次の日に、今の群山鉄工所に行ってきました。かなり離れたところにありました。約10年前に今のところに移ってきたそうです。今の経営者は李ジョンカョャンさんです。彼のお父さんが、終戦当時の群山鉄工所の従業員であり、母の家族の帰国後、鉄工所の経営にあたってこられたが6年前に亡くなったそうです。さらに、お母さんも3年前に亡くなってしまったとのことです。二人とも鉄工所の日本人経営者家族を懐かしく思い出していたとのことです。もう少し早く来てくれれば、父か母が昔の話ができたのに大変残念だと言っておられました。

母が子どもながらに見ていた感想では、経営者である日本人と従業員である韓国人は、仲良く協力して鉄工所の運営にあたっていたということでした。今回、それが裏づけられたと思います。通訳として同行してくれた金允智（理研大森研研究員）さんも、その後の反日感情を考えると、よほど強い絆がないとこういうことは言わないだろうと言っていました。

私の曾祖父の金谷萬六は、立志伝中の人物であったと聞いています。山口の故郷からすべての資産を処分して群山に行き、七転び八起きの苦労の末、群山鉄工所を設立したようです。詳しいことは分かりません。その間、綺麗事では済まないことはあったとは思います。しかし、民族の壁を越えて韓国の従業員との信頼関係を確立し、戦後も継続して韓国の方々の生活のよすがとなった群山鉄工所を作り上げた曾祖父を私は誇りに思います。

（２０１３年５月31日）

写真9-1　群山小学校の門柱

9-2 李永春家屋

群山に今も残る日本人家屋を見せてもらいました。その一つが、李永春家屋です。ここは、熊本農場を創立して運営した熊本利平氏が1920年に立てた別荘です。

李永春家屋では、市役所を退職後、ボランティアでこの家屋の案内をしているChang-Yoo Leeさんに話を聞くことができました。李博士は熊本氏の援助で、京大に入学し、医学博士を取得しました。韓国で最初の医学博士だったそうです。帰韓後は熊本農場の従業員、小作人の診療に当たりました。彼が診療に使った薬品なども熊本氏が支出したそうです。李博士と熊本氏は深いきずなで結ばれていたようで、李博士の夢である農村衛生研究所の設立へも援助する約束をしていたようです。しかし、その実現を待たずに終戦を迎え、熊本氏は農地を小作人に与え、この屋敷を李博士に託して帰日したそうです。その後、李博士はこの屋敷に住み、多くの苦労をして農村研究所を設立し、韓国のシュバイツアーと呼ばれるようになりました。李永春家屋は彼が設立した看護学校と病院の一角にあります。

母の記憶によると、当時の韓国の貧しい方たちは、炊事、洗濯、そして排せつ物の処理まで同じ川でしていて、子どもながらにとても不衛生に見えたとのことです。もちろん今の韓国では全くそういうことはありません。農村における衛生観念の確立こそ、李永春博士とその後援者だった熊本利平氏が語り合った夢だったのではなかったでしょうか?

この屋敷は和洋折衷の洋館で内部にはオンドルを配しており、夏涼しく、冬は暖かくとても住みやすそうな家でした。韓国最大の地主となった熊本氏が凝りに凝って家具やシャンデリアを運ばせて建てたものだそうです。建築費は、朝鮮総督府と同じくらいだったそうです。実際に訪れてみると、意外と小さな建物でした。数人の家族と従業員が住んでいたと思われます。

熊本農場の資材帳は、看護学校に保存されていたそうです。今は市が保管しているようです。どのような経営がなされていたかに関する詳細な研究を、日韓合同のチームを組織して、行っていただけないかと思います。

むしろ、私は和洋韓のよいところを合わせて破綻しない建築の素晴らしさに感心しました。そこに熊本氏の質実剛健の生活、創意と進取の気性を私は見てとりました。群山に観光なさる日本人はぜひ誇りを持ってこの屋敷を見学してほしいと思います。


(2013年6月2日)

写真9-2 李永春像

9-3 H君とK君

H君とK君は、私の中学3年の頃の友達である。彼らと深く交わるようになったきっかけは井上靖の小説「夏草冬濤」であったと思う。その後半に主人公とその友達が、文芸（哲学だったかな）同好会を作り、学校の各クラスを回って、演説し会員の勧誘をするエピソードがあった。当時それがNHKのドラマになって放映された。放映の次の日、H君とK君が二人して私のところのやってきて、「あれがとてもよかった。ぜひ自分たちも同じようなことをしてみたい。ついては一緒にやらないか?」と私を誘ったのである。600人もいた同級生からなぜ私が選ばれたか分からない。これまでの言動から、こういうことをやるなら戎崎という判断があったのだろう。私は一も二もなく賛成し、三人である朝クラス周りをやらかした。

さっそく、担任と生徒指導の先生から呼び出しがかかり、普通の生徒を惑わすようなことをやめろとか、受験があるんだからよけいなことをするなとか、K君とはつるむなとかさんざんお説教をくらった。K君は在日朝鮮人であった。彼は学校の成績こそあまりよくなかったが、頭がよく、議論では手ごわいファイターだった。正直言って、当時はまだ朝鮮人に対する差別が根強くあったと思う。その中で、彼は朝鮮人としての誇りを持ち、出自を隠さず生きることにしたと言っていた。私はその勇気を尊敬した。また、差別がある社会で誇りを持って生きてゆくには、資格が重要だ、弁護士になると彼は言っていた。

先生から禁止されたクラス周りはやめたが、私たち三人は放課後ごとに集まっていろんな議論をした。先生のお説教は誰も気にしなかった。先生たちも、表立った行動をとらない限り黙認することにしたんだろう。もっとも、他の生徒のもっとひどい不良行為への対応で、先生たちは忙しかったに違いない。

H君は宗教哲学に興味を持っていた。彼の本を貸してくれて私に意見を求めたりもした。すでに科学者になる志を立てていた私は、そこに書かれていたことには満足できなかった。その中には、宗教と現代科学の関係について議論していた部分があったが、それにより宗教の権威づけに使っていると見た。H君は激しく抵抗した。私も自説を曲げなかった。激しかったが、楽しい議論だった。仏教経典の解釈とか、唯物論の批判と唯識論とかについて議論を重ねたような気がする。さらに議論は、原子力の是非や戦争、朝鮮との関係に及んでいた。それはとても未熟なものだったが、私たちは真剣だった。生半可な議論では、他の二人に馬鹿にされるだけだったから。

中学3年の春から夏は、よく三人で過ごしていたと思う。8月のある日に三人で海水浴に行った（きっと、井上靖の小説の真似だ）。その日は台風が接近中で海水浴場はひどいうねりが出ていたが、海に入るのが怖いとは二人に言えなかった。こわごわ海に入ったが波が高くてとても泳げず、浮輪代わりのタイヤチューブにしがみついているだけに終わった。見てみると他の二人もそうだった。よく無事だったものだ。よい子は真似をしないように。

この親密な関係も中学卒業とともに終わる。K君は朝鮮関係の高校に入学したと思う。卒業後会っていない。志通りに弁護士になっているだろうか？　何になったにせよ、面白い人生を送っているに違いない。H君は、私とともに下関西高に進学した。彼は野球部、私は柔道部に入部して忙しくなったためか、議論しなくなった。議論の季節は終わり、実践の時が来たのを知っていたのかもしれない。今彼は、どうしているだろうか？　私は、大阪大学理学部に進学し、本格的に科学者への道を進むことになった。

15歳の夏、約40年前の懐かしい思い出である。

（2015年1月6日）

9-4 私の自由研究

私は山口県下関市彦島に住んでいた。本州の西端、九州に向かって突き出した岬の先端にある島である。彦島は造船で栄えた町だった。しかし、もう当時は韓国との厳しい競争に晒(さら)されて、構造不況に島全体があえいでいた。そのためか、島にはたくさんの空き地があった。どこも草が伸び放題。盛大に葉っぱを伸ばしたカヤの大株があちこちに見られた。私の家はそんな原っぱの中にあった。

私は、カヤの葉の中心を走る白い葉脈に赤い斑点が点々とついている場合があることに気がついた。この斑点の原因は何か？　それをつきとめることを研究テーマにした。

私はまず、観察することから始めた。比較的古い大きな葉に斑点がついていることが多い。また、株と株で調べると数にかなりばらつきがある。私は自転車で少し遠くまで行ってみた。彦島にはたくさんの小山があり、小さな町がそれで隔てられている。それらを結ぶ峠の切通しには、猛烈な風が吹く。そんな場所にあるカヤを調べてみた。ここでは、赤い斑点が少ないその代わり、カヤの葉が風で折れたり、周りの葉とこすれ合って傷ついている。折れたり、傷ついた場所は赤く変色していた。

これらの観察をもとに私は、「カヤの葉は物理的に傷つくと、そこが赤くなる」という仮説を立てた。生物の大本先生に相談したら、植物の場合、傷つくとその防御反応としてアルカロイド色素が沈着することはよくあることだという話をしてくれた。アルカロイド色素は紅葉の原因となる色素だから、赤く変色することは不思議ではないという。この仮説は、正しそうだとの感触を得た。

私の興味は、「カヤの葉の中心の白い葉脈という特殊な場所に特有の傷をつけたのは誰か?」という疑問に移った。昆虫少年だった私は、虫が犯人ではないかと推測した。そこで、捕虫網を取り出して、カヤの株の中を数回凪いで見た。するとその中に、数種類の昆虫がつかまった。家に持って帰って、昆虫図鑑で調べてみるとウンカの仲間の昆虫がその中にいた。図鑑で確認したところツマグロヨコバイ(以下ツマグロとする)らしい。ツマグロはイネ科の植物の葉に張りついて、草液を吸って暮す昆虫であると図鑑に書いてあった。カヤもイネ科だ。こいつらはカヤの草液を吸って生きているのだろう。確かに腹側には、針状の口があった。昆虫採集で捕虫網を振り回していると、蝶なんかと一緒に捕虫網に入ってくるおなじみの昆虫だった。

私は、この昆虫がその針状の口を葉脈につきたてて、草液を吸ったときにできた機械的な傷が赤い斑点の原因ではないかと考えた。そこで、一連の実験をした。まず、母親の針箱からマチ針を数本失敬し、カヤの葉の葉脈に突き刺した。その後、外部からの刺激がない様に、透明のセロテープで封をした。傷つけた場所が分からなくなることを防止する意味もあった。また、傷をつけないでテープだけを巻いたものも比較のために用意した。セロテープの影響が心配だったからである。その他、針で突き刺した後、黒いビニールテープで巻いたものも作った。日光の影響があるかもしれないと考えたからである(紅葉と近い現象なら日光も関係する可能性がある)。1か月ほど経った後、調べてみると、針でつけた傷の周りが見事に赤くなっていた。傷をつけないでセロテープだけ張った場所にはなんの変化も見られない。黒ビニールテープでも傷の周りが着色していた。日光は着色には関係なさそうだ。

また、ツマグロを5匹ぐらい集めて、カヤの葉の周りに縛り付けたビニール袋の中に閉じ込めた。これを1か月後に調べてみた。ツマグロを閉じ込めたビニール袋の部分の葉では、赤い斑点の数が異常に多いことを見出した。かわいそうなツマグロたちはまだそのビニールの中で生きていた。一方、ツマグロを入れないビニール袋の中は綺麗なままだった。

以上の実験から私は、以下のように結論した。カヤの葉の中心の葉脈の上に見られる赤い斑点は、ツマグロが草液を吸うために針状の口を突き刺してできた傷が原因である。このような傷の周りにアルカロイドが沈着して赤く着色することは、植物においてはよく見られる現象であると、生物の大本先生が教えてくれたことは先にも述べた。

この結果をまとめて、読売新聞が主宰する高校生の科学研究コンテストに応募した。指導してくれた大本先生が熱心に勧めてくれたからである。内心、かなりいいところまで行くはずだと思っていた。高校生の研究では、生物の生態・分布調査見をたくさんの仲間でやり、まとめたものが多い。それはそれで立派である。しかし、科学において大事なのは、⑴問題発見、⑵観察による仮説立案、⑶実験による仮説の検証、のサイクルを実行することである。生物の生態調査なんかでは、高々観察による問題点把握ぐらいでとどまる。残りは、今後の課題であるとか言ってごまかす場合が多い。一方でこの研究は、この一つの科学のサイクルを完全に閉じさせているのが私の自慢だった。

私の研究は、残念ながら山口県大会で高校最優秀賞にとどまり、他の研究が全国大会の上位を占めた。案の定、全国大会の上位は、「×××地方の環境調査」とか「×××鳥の分布」とかいうようなタイプの研究が占めていた。また、かなり指導者の先生の手が入っていたように思う。私は少しがっかりした。審査員たちは本当の科学というものを分かっていない。一方で、私は、自分の科学者としての才能に自信を持った。何万人という高校生の中で、ここまできれいな科学研究をしていた人間は恐らく私だけなのだ。何とかして科学者になれば、絶対それで飯を食っていける。では、どうやって科学者になるか。それが問題だった。父が勤める造船所では激しいリストラの嵐がやってこようとしていた。病気を患っていた父は、この嵐をまともにうけて心までも蝕まれかけていた。

本当の科学が分かる科学者がいる大学に進学しなければならない。奨学金を得なければならぬ。それまであんまり熱心でなかった受験勉強に、必死で取り組むようになったのはこの頃だった。八幡製鉄の高炉が上げる煤煙が、のしかかるように私を見ていた。

後日談1

私は、その後阪大理学部物理学科に進学し、今も理研で科学者をやっています。大本先生は、私が物理学科に進むということを聞いたときに少しだけ残念そうな顔をしました。私は、生物学は各論に終始しており、まだ私の才能が生かせる状況にないと判断していたように思います。この研究は、私の科学者としての最初の仕事だと思っています。植物の機械刺激に対する防御反応は、農学手を入れられませんでした。感謝しています。

（2015年1月6日）

においては、現在の最先端テーマである事を理研で知りました。ゲノムの解読が進み、生物学が私が絡める状況になってきたと思っています。できれば、この高校時代の研究の続きをして今度は研究誌に投稿してみたいと考えています。いつのことになるか分かりませんが……。

後日談2

先日、久しぶりに母校に行ってみると、私のこのときの全国大会のトロフィーがまだ職員室に飾ってあるのを知りました。どうも、全国大会ではベスト5には入らなかったものの、ベスト10以内の評価だったようでした。見る人は見ていてくれたということでしょう。なにせ、高校生がほとんど一人でまとめたもの。突っ込みどころは満載だったことを考えると、正当な評価だったかもしれません。大本先生は、私の自主性を尊重してあまり

9-5 五右衛門の足跡

今から約35年前のこと、私は大阪大学理学部物理学科の2年生だった。当時私は、恐ろしく古くてぼろの一軒家に一人で下宿していた。ある夏の終わりの夜、下宿の前まで来るとピーピー泣いている子猫がいる。この子と共同生活をすることになってしまった。私の部屋は本やら、新聞紙やら服やらが散乱するとてもひどい状態だった。一度、空き巣に入られたが、まったく分からなかったほどだ。しかし、この子の忍び技はすばらしく、そんな中でもカサとも音を立てない。それに感動した私は、この猫を五右衛門と名づけた。

われわれの共同生活が「飼う」に当たっていたかどうかは分からない。とにかく朝はうるさく騒ぐので、何か餌をやっていたと思う。しかし、その後は大学に出かけ、帰ってくるのは夜だ。その間、何をしていたのか、何を食っていたのか私は知らない。下宿は、土むき出しの駐車場の中にあり、目の前に川があった。川原に出ればバッタかカエルぐらいは捕まえられただろう。部屋ではゴキブリが大量発生していたが、その駆逐には役立ってくれていたようだ。

ある日、起きてみるとくしゃみがひどく、目脂(めやに)で目が明かなくなった。風邪を引いたのだろう。そのまま死んでしまうと寝覚めも悪いので、獣医さんに連れて行った。獣医さんは注射を一本打ってくれ、「この子はメスだよ」といった。女の子ならば、もっとかわいい名前にしとけばよかったと後悔したが、五右衛子ではゴロが悪いので、そのまま五右衛門ということにした。

私の下宿は、隙間だらけ穴だらけだった。押入れの天井の穴から、天井裏を通して外へ出る抜け道があるらしく（実際、星が見えた）、彼女はこの抜け道を使って自由に出入りしていた。私が柔道の練習から帰ってくると、どこからともなく姿を現す。少しガソリン臭かったのは、車のエンジンの下で暖を取っていたからだろうか。

机に向かって勉強を始めると、彼女も膝の上に座って一緒に本を見ていた。ページの端や鉛筆を転がして遊んでいた。私は当時、ゾンマーフェルトを読んでいた。彼女があまりに熱心にゾンマーフェルトを見ているので、そのうち物理が分かるようになるかと思ったが、そういうことはなかった。

そのうち冬が来た。隙間風だらけで寒い寒い。暖防具は電気こたつしかなかった。確かに、こたつ代わりに猫を抱いて寝るのは具合がいい。こたつだと熱くなるが、猫は常に適温だ。ちょっと寒くなると脇の下、最も寒くなると股倉に丸まって寝る、自己中心な奴だった。

春になると、一緒に日向ぼっこをした。天気のいい日曜日、持っている下着を全部洗濯機にかけ、海パン一つで縁側に寝そべる。ちょっと肌寒いが、春先の強い日光が心地よい。その横で、同じ姿勢で彼女が寝そべる。何にもなかったが、半野生の猫と貧乏学生は幸せだった。

夏が来て、私は帰省することになった。置いてゆくと本当に野生化し、近所に迷惑をかけることになりそうなので、実家に連れてゆくことにした。激しく暴れたが、バスケットに押し込んで、一緒にフェリーに乗った。私は彼女を父に預け、その足で一人で九州旅行をした。私は一か月ぐらい実家にいて、また大学に戻った。半年ほどして、彼女がいなくなったと母親から聞いた。近くの交差点に、茶虎の猫の死体があったと風の噂に聞いた。

母親の話によると、五右衛門は父親の声に特に強く反応したらしい。父の声が、私のに大変よく似ていた（因果関係は逆だが）からだろう。また、夜8時ぐらいになると、人待ち顔で外を見ていたらしい。8時というのは柔道の練習が終わって、私が下宿に帰る時間だ。彼女は彼女で、私を恋しく思ってくれていたのかもしれない。彼女にきちんとお別れをしていなかったことに気づいた私は、ちょっと後悔した。

彼女と共同生活をしていた頃、私は、押し入れに4冊のランダムハウス英和辞典を積み上げていた。彼女は、これを天井に駆け上がるときの踏み台にしていた。この辞典はまだ理研の私の部屋にある。その箱には、猫の足跡が今も見える（写真9－3）。今となってはこれだけが、私の最初のメスの友であった五右衛門の痕跡である。

（2015年1月6日）

写真9-3　足跡の残る辞典

9-6 金谷萬六

実家で先祖に関する文書を発見した。以下に書き写した。私の母方の姓は金谷である。萬六は母の祖父、私の曾祖父である。この文書を母に送ってくれた清次は萬六の次男、母の叔父にあたる。清次は私にこう語ったことがある、「親父（萬六）が自分を置いて、一人山に入って行ったことがある。出てきたときに『さあ、帰ろうか』とぽつんと言った。あのとき、親父は首をつるつもりで山に入ったのかもしれない」と。

先祖自慢になるかもしれないが、お盆が近いから許してもらおう。文書の性格から脚色があるかもしれないが、その概要は、私が清次、母から直接聞いた話とおおむね一致している。ただし、明治41年から大正2年までの記述の一部に混乱があるように思える。また、この文書が書かれた当時の価値観は、今のものと違う部分があることも考慮すべきである。ただし、記者が金谷萬六に取材して得た感動と尊敬は不変の価値を持つと私は思う。

明治・大正に生きた、金谷萬六は「奮闘進取、不撓不屈」の人であった。昭和・平成に生きるその曾孫は、自分も「奮闘進取、不撓不屈」の人でありたいと願っている。私の曾孫は私をどう評するだろうか。

この写は大正九年（1920年）大島新聞社が大島郡出身者の動静を記述刊行したものであるが、「金谷家家系図」の作製の際協力された橘町役

場収入役池田正彦氏がたまたま安下庄の公民館に保存されていた同誌を発見、父萬六の該当部分を複写したものである。

昭和54年7月11日
金谷清次

大島郡大鑑
大正九年刊行
金谷萬六君

朝鮮群山金谷鉄工所主金谷萬六君は、血成男子として、もっとも痛快なる性格を有する人物である。その初めて、朝鮮に行したのは、明治二十四年であって、釜山に足を留め、鉄工所職人として勤むること三年。明治二十七年日清の間に風雲動き、月尾島前砲火相見ゆるに至るや、君は、陸軍通訳に志願して従軍したものである。而して二十八年和議成りて後、君は再び仁川に帰来した。帰任するや直ちに鉄工所を開業したのである。而も驚くなかれ当時君の投じたる資本金正に五十銭であったのだ。幸いにして君の物に動せざる卓落の風格、事業は金力によりて行はず、実力によりて行ふという大信念は、よく自家の事業をして盛大ならしめ、開始当年早くも一千五百金の収入を見るに至ったのだから、偉いではないか。

けれ共、天は尚、君をして幸福の人足らしむる事を拒み、翌二十九年病床の人となるをやむなきに至り、前年に得た収益を全部これに投じたる上、尚ほ且つ五百金の負債を生じたのである。唯幸いにも君の知己先輩は、君の人物手腕を信頼して、甚大なる声援を与えたので、この失敗は期年ならずして取り返し、明治30年には、約八千円の利益を収めたから初めて君は郷里に両親を省した。而して、児の錦衣帰郷せるを此の上もなく喜ぶ両親の顔を見て、君も初め安んじたといふが左もあったろう。

明治32年群山開港の年、同地視察に赴き、その地形将来有望なるを察して、其年同地に転じ、農具製造業を開始し、別に朝鮮向き雑貨卸小売商を令夫人経営せしめた。此の両事業は、共に順調に成功し明治四十一年までに、早く既に群山一流の事業家となり、その人望四方を圧し、或ひは商業会議所議員、或ひは民団議員と、各種の公職に推され、群山の金谷として声望真に隆々たるものがあった。人は、此の時代を以って、君の全盛時代といって居る。

群山における君が失敗の因となしたるものは、その山林を購入して、材木の伐採を開始したるにある。蓋し、その失敗たるや、実に不可抗力によるる天災であって、君が事業を見るの明ならりし為ではない。若し、人の生涯を黄金力にのみ算定するならば、此の点に於いて、君は決して幸福でなく、寧ろ薄幸と謂うべきである。けれ共、男児の世に処し社会に立つ、その真価は必ずしも、黄金の多寡に寄るものではなく、奮闘進取、不撓不屈の大精神を以って、敗るるを悲観せず、勝も亦奢らず、断断固として所信に邁進するの勇気、度量、闘志にあるを思う時、君の如き、正に之れ、男児の真骨頂を有せるものとなしてよろしい。閑話休題、明治四十一年二年の頃の君は、経験ある親族のものと共に、中清南道に山林を購入し、竜山師団司令部建築用材として之が伐採を開始した。君が不幸の因は端をここに発したのである。

山林伐採の真最中、当時有名なる大洪水が起こった。中南初まってと言はれるほどの大水であった。群山沖合の海上には材木が水に流されて点々と浮流して居る、之を発見した君は直ちに自家伐採中の山林の現状を憂ひつつありしに、果たせる哉、当日迄に伐採した材木三十万才は全部流失したといふ報に接した。更に引き続いて暴徒の襲撃に遭ひ、約二千円を強奪された。天災の至ること、かく打ち続いたので、君は断然山林伐採を中止に決し、雇ひ込みたる職人には、一人百円づつの涙金を渡して事業中止を宣告したものだ。ところが職人等は、切に君の再起を奨め兎にも角も残れる材木の伐採を継続せんことを主張するので、君も意を代へ、再挙を計った所が、再び洪水に見舞われて亦た起つに能はざるに至った。山林に経験ありし君の義兄が、一朝病の為にこの世を去る等、君の周囲は、実に呪はれたるが如き形である。此の間に君が大なる負債を負ふたること勿論。

当時、君の全財産は約六万円と評価されて居た。君は此の全財産を投げ出して負債の償却に充てた。湖南有数の名を勝ち居たりたる金谷鉄工所の整理はかくして大正六年より初まり、その全く終了したる大正二年二月であった。整理の終了と共に、君は全く一切の責任を果したるものとして、さらに活躍の舞台に人となった。昨年迄は、一流の紳士として、一流の神商として、その一挙手、一投足、地方に重きをなしたるのであるから、人情の常から言えば、到底、身を落として活動するてう事は出来難いのである。全盛から落魄、極端から極端に走りながら、君は再び群山で活路を発見すべく、身自ら槌を取って、多年経験のある鉄工事業を初めたのである。これが大正二年の三月で負債整理を終了した翌月である。物に拘泥せざる此の態度、毀誉に超然たる此の風格、正に男子はかくあるべしとは、君を知るものの、等しく痛感したる所。君が爾来思はざる知遇を友人並に先輩より受けたるは職として之に因るのである。

げに、君が自ら槌を取って立ちしよりといふものは、一日の就眠時間二時間乃至四時間を出でない、一日に少なくも他の三日分位の仕事をしつつある。之は現在も尚然りであって、同地にある山口県選出代議士坂上貞信君の如きは、大ひに之を壮とし、偉とし、君を鞭撻、激励して、声援助力したものだった。

此の大努力、大奮闘は、今や君をして再び成功の彼岸に達せしめんとしつつある。往年の黄金時代を出現せしめんとしつつある。君は之を以って、先輩知己の知遇に之れ因ると言ふて居るけれ共、君自身に偉大なるなくんば、到底能はざるのである。

君は日良居油良の出身、男児の気風を有せる一人者として推どうするに憚らない。切に自重を祈る。

（2015年1月7日）

9-7 七大学柔道の精神

大阪大学に入学した私が打ち込んだのは柔道だった。阪大の柔道部は全国七大学柔道優勝大会での優勝を目標としている。この大会は、戦前の高専柔道の流れをくみ、いつでも寝技に入れる独特のルールで15人勝ち抜き戦で行われる。北海道大、東北大、東京大、名古屋大、京都大、大阪大学、九州大が参加している。

柔道は他の格闘技と同様に、体格がよいものが有利である。また、立ち技は持って生まれたバランス感覚が重要で、それを練習で埋めることは困難である。では、体格にも才能にも恵まれないものが、主役となりえる柔道はないのだろうか。その答えが七大学柔道である。その精神は、井上靖の小説「北の海」に語られている。練習量がすべてを決める柔道だ。高校時代にこの小説を読んで感動した私が、この寝技中心の柔道に、どっぷり浸ることになった。

寝技は手順が重要である。また、足を手のように自在に用いれば、どんなに体格に差があっても対抗することが可能だ。少なくとも引き分けに持ち込むことができる。もちろん、相手に倍する運動量で先手を取り続けないと次第に体格の差がでて、動きを封じられてしまう。

15人の勝ち抜き戦には特別な意味がある。相手がどんなに強くても引き分ける、もしくは一人は抜かれても、次の者がきちんと止める、あわよくば抜き返すことが重要になる。たとえ負けが確実な態勢であっても、最後まで抵抗を続けて疲労を強い、次のものに希望を託さなければならない。実は一人抜いた後に地獄が待っている。

疲れ切り、息が上がった状態で次の元気な選手と対戦し、少なくとも引き分けに持ち込まないと最初の勝利は無に帰する。そのためにも何にもまして練習量が大事になる。一人か二人強い選手がいても七大学柔道では勝てない。15人の粒のそろった選手をそろえるため、日頃のチームワークが大事になる。分け役が伸びれば、それに対抗して取り役も強くなる、両者が毎日の練習を通じ切磋琢磨して技量を伸ばしてゆく姿が理想だ。

残念ながら、私自身は大事なところでけがに泣き、大した戦績を残すことはできなかったが、この4年間で得たものは大きかった。まず、「勝つ」ことよりも「負けない」ことの重要性に気づいた。その後の人生で、逆境にはまって動きが取れない局面に遭遇したことが何度もある。そういうときに、次の展開を信じて運動量を維持したまま耐え忍ぶ精神力はこのとき培われた。また、先輩の技や柔道の手引書を参考に、無駄とも思える練習を延々と続け、自分独特の技を体に彫りこむように作り上げてゆくのは楽しかった。短い脚を生かし、隙あればどんな態勢からでも関節を取る自分独自の技の体系が完成しそうだったが、4年の7月には間に合わなかった。留年して技の完成を図ることも考えたが、これまで一緒にやってきた同期の仲間なしで苦しい練習に耐える自信がなかった。何よりも苦しい、痛い、臭い、暑い、寒い練習にともに耐えた仲間こそが一生の財産になった。

先日、久しぶりに母校の柔道部に行き練習に参加させてもらった。すると、この40年間で技が進化している。それぞれの選手が自分独特の技（どこの手引書にも書いていない）を作っているのだ。これは、七大学柔道にしか見られない現象だ。

40年たった今、あのとき未完に終わった技の完成を図りたい誘惑にかられる。今でも腕を手繰って関節を取りに行く夢を見て飛び起きることがある。青春はまだ続いている。

（２０２０年1月17日）

初出
戎崎俊一，高論卓説，フジサンケイビジネスアイ（FujiSankei Business i），２０２０年1月17日

あとがき

学際研究を進めるにあたり、「異分野の研究者の講演を聴いたり、懇親会で意見を交換したりする程度では、新分野開拓は1ミリも進展しない」という経験を私は持っています。そこで、私は「超学際研究」と呼んでいる、独特の研究手法を編み出しました。それは、以下のように進行します。

1）ターゲットとなる分野の主要な論文を、ひたすら読む。特に重要と思われる文献に関してはメモを取り、概要を日本語でまとめて保存する。

2）ターゲット分野の論文を100編ほども読了する頃には、その分野の主要な課題、方法論、次の課題などが概ね掴めてくる。

3）上記の状態に達した頃には、自分独自のアイデアが生まれてくるので、それを数ページのメモにまとめ、当該分野の研究者に送って意見を求める。たいていの場合、これは一蹴されてしまうのだが、論文で得た知識などを総動員して食い下がっているうちに、10人に一人ぐらい、真剣に考えてくれる人が現れる。

4）真剣になってくれた方をメンターとして徹底的に議論を行い、理解を深め、必要なら簡単な数値シミュレーションを行って論文にまとめる。

要するに、その分野で博士課程に入学したほどの徹底的な調査・勉強をし、その分野のメンターを見つけて指導を乞い、博士論文を書く勢いでターゲット分野に侵入・攻略するということです。

これまでに私のメンターになっていただいた方は、アラバマ大学ハンツビル校の高橋義幸教授（故人）、カリフォルニア大学アーバイン校の田島俊樹教授、東京工業大学の丸山茂徳教授、パリ工科大学のジェラール・ムルー（Mourou, G. A.）教授、理化学研究所の和田智之グループディレクターなどでした。どなたも一騎当千の高名な研究者であり、一緒に新しい科学研究の扉を開くことができた幸せを噛みしめております。

私の経験では、上記の努力を根気よく続ければ、どんな分野であっても自分のものとすることができます。考えてみれば、現在、これまでに例を見ない勢いで科学的知識の集積が進んでおり、数十年前に私が大学院生であった頃に得た知識は、すでに完全に時代遅れのものとなっています。それを思えば、どの分野であっても、研究者として生き残るためには、10年に一回程度は脳のオーバーホールを徹底的に行わなければならないのは当然です。

細分化され無力化した科学を再統合し、山積する人類的課題の解決を可能とする力を持つために、私たち科学者は努力を惜しんではなりません。学者は死ぬまで「学ぶ者」であるべきです。このような志を形にするために、私たちは4年前に『ＴＥＮ（Tsunami, Earth and Networking）』という総合科学雑誌を創刊しました。『ＴＥＮ』は当初、第2章で説明した国際津波防災学会の機関誌として出発しましたが、２０２２年からは、学而図書によって一般販売が行われています。この『ＴＥＮ』を、科学の生産的で健全な議論の場にしたいと私は考えています。

本書では、巷に流布するさまざまな仮説に対する反証を具体的に挙げてきました。繰り返しになりますが、ある仮説に対して反証を挙げられた場合、「仮説を棄却する」、「反証主張が間違っていることを示す」、もしくは、「反証と矛盾しないようにモデルを修正する」のうち、いずれかをとるのが科学者の正しい道です。私の挙げた反証に対するお考えをお持ちの方は、ぜひ、上記の『ＴＥＮ』に論文をご投稿ください。また、私たちが提示した学説に対する反証の提示も、同様にお待ちしています。そして今後、私からの新たな発信も、この『ＴＥＮ』で行いたいと考えています。

最後に、私は本書に掲載された記事でご紹介した方のみならず、これまで非常に多くの方々のお世話になってきました。大阪大学理学部物理学科では物理の基礎をみっちり教わり、特に、卒業研究の指導教官だった宮本重徳教授（故人）には、生涯お世話になり通しでした。宮本先生は、いつまでたっても腰の据わらない私を、いつも心配しておられたと思います。東京大学理学系研究科天文学専攻においてご指導いただいた杉本大一郎教授には、研究の進め方のイロハを叩きこんでいただきました。また、私はこれまで、理化学研究所に主任研究員として28年間在籍しています。自身が博士号を得た天体物理学以外のさまざまな分野で仕事することができたのは、理化学研究所の自由な研究の風土の賜物です。深く感謝しています。

そして、この場をお借りして、これまで私を支えてくれた家族に感謝したいと思います。私は結婚して、二女を得ました。私は研究中心主義の人間で、家庭人としては完全に失格でしたが、それでも娘たちが無事に育ってくれたのは、ひとえに妻のお陰です。

これより先も、「暗闇を照らす一本の蝋燭」として、科学が再び人々を支え続けることを願いつつ、ここに筆を置きたいと思います。

２０２３年８月29日

戎崎 俊一

戎崎俊一（えびすざき・としかず）

1958年山口県生まれ。大阪大学理学部物理学科を卒業後、東京大学理学系研究科天文学専攻に進学。NASA研究員、神戸大学助手、東京大学助手、同助教授を経て、1995年に理化学研究所主任研究員となり、現在に至る。天体物理学と計算科学を中心に、それらを含んだ学際研究に取り組み、分裂しすぎた諸科学の再統合を志向している。著者に『ゼミナール宇宙科学』（東京大学出版会）、訳書に『銀河の世界』（エドウィン・ハッブル著、岩波書店）、『時間・空間・重力　相対論的世界への旅』（ジョン・アーチボルト・フィーラー著、東京化学同人）、『宇宙創世記　ビッグバン・ゆらぎ・暗黒物質』（ジョセフ・シルク著、東京化学同人）などがある。

科学はひとつ

宇宙物理学者による知的挑戦の記録

2023年8月29日　初版第1刷発行

著　者　戎崎俊一

発行者　笠原正大

発行所　学而図書

〒222-0011 神奈川県横浜市港北区菊名1丁目4-2
第一橘ビル220 SOLO妙蓮寺

TEL 045（550）7057　FAX 045（550）7058

URL https://www.gakuji-tosho.jp

装　丁　金子委利子

印刷・製本　モリモト印刷株式会社

ISBN978-4-911072-10-3 C0040